EN BONS TERMES

Introduction au français dans le contexte nord-américain

Michel A. Parmentier
Diane Potvin
Bishop's University

Prentice Hall Canada Inc., Scarborough, Ontario

Canadian Cataloguing in Publication Data

Parmentier, Michel Alfred, 1950-
En bons termes

3e éd.
For English-speaking students of French as a second
language.
Includes index.
ISBN 0-13-138454-6

1. French language - Textbooks for second language
learners - English speakers.* 2. French language -
Grammar - Problems, exercises, etc. 3. French
language - Composition and exercises. I. Potvin,
Diane, 1943-   . II. Title.

PC112.P372 1993   448.2'421   C92-095352-2

Prentice-Hall, Inc., Englewood Cliffs, New Jersey
Prentice-Hall International, Inc., London
Prentice-Hall of Australia, Pty., Ltd., Sydney
Prentice-Hall of India Pvt., Ltd., New Delhi
Prentice-Hall of Japan, Inc., Tokyo
Prentice-Hall of Southeast Asia (Pte.) Ltd., Singapore
Editora Prentice-Hall do Brasil Ltda., Rio de Janeiro
Prentice-Hall Hispanoamericana, S.A., Mexico

ISBN 0-13-138454-6

Acquisitions Editor: Marjorie Munroe
Developmental Editor: Linda Gorman
Copy Editor: Jocelyn Smyth
Production Editor: Norman Bernard
Permissions/Photo Research: Robyn Craig
Cover Design: Monica Kompter
Illustrator: Andrew Wolf
Page Layout: Olena Serbyn
Cover Image Credit: J.P. Danvoye, l'Agence PUBLIPHOTO

1 2 3 4 5 AGC 97 96 95 94 93

Printed and bound in the USA by Arcata Graphics

CONTENTS

Chapitre trois

Parle-moi de toi   33

➤➤➤➤➤➤➤

Chapitre quatre

Un dimanche à Québec   57

➤➤➤➤➤➤

Chapitre cinq

A votre santé   77

➤➤➤➤➤➤

Chapitre six

Le magasinage et la mode   95

➤➤➤➤➤➤➤

Chapitre sept

Les études et la carrière   119

➤➤➤➤➤➤➤

Chapitre huit

Les sports d'hiver   141

➤➤➤➤➤➤➤

Chapitre neuf

Les voyages   161

➤➤➤➤➤➤➤

Chapitre dix

Arts et spectacles   185

➤➤➤➤➤➤➤

Chapitre onze

Les jeunes et la vie   205

➤➤➤➤➤➤➤

Chapitre seize

A pied, en vélo, en voiture   291
➤➤➤➤➤➤➤

Chapitre dix-sept

L'environnement   307
➤➤➤➤➤➤➤

Chapitre dix-huit

Les Cajuns de la Louisiane   323
➤➤➤➤➤➤➤

Chapitre dix-neuf

Les Autochtones   341
➤➤➤➤➤➤➤

Chapitre vingt

L'emploi   357

➤➤➤➤➤➤➤

Chapitre vingt et un

L'humeur et l'humour   375

➤➤➤➤➤➤➤

Chapitre vingt-deux

Les droits de la personne   393
➤➤➤➤➤➤➤

Preface

En bons termes, third edition, is a first-year French program which aims to develop a basic proficiency in the four language skills (listening, speaking, reading, and writing) while fostering an awareness of the French presence in North America. It is designed to encourage and enable students to communicate in French not as a "foreign" language but as an alternative mode of expression for everyday living in the North American, and especially in the Canadian, context.

The progressive acquisition, reinforcement, and creative use of language structures quickly give students the necessary confidence to express themselves. This is very much a core program, providing a solid foundation on which students may later build. Difficulties are broken down and presented in stages with numerous exercises to ensure assimilation through interactive use in the classroom. Some grammatical forms traditionally presented at this level have been deliberately omitted so that more time can be devoted to a thorough study of forms more commonly used — for instance, no mention is made of the *passé simple*, whereas the forms and uses of the *passé composé* receive a more detailed treatment than is commonly afforded them.

In this third edition we have concentrated on improving two elements of the text: the vocabulary and the reading passages. Accordingly, each chapter now includes a list of core words and expressions pertaining to the chapter theme. Most of the reading passages have been replaced with authentic material: book excerpts, periodical articles and even poems. Some of the chapter themes have also been changed so as to expand the range of topics more directly relevant to students' interests.

FORMAT

The textbook consists of twenty-two chapters, each organized according to the following pattern (Chapters 1 and 2 present slight variations).

Vocabulaire utile   An alphabetical list of words and expressions related to the chapter readings and exercises and representing a basic vocabulary to be memorized.

Grammaire et exercices oraux   This section is subdivided into separate grammatical units, each followed by a series of oral exercises. The title of each unit is in French so that students may become familiar with French grammatical terms, but the explanations are given in English to facilitate study and review outside the classroom. These explanations are simple and point out differences between French and English. The oral exercises progress from substitution and transformation drills to personalized questions and mini-dialogues. They provide ample material for classroom interaction.

Exercices écrits   These are assigned by the instructor for work outside the classroom and serve as reinforcement. They cover all the material studied in the previous section.

Lecture et questions   The reading passage incorporates grammatical structures studied in the chapter and provides additional vocabulary. A number of reading passages focus on various aspects of French culture in North America, whereas others discuss current issues (such as computers and employment) or common interests (sports and travelling).

Each reading passage is followed by a vocabulary list and a set of questions. The questions are designed to test comprehension after the text has been read and studied in class. The vocabulary list provides contextual translations for words which the students have not previously encountered.

Situations/Conversations   A range of activities (dialogues, role-playing exercises, and conversation in groups) allow choice and ensure full participation of all students. With supervision, the students can actively use the structures and vocabulary acquired in the chapter to express their feelings and opinions and to interact dynamically with each other and the instructor.

Pronunciation   These sections cover all the basic problems of French pronunciation for English-speaking students. Apart from guiding students through areas such as intonation and liaison, recognition of nasal vowels, and association of letters or letter groups with particular sounds, they provide numerous drills to help the student to develop correct articulatory habits and to distinguish between related sounds.

SUPPLEMENTARY MATERIALS

En bons termes is accompanied by a set of tapes and a laboratory manual. Each unit in these corresponds to a chapter in the textbook and includes additional exercises on structures, a listening comprehension exercise, a dictation, and pronunciation drills. A *Guide du maître* provides suggestions on using the text material and reproduces the listening comprehension and dictation exercises found on the tapes.

ACKNOWLEDGEMENTS

We wish to express our appreciation to the many colleagues who have responded to a survey on *En bons termes* and whose comments and suggestions have proved invaluable in preparing this revised edition. We are especially grateful to Maurice Elia of Dawson College for the assistance he provided by reviewing the manuscript of the third edition.

We would also like to thank the editorial staff at Prentice Hall Canada, particularly Marjorie Munroe, Linda Gorman and Norman Bernard, as well as the copy editor, Jocelyn Smyth.

Michel A. Parmentier
Diane Potvin
September 1992

Chapitre un

Faisons connaissance

VOCABULAIRE UTILE

>>>>>>>>

Les salutations

Bonjour	Good morning	**Monsieur**	sir
Bonsoir	Good evening	**Madame**	Madam
Salut	Hi, Bye	**Mademoiselle**	Miss

Les présentations

Je m'appelle Nathalie.	My name is Nathalie.
Comment vous appelez-vous?	What is your name?
Comment allez-vous?	How are you?
Je vais bien, merci.	I am fine, thank you.

Les adieux

Au revoir	Goodbye
A demain	See you tomorrow
A plus tard	See you later
A la prochaine	Until next time
A bientôt	Until soon
Bonne journée	Have a good day
Bonne soirée	Have a good evening

Autres formules

Comme ci comme ça	So-so
Je ne sais pas	I don't know
Je ne comprends pas	I don't understand
Pardon	I beg your pardon
Excusez-moi	Excuse me

GRAMMAIRE ET EXERCICES ORAUX

➤➤➤➤➤➤➤

Présentations

LE PROFESSEUR: Bonjour!*

LES ETUDIANTS: Bonjour, Monsieur.

LE PROFESSEUR: Je m'appelle Paul Duval. Comment vous appelez-vous, Monsieur?

RINO: Je m'appelle Rino Sullo.

LE PROFESSEUR: Comment allez-vous?

RINO: Je vais bien, merci.

LE PROFESSEUR: Comment vous appelez-vous, Mademoiselle?

CATHY: Je m'appelle Cathy Takeda.

LE PROFESSEUR: Comment allez-vous?

CATHY: Très bien, merci.

LE PROFESSEUR: Et vous, Madame, comment vous appelez-vous?

HEATHER: Je m'appelle Heather Francis.

LE PROFESSEUR: Comment allez-vous?

HEATHER: Pas mal, merci. Et vous?

* In Canada, "Bonjour" and "Bonsoir" are often used when parting as well as in greeting. "Bonne nuit" (Good night) is used only when a person is going to bed.

LE PROFESSEUR: Je vais bien, merci.
   (At the end of the class)
LE PROFESSEUR: Au revoir, à demain./A* plus tard./A la prochaine./A
                 bientôt./Bonsoir.†

French Ways of Greeting

Most French-speaking students greet each other with "Bonjour" or "Salut". If they are good friends, they will use "tu" rather than "vous".

Between Friends

PAUL: Salut!
RON: Salut!
PAUL: Je m'appelle Paul. Comment t'appelles-tu?
RON: Je m'appelle Ron.
PAUL: Comment ça va?
RON: Ça va bien, merci. Et toi?
PAUL: Comme ci comme ça.

EXERCICES (ORALEMENT)

A. Répétez selon le modèle.

   Modèle: Bonjour, Monsieur.
          Bonjour, Monsieur.

1. Bonjour, Madame
2. Bonjour, Mademoiselle.
3. Bonsoir, Monsieur.
4. Bonsoir, Madame.
5. Salut, Didier.
6. Comment vous appelez-vous?
7. Ça va?
8. Comment ça va?

* You may notice that the word "à" has an accent (accent grave), when written lowercase, but when capitalized, it does not. While accents are essential to correct spelling in French, it is customary to omit them from capital letters.

† In the examples given in this chapter, all nouns and pronouns refer to persons and are thus readily identified as masculine (male) or feminine (female). In the next chapter, you will see that all French nouns are either masculine or feminine and that the adjectives modifying them agree accordingly.

9. A plus tard.
10. A demain.
11. Comme ci comme ça.
12. Pardon.
13. Salut.
14. Excusez-moi.
15. Comment allez-vous?
16. Comment t'appelles-tu?
17. Je m'appelle Jeanne.
18. Très bien, merci.

19. Je vais bien, merci.
20. Au revoir.
21. A bientôt.
22. A la prochaine.
23. Bonne nuit.
24. Bonne journée.
25. Bonne soirée.
26. Je ne sais pas.
27. Je ne comprends pas.

B. Students can act out the two sets of dialogues to differentiate between the formal and informal exchanges.

> Formal exchange — teacher/student (use "vous")
> Informal exchange — student/student (use "tu")

L'alphabet

In this chart, each letter of the alphabet is followed by phonetic symbols between slash marks, which indicate how the name of the letter is pronounced in French.

a /a/	e /ə/	i /i/	m /ɛm/	q /ky/	u /y/	y /igrɛk/
b /be/	f /ɛf/	j /ʒi/	n /ɛn/	r /ɛr/	v /ve/	z /zɛd/
c /se/	g /ʒe/	k /ka/	o /o/	s /ɛs/	w /dublə ve/	
d /de/	h /aʃ/	l /ɛl/	p /pe/	t /te/	x /iks/	

Les sons du français

French sounds are given below in phonetic symbols, accompanied by their most common spellings.

Vowel Sounds

/i/	pirate, physique, ami	/y/	unité, mur
/e/	aimer, école, les, répéter	/ø/	deux, bleu
/ɛ/	elle, perte, mère, taire, seize	/œ/	neuf, professeur
/a/	la, papa, après, chocolat	/ə/	je, de, retourner
/ɑ/	bas, pâte	/ɑ̃/	anglais, enfin
/u/	nous, vous, debout	/ɔ̃/	bon, mon, savon
/o/	beau, gros, faux	/ɛ̃/	vingt, bain, rein
/ɔ/	sort, coffre	/œ̃/	un, brun

Semi-vowels

/j/ r<u>i</u><u>e</u>n, bi<u>ll</u>e
/ɥ/ h<u>u</u>it, br<u>u</u>it
/w/ <u>ou</u>i, t<u>oi</u>

Consonants

/p/ <u>p</u>ot, a<u>p</u>rès, <u>p</u>a<u>p</u>e
/b/ <u>b</u>alle, ro<u>b</u>e
/t/ <u>t</u>able, ra<u>t</u>er
/d/ <u>d</u>ire, ra<u>d</u>is
/k/ <u>k</u>ilogramme, beau<u>c</u>oup, <u>qu</u>atre
/g/ <u>g</u>arçon, <u>g</u>ui
/f/ <u>f</u>inance, <u>ph</u>iloso<u>ph</u>ie
/v/ <u>v</u>ol, arri<u>v</u>er
/s/ <u>s</u>ilence, cla<u>ss</u>e, di<u>x</u>, <u>c</u>ire, gar<u>ç</u>on

/z/ ro<u>s</u>e, rai<u>s</u>on, <u>z</u>éro
/ʃ/ <u>ch</u>aise, ar<u>ch</u>itecte
/ʒ/ <u>j</u>e, man<u>g</u>er
/m/ <u>m</u>ari, fe<u>mm</u>e
/n/ <u>n</u>on, <u>n</u>ous, bo<u>nn</u>e
/ɲ/ monta<u>gn</u>e, co<u>gn</u>er
/r/ <u>r</u>amener, a<u>rr</u>iver, <u>r</u>appo<u>r</u>t
/l/ <u>l</u>e, <u>l</u>ivre, a<u>ll</u>umer

EXERCICES (ORALEMENT)

A. Répétez les lettres et les mots suivants:

a   e   i   o   u   m   d   p   k   r   v   w   y
mu   lot   dit   bar   fol   le   papa   mini   taxi   rose   date   musique
mademoiselle   quatre   coco   chose   avis   manger   embrasser

B. Épelez (spell):

pomme	ignoble	potiche	vocabulaire
chaise	bureau	coffre	craie
table	tapis	magnifique	yoyo
madame	photographe	classe	violon

C. Épelez votre nom.

> *Modèle:* Je m'appelle John Kowalski.
> *J-o-h-n   K-o-w-a-l-s-k-i*

Les pronoms personnels sujets

A pronoun is a word used in place of one or more nouns. It may stand for a person, place, thing or idea. Instead of repeating the proper noun "Paul" in the following example, a pronoun can be used:

> Paul is an athlete. Paul goes to practice every day.
> Paul is an athlete. He goes to practice very day.

The French Subject Pronouns

je, j'	I	**nous**	we
tu	you	**vous**	you
il	he/it	**ils**	they (m.)
elle	she/it	**elles**	they (f.)
on	one/people		

Observe that:

1) **Je** is used before verbs beginning with a consonant: **je suis**
   J' is used before a vowel: **j'ai**

2) The **s** in **nous**, **vous**, **ils** and **elles** is not pronounced when the verb begins with a consonant, but when the verb begins with a vowel, a **liaison** occurs:

> nouȿ sommes
> nous ‿avons

3) The pronoun **on** corresponds to "one", "someone" or "somebody" in English. It can also be used to mean "we", "they", and "you".

4) **Tu** and **vous** both correspond to "you" in English. **Tu** is used as an informal form of address when talking to, for example, a friend, a child, a member of your family, an animal, or to anyone in a situation that allows for informality. **Vous** is used in two distinct ways: 1) to address *one* person formally, i.e. someone you have met for the first time or someone for whom you want to show respect, or, generally, a stranger; 2) to address a group (more than one person).

➤ **Note:** To allow for practice of both the **tu** and the **vous** forms and to avoid ambiguities, the following conventions have been adopted throughout the exercises in this book:
   a) When addressing the instructor, students use the formal **vous** form:
      INSTRUCTOR: Est-ce que je suis sévère?
      STUDENT: Oui, *vous* êtes sévère.

   b) When addressing each other, students use the **tu** form:
      STUDENT 1: Est-ce que *tu* es énergique?
      STUDENT 2: Oui, je suis énergique.

   c) When the instructor asks a question using **tu**, he/she is asking an individual student to provide information about him/herself (the student answers with **je**):
      INSTRUCTOR: Est-ce que *tu* es modeste?
      STUDENT: Oui, *je* suis modeste.

   d) When the instructor asks a question using **vous**, he/she is asking an individual student to provide information about the whole group of students in the class (the student answers with **nous**):
      INSTRUCTOR: Est-ce que *vous* êtes sympathiques?
      STUDENT: Oui, *nous* sommes sympathiques.

Le verbe *être* au présent de l'indicatif — forme affirmative

je suis	I am	**nous sommes**	we are
tu es	you are	**vous êtes**	you are
il	he	**ils**	
elle } **est**	she } is	**elles** } **sont**	they are
on	one		

EXERCICES (ORALEMENT)

A. Répétez le verbe *être* à toutes les personnes.

> *Modèle:* Je suis optimiste.
> > *Je suis optimiste.*

1. Tu _____ optimiste.
2. Il _____ optimiste.
3. Elle _____ optimiste.
4. On _____ optimiste.

5. Nous _____ optimistes.
6. Vous _____ optimistes.
7. Ils _____ optimistes.
8. Elles _____ optimistes.

B. Répondez affirmativement.

> *Modèle:* Je suis jeune?
> > *Oui, vous êtes jeune.*

1. Il est jeune?   Oui, il _____ .
2. Je suis jeune?   Oui, vous _____ .
3. Nous sommes jeunes?   Oui, vous _____ .
4. Elles sont jeunes?   Oui, elles _____ .
5. Tu es jeune?   Oui, je _____ .
6. Elle est jeune?   Oui, elle _____ .
7. Vous êtes jeunes?   Oui, nous _____ .
8. Ils sont jeunes?   Oui, ils _____ .
9. Paul est jeune?   Oui, Paul _____ .
10. Jeanne est jeune?   Oui, Jeanne _____ .
11. Paul et Jeanne sont jeunes? Oui, ils _____ .
12. Louise et Rose sont jeunes? Oui, elles _____ .
13. On est jeune?   Oui, on _____ .

Le verbe *être* à la forme interrogative avec *Est-ce que*

To ask a question orally in French, you may simply give the declarative sentence a rising intonation instead of a descending one. Compare:

Pierre est dynamique.   Pierre est dynamique?

Another way to ask a question, both when speaking and writing, is to insert the expression **est-ce que** before the declarative sentence:

> **Est-ce que** Pierre est dynamique?

As with all oral questions requiring a "yes" or "no" answer, the intonation rises at the end of a question with **Est-ce que**:

> **Est-ce que** Pierre est dynamique?

The Verb *Etre* in Questions Using *Est-ce que*

Est-ce que je suis dynamique?	Est-ce que nous sommes dynamiques?
Est-ce que tu es dynamique?	Est-ce que vous êtes dynamiques?
Est-ce qu'il est dynamique?	Est-ce qu'ils sont dynamiques?
Est-ce qu'elle est dynamique?	Est-ce qu'elles sont dynamiques?
Est-ce qu'on est dynamique?	

➤ Note that before **il(s)**, **elle(s)** and **on**, which begin with vowel sounds, the **e** at the end of **Est-ce que** is replaced by an apostrophe.

EXERCICES (ORALEMENT)

A. Répétez le verbe *être* en mettant la phrase à la forme interrogative.

> *Modèle:* Je suis riche.
> *Est-ce que tu es riche?*

1. Tu es riche.　　　　　Est-ce que je _____ ?
2. Il est riche　　　　　Est-ce qu'il _____ ?
3. Nous sommes riches.　Est-ce que vous _____ ?
4. Vous êtes riches.　　Est-ce que nous _____ ?
5. Elles sont riches.　　Est-ce qu'elles _____ ?
6. Je suis riche.　　　　Est-ce que tu _____ ?
7. Ils sont riches.　　　Est-ce qu'ils _____ ?
8. David est riche.　　　Est-ce que David _____ ?
9. Marie est riche.　　　Est-ce que Marie _____ ?
10. David et Marie　　　Est-ce que David et
　　sont riches.　　　　Marie _____ ?
11. Thérèse et Louise　　Est-ce que Thérèse et
　　sont riches.　　　　Louise _____ ?
12. On est riche.　　　　Est-ce qu'on _____ ?

B. Faites la question selon le modèle.

> *Modèle:* Paul est fatigué.
> > *Est-ce que Paul est fatigué?*

1. Anne est jolie.
2. Daniel est jeune.
3. Nous sommes énergiques.
4. Vous êtes malades.
5. Ils sont blonds.

6. Elles sont dynamiques.
7. Je suis mince.
8. Tu es riche.
9. Daniel et Anne sont fatigués.
10. On est fatigué.

Le verbe *être* à la forme négative

Negation is expressed by two words placed before and after the verb: **ne . . . pas** or **n' . . . pas** when the verb begins with a vowel.

Je	ne suis pas modeste.		Nous	ne sommes pas modestes.
Tu	n'es pas modeste.		Vous	n'êtes pas modestes.
Pierre/Il Suzanne/Elle On	} n'est pas modeste.		Ils Elles	} ne sont pas modestes.

EXERCICES (ORALEMENT)

A. Répétez avec les changements nécessaires:

1. Je ne suis pas riche.
2. Tu _____ .
3. Nous _____ .
4. Pierre _____ .
5. Il _____ .
6. _____ dynamique.
7. Nous _____ .
8. Anne et Marie _____ .
9. Elles _____ .

10. Vous _____ .
11. Pierre et Charles _____ .
12. Tu _____ .
13. _____ malade.
14. Il _____ .
15. Je _____ .
16. Didier _____ .
17. Vous _____ .
18. On _____ .

B. Suivez le modèle.

> *Modèle:* Est-ce que tu es sincère?
> > *Non, je ne suis pas sincère.*

1. Est-ce que tu es optimiste?
2. Est-ce que Lucie est pessimiste?
3. Est-ce que nous sommes réalistes?
4. Est-ce que vous êtes responsables?
5. Est-ce que nous sommes modestes?

6. Est-ce que tu es timide?
7. Est-ce qu'elle est fatiguée?
8. Est-ce que Charles et Suzanne sont fatigués?
9. Est-ce que je suis dynamique?

10. Est-ce que tu es dynamique?

11. Est-ce qu'Alain est énergique?

12. Est-ce qu'Edith et Juliette sont énergiques?

Adjectifs — masculin et féminin

Adjectives are words that modify nouns or pronouns. If adjectives describe, they are called descriptive or qualitative adjectives. They agree in gender (masculine/feminine) with the nouns or pronouns they modify.*

1) Most adjectives are made feminine by adding **e** to the masculine form.

Masculine	*Feminine*
Louis est intelligent.	Marie est intelligente.
Il est absent.	Elle est absente.

2) When the masculine singular form of an adjective ends in **-e**, it does not change in the feminine.

Masculine	*Feminine*
Il est malade.	Elle est malade.
Jean est modeste.	Louise est modeste.

EXERCICES (ORALEMENT)

A. Remplacez les tirets par un adjectif approprié:

intelligent(e), grand(e), petit(e), optimiste, blond(e), malade, amusant(e), dynamique, impatient(e), pressé(e), content(e), présent(e), absent(e)

1. Elle est _____ .

2. Il est _____ .

3. Je suis _____ .

4. Le professeur est _____ .

5. Sylvie est _____ .

6. Réjean est _____ .

7. Anne est _____ .

8. Tu es _____ .

9. Vous êtes _____ .

10. Robert est _____ .

* In the examples given in this chapter, all nouns and pronouns refer to persons and are thus redily identified as masculine (male) or feminine (female). In the next chapter, you will see that *all* French nouns are either masculine of feminine and that the adjectives modifying them agree accordingly.

B. Répondez avec un adjectif contraire, selon le modèle.

> *Modèle:* Est-ce que tu es pessimiste? (optimiste)
> *Non, je ne suis pas pessimiste, je suis optimiste.*

Est-ce que tu es . . .

1. impatient(e)?	(patient[e])	6. intolérant(e)?	(tolérant[e])
2. grand(e)?	(petit[e])	7. mécontent(e)?	(content[e])
3. brun(e)?	(blond[e])	8. insociable?	(sociable)
4. arrogant(e)?	(modeste)	9. apathique?	(dynamique)
5. effronté(e)?	(timide)	10. irresponsable?	(responsable)

Adjectifs: singulier et pluriel

Adjectives also agree in number with the noun or pronoun which they modify. Most adjectives are made plural by adding **s** to the singular form.

Singular
Je suis dynamique.
Elle est pressée.

Plural
Nous sommes dynamiques.
Elles sont pressées.

Adjectives ending in **s** or **x** in the masculine singular form remain the same in the masculine plural form.

Singular
Il est gros.
Pierre est heureux.

Plural
Ils sont gros.
Pierre et Jean sont heureux.

L'accord des adjectifs avec les pronoms personnels sujets

Predicate adjectives modifying subject pronouns agree in gender and number with these pronouns. While it is easy to make adjectives agree with subject pronouns in the third person — whose forms (**il**, **elle**, **ils** and **elles**) indicate whether they refer to males or females, an individual or a group — with the other subject pronouns, you must bear in mind to whom these refer in order to make the correct agreement.

1) **Je** may refer to a male or female speaker:
♂ Je suis intelligent.   ♀ Je suis intelligente.

2) **Tu** may refer to a male or female addressee:
♂ Tu es intelligent.   ♀ Tu es intelligente.

3) **On** is indefinite; the predicate adjective is always masculine singular:
♂ On est intelligent.

4) **Nous** may refer to a group of males or females:
♂ Nous sommes intelligents.   ♀ Nous sommes intelligentes.

5) **Vous** may be used to address a single individual (male or female) formally:
  ♂ Vous êtes intelligen<u>t</u>.   ♀ Vous êtes intelligen<u>te</u>.

6) **Vous** may also be used to address a group of males or females:
  ♂ Vous êtes intelligen<u>ts</u>.   ♀ Vous êtes intelligen<u>tes</u>.

7) Finally, **nous** and **vous** may refer to mixed groups. In the third person plural, mixed groups are referred to by the pronoun **ils**; the predicate adjective must then be in the *masculine* plural form:
  ♂♀ Nous sommes intelligen<u>ts</u>.
  ♂♀ Vous êtes intelligen<u>ts</u>.

EXERCICES ECRITS
➤ ➤ ➤ ➤ ➤ ➤ ➤

A. *Masculin/féminin de l'adjectif.* Mettez l'adjectif entre parenthèses à la forme qui convient.

1. Suzanne est _____ (fatigué).
2. Il est _____ (fatigué).
3. Pierre est _____ (impatient).
4. Elle est _____ (impatient).
5. Alain est _____ (intelligent).
6. Marie est _____ (intelligent).
7. Josette est _____ (amusant).
8. Elle est _____ (pressé).
9. Paul est _____ (drôle).
10. Hélène est _____ (malade).
11. Elle est _____ (occupé).
12. Il est _____ (intéressant).

B. *Pluriel de l'adjectif.* Mettez l'adjectif entre parenthèses à la forme qui convient.

1. Ils sont _____ (drôle).
2. Elles sont _____ (amusant).
3. Nous sommes _____ (intelligent).
4. Vous n'êtes pas _____ (stupide).
5. Ils ne sont pas _____ (absent).
6. Elles ne sont pas _____ (malade).
7. Suzanne et Henri sont _____ (dynamique).
8. Nathalie et Marie sont _____ (occupé).
9. Alain et Paul sont _____ (poli).
10. Chantal et Alain sont _____ (impatient).
11. Béatrice et Claire sont _____ (fatigué).
12. Vous êtes _____ (intéressant).

C. Répondez aux questions affirmativement.

  Modèle: Est-ce que tu es poli(e)?
    Oui, je suis poli(e).

1. Est-ce que tu es fatigué(e)?
2. Est-ce qu'il est marié?
3. Est-ce qu'elle est blonde?
4. Est-ce que tu es brun(e)?
5. Est-ce que nous sommes intéressant(e)s?
6. Est-ce que vous êtes grand(e)s?
7. Est-ce que Charles et Marie sont riches?
8. Est-ce que Louise et Anne sont blondes?
9. Est-ce que nous sommes dynamiques?
10. Est-ce que vous êtes poli(e)s?
11. Est-ce que vous êtes fatigué(e)s?

D. Mettez à la forme interrogative.

> *Modèle:* Je suis malade.
> > *Est-ce que tu es malade?*

1. Mario est gentil.
2. Olive est grande.
3. Pierre et Paul sont intelligents.
4. Louise et Josette sont blondes.
5. Jacqueline est amusante.
6. Je suis fatigué(e).
7. Elle est intéressante.
8. Nous sommes dynamiques.
9. Vous êtes sympathiques.
10. Nous sommes brun(e)s.

E. Construisez des phrases avec les adjectifs suivants et le verbe *être*.

1. sympathique   Nous _____ .
2. petit   Elle _____ .
3. fatigué   Tu _____ .
4. blond   Elles _____ .
5. réaliste   Je _____ .
6. amusant   Ils _____ .
7. indépendant   Il _____ .
8. malade   Vous _____ .
9. occupé   Nous _____ .
10. pressé   Vous _____ .

SITUATIONS / CONVERSATIONS
➤➤➤➤➤➤➤

1. *Rôles: dialogue entre deux étudiant(e)s.* Utilisez des variations.

> *Modèle:*
> CATHY: Salut. Comment ça va?
> RINO: Ça va bien. Et toi?
> CATHY: Pas mal. Comment t'appelles-tu?
> RINO: Je m'appelle Rino. Et toi?
> CATHY: Je m'appelle Cathy.
> RINO: A bientôt.
> CATHY: Au revoir.

2. Préparez un portrait de vous-même à l'aide des adjectifs suivants:

petit(e)	drôle	patient(e)	indifférent(e)
grand(e)	dynamique	impatient(e)	occupé(e)
blond(e)	modeste	indépendant(e)	tranquille
brun(e)	optimiste	intelligent(e)	calme
mince	timide	tolérant(e)	pessimiste
énergique	réservé(e)	arrogant(e)	responsable

3. Donnez votre première impression de la personnalité de votre voisin/voisine.

Je pense (I think) qu'il/elle est _____.

PRONONCIATION

(This exercise is at the end of Leçon 1 on tape)

I. L'accent tonique et les groupes rythmiques

1) In isolated words, the tonic accent always falls on the last syllable.
   Répétez:

> intelligent, amusant, épatant, malade, absent, présent, actif, sportif,
> dynamique, sympathique, occupé, pressé

2) In rhythmic groups (phrases), words lose their tonic accent. Instead, the accent occurs
   on the last syllable of the final word of the group.
   Répétez:

> Ça va.   Ça va bien.   Ça va très bien.
> Je suis sportif.
> Tu es aimable.
> Nous sommes impatients.
> Pierre est intelligent.

II. L'intonation dans les phrases déclaratives

1) In a declarative sentence which includes only one rhythmic group, the tonic accent has
   a falling pitch.
   Répétez:

> Je suis pressé.   Il est sportif.   Elle est active.

2) When the sentence includes two rhythmic groups, the pitch of the voice rises at the
   end of the first one and falls at the end of the second one.
   Répétez:

> Il est actif et dynamique.   Suzanne et Pierre sont absents.
>
> Elle est amusante et jolie.   Paul et Marie sont sportifs.

III. L'intonation dans les phrases interrogatives

1) By changing the intonation from a descending to a rising pattern, a declarative sentence may be transformed into a question.
   Répétez:

> Tu es fatiguée?   Vous êtes malades?   Ils sont amusants?
>
> Il est sportif?   Elle est intelligente?

Listen to the following declarative sentences and change them into questions:

> Elle est sympathique.   Tu es fatigué.
> Il n'est pas amusant.   Vous n'êtes pas contents.

2) When using **est-ce que** at the beginning of a sentence to form a question, the pitch of the voice should also rise at the end of the question.
    Répétez:

> Est-ce que tu es content?   Est-ce qu'elle est blonde?

> Est-ce qu'il est triste?   Est-ce qu'il est intelligent?

> Est-ce que vous êtes fatigués?   Est-ce qu'il est amusant?

*Transform the following statements into questions by using **est-ce que:***

> Elle est brune.   Il est absent.
> Tu es intelligent.   Vous êtes contents.
> Ils sont bruns.   Elles sont amusantes.

Chapitre deux

Une chambre confortable

Pierre a une
belle table et
un beau fauteuil
pratiques.

VOCABULAIRE UTILE

ami(e)	friend	**doux, douce**	soft
amour (m.)	love	**étagère** (f.)	shelf
arbre (m.)	tree	**guerre** (f.)	war
armoire (f.)	wardrobe	**heureux, euse**	happy
bas, basse	low	**maison** (f.)	house
beau, belle	beautiful	**milieu** (m.)	middle
bureau (m.)	desk, office	**mou, molle**	soft
cahier (m.)	notebook	**panier** (m.)	basket
carré(e)	square	**serviette** (f.)	towel, briefcase
chambre (m.)	bedroom	**stylo** (m.)	pen
chat, chatte	cat	**tableau** (m.)	blackboard
chien, chienne	dog		

GRAMMAIRE ET EXERCICES ORAUX
➤➤➤➤➤➤➤➤

Qu'est-ce que c'est? / C'est, ce sont

When you want someone to identify an object, ask: "**Qu'est-ce que c'est?**" (What is that?). To answer, use:

C'est + article + singular noun	**C'est** une table.
or	
Ce sont + article + plural noun	**Ce sont** des stylos.

EXERCICES (ORALEMENT)

A. Le professeur indique des objets dans la classe et demande "Qu'est-ce que c'est?" Répondez:

1. C'est un mur.
2. C'est une fenêtre.
3. C'est une porte.
4. C'est un plancher.
5. C'est un plafond.

6. C'est une lampe.
7. C'est un tableau.
8. C'est un bureau.
9. Ce sont des plantes.
10. Ce sont des fauteuils.

11. Ce sont des stylos.
12. Ce sont des photos.
13. Ce sont des livres.
14. Ce sont des murs.
15. Ce sont des fenêtres.

un plafond

un mur
une fenêtre
un rideau
une affiche
une porte
un miroir
une table de nuit
une photo
une radio
un disque
un tourne-disque
une commode
un lit
une lampe
un ordinateur
une machine à écrire
une couverture
un bureau
un plancher
une chaise
un téléphone
une plante
un chien
un tapis
une télévision
un livre
un fauteuil

B. Indiquez des objets dans la classe et demandez à un(e) autre étudiant(e) "Qu'est-ce que c'est?"

Noms: genre et nombre
Noun

A noun is a word that refers to:

a person:	**Sonja, Paul, professeur**
a place:	**Montréal, Québec, village**
a thing or animal:	**lampe, chaise, chien**
an idea:	**démocratie, amour, guerre**

Nouns which begin with a capital letter, such as the names of people or places, are called proper nouns. Nouns which do not begin with a capital letter are called common nouns.

Gender

When a word can be classified as masculine or feminine, it is said to have a gender. In French, all nouns are either masculine or feminine. There is no such thing as a neuter noun.

The gender of most French nouns cannot be inferred from their forms: you must memorize the gender along with the noun. However, some endings are usually associated with a particular gender:

Masculine Endings		Feminine Endings	
-age	virage	-ade	promenade
-al	arsenal	-aison	combinaison
-ent	sergent	-ette	cigarette
-ier	fermier	-ière	fermière
-eur	chanteur	-euse	chanteuse
-ien	pharmacien	-ienne	pharmacienne
-isme	communisme	-ie	chimie
-ment	gouvernement	-sion	passion
		-ture	confiture
		-té	charité
		-tion	invention

Number

When a word refers to one person or thing, it is said to be singular. When it refers to more than one, it is called plural. In French, a word in the plural is usually spelled differently than in the singular. Most often an **s** is added to the singular word; the final **s**, however, is *never* pronounced.

livre (m. sing.)   livre̱s (m. pl.)
table (f. sing.)   table̱s (f. pl.)

The Plural of Nouns Ending in:

1) -al ⟶ -aux: anim<u>al</u> ⟶ anim<u>aux</u>
2) -eau ⟶ -eaux: tabl<u>eau</u> ⟶ tabl<u>eaux</u>
3) -eu ⟶ -eux: mili<u>eu</u> ⟶ mili<u>eux</u>

➤ **Note:** If a noun ends with an **s** or a **z**, no **s** is added in the plural.

L'article indéfini: *un/une/des*
The Indefinite Article in English

"A" or "an" is used before a singular noun when we speak of a person, animal, thing or idea which is not particularized:

She ate *an* apple. (not any particular apple)
He saw *a* man in the street. (not any particular man)

There is no plural form of the indefinite article in English. Plural nouns which do not refer to particular persons or things are used without an article (or occasionally with "some"):

He ate apples. (some apples)
He saw men in the street. (some men)

The Indefinite Article in French

The singular forms of the indefinite article in French match the gender of the noun they precede. **Un** is masculine:

un garçon   a boy
un livre   a book

Une is feminine:

une femme   a woman
une chaise   a chair

As in English, the indefinite article indicates that we do not speak about any particular person or thing. However, in French, there is also a plural form of the indefinite article,

des, which is used with both masculine and feminine plural nouns and which cannot be omitted. Compare:

J'ai <u>des</u> **livres.**	I have books. (some books)
Nous avons <u>des</u> **chaises.**	We have chairs. (some chairs)

EXERCICES (ORALEMENT)

A. Employez *un* ou *une* devant chaque nom:

_____ bureau	_____ occasion	_____ couverture
_____ magicien	_____ général	_____ électricien
_____ journal	_____ tapis	_____ animal
_____ fenêtre	_____ porte	_____ ami
_____ mécanicien	_____ sergent	_____ chanteuse
_____ radio	_____ lampe	_____ parade

B. Répétez l'exercice précédent au pluriel.

> *Modèle:* occasion
> *des occasions*

Le verbe *avoir*

j'ai	I have	**nous avons**	we have
tu as	you have	**vous avez**	you have
il	he	**ils**	
elle } **a**	she } has	**elles** } **ont**	they have
on	one		

> Note: Liaison is required between **on, nous, vous, ils, elles** and the verb.
> vous‿avez   nous‿avons   elles‿ont
> on‿a   ils‿ont

The Interrogative Form with *est-ce que*

Est-ce que <u>j'ai</u> un crayon?
Est-ce que <u>vous avez</u> un fauteuil?

The Negative Form: *ne + verbe + pas*

je	<u>n'</u>ai <u>pas</u>		nous	<u>n'</u>avons <u>pas</u>
tu	<u>n'</u>as <u>pas</u>		vous	<u>n'</u>avez <u>pas</u>
il			ils	
elle }	<u>n'</u>a <u>pas</u>		elles }	<u>n'</u>ont <u>pas</u>
on				

In a negative construction, **de** is used in place of **un, une, des**:

J'ai <u>un</u> chien.   Je n'ai pas <u>de</u> chien.
Il a <u>une</u> flûte   Il n'a pas <u>de</u> flûte.
Ils ont <u>des</u> livres.   Ils n'ont pas <u>de</u> livres.

EXERCICES (ORALEMENT)

A. Répondez aux questions affirmativement.

Modèle: Est-ce que tu as une table?
Oui, j'ai une table.

Est-ce que tu as ...

1. une télévision?
2. un panier?
3. une fenêtre?
4. un bureau?
5. une chaise?
6. un téléphone?
7. un fauteuil?
8. un lit?
9. une table de nuit?
10. des photos?
11. des crayons?
12. des livres?
13. des tables?
14. des stylos?

B. Répétez avec les changements indiqués:

1. Pierre a un livre.
2. Il _____ .
3. Nous _____ .
4. Juliette _____ .
5. Marie et Pierre _____ .
6. Vous _____ .
7. _____ un bureau.
8. Suzanne _____ .
9. Tu as une commode.
10. Olive et Suzanne _____ .
11. Elle _____ .
12. _____ une télévision.
13. Gaston _____ .
14. Nous _____ .
15. Je _____ .

C. Mettez à la forme interrogative.

Modèle: J'ai un téléphone.
Est-ce que tu as un téléphone?

1. Elle a une commode.
2. Nous avons des livres.
3. Vous avez des disques.
4. Ils ont des plantes.
5. Elles ont des tapis.
6. Pierre a un ordinateur.
7. Marie a une télévision.
8. J'ai des photos.

D. Mettez à la forme négative.

Modèle: Il a une couverture.
Il n'a pas de couverture.

1. Elle a un stylo.
2. Vous avez des livres.
3. Nous avons des chaises.
4. Didier a un lit.
5. Pierre et Karine ont des disques.

6. Tu as une lampe.
7. J'ai des affiches.
8. Elle a une chambre.
9. Ils ont des photos.
10. Elles ont des plantes.

E. Formez des phrases avec les éléments suivants.

> *Modèle:* Je / avoir / livres
> *J'ai des livres.*

1. Nous / avoir / étagère
2. Ils / ne pas avoir / fauteuil
3. Jeanne / avoir / ami
4. Je / ne pas avoir / auto
5. Tu / ne pas avoir / chat

6. Les étudiants / avoir / ordinateur
7. Il / avoir / machine à écrire
8. Paul et Toni / avoir / radio
9. Le professeur / ne pas avoir / téléphone
10. Elle / avoir / réveille-matin

L'adjectif: genre et nombre (suite)

Some adjectives do not have a regular feminine form (adding **e** to the masculine form).
Study the following patterns:

1) Doubling of the Final Consonant

a) **–ien, –ienne / –iens, –iennes**

	Masculine	*Feminine*
Singular	canadien	canadienne
Plural	canadiens	canadiennes

b) **-el, -elle / -els, -elles**

	Masculine	*Feminine*
Singular	rationnel	rationnelle
Plural	rationnels	rationnelles

c) **-s, -sse / -s, -sses**

	Masculine	*Feminine*
Singular	gros	grosse
Plural	gros	grosses

d) **bon, bonne / bons, bonnes**

	Masculine	*Feminine*
Singular	bon	bonne
Plural	bons	bonnes

2) Masculine: **-eux** / Feminine: **-euse**

	Masculine	Feminine
Singular	heureux	heureuse
Plural	heureux	heureuses

➤ **Note:** Masculine endings in **-eux** do not change in the plural.

3) Masculine: **-eau** / Feminine: **-elle**

	Masculine	Feminine
Singular	nouveau	nouvelle
Plural	nouveaux	nouvelles

➤ **Note:** Adjectives ending in **-eau** add **x** for the plural: **-eaux**.

4) Masculine: **-ou** / Feminine: **-olle**

	Masculine	Feminine
Singular	mou	molle
Plural	mous	molles

5) Masculine: **-if** / Feminine: **-ive**

	Masculine	Feminine
Singular	sportif	sportive
Plural	sportifs	sportives

6) Exceptional Adjectives

	Masculine	Feminine
Singular	vieux	vieille
Plural	vieux	vieilles

	Masculine	Feminine
Singular	doux	douce
Plural	doux	douces

EXERCICE (ORALEMENT)

A. Répétez avec les changements appropriés.

Modèle: Il est heureux.
   Elle est heureuse.

1. Elle est bonne.
2. Il _____ .
3. Elles sont _____ .
4. Ils _____ .
5. _____ heureux.
6. Elles _____ .

7. Elle est _____ .
8. _____ ambitieuse.
9. Il est _____ .
10. _____ fou.
11. Elle est _____ .
12. _____ rationnelles.
13. Ils sont _____ .
14. _____ gros.
15. Elle est _____ .
16. Il est vieux.
17. Elles sont _____ .
18. _____ bonnes.

19. Il est _____ .
20. _____ nouveau.
21. Elles sont _____ .
22. _____ sérieuses.
23. Ils sont _____ .
24. Elle est _____ .
25. _____ anciennes.
26. Ils sont _____ .
27. _____ bas.
28. Elle est _____ .
29. _____ mou.
30. Ils sont _____ .

Place des adjectifs

In English, descriptive adjectives precede the noun. In French, they usually *follow* the noun. Adjectives of color, religion or nationality almost always follow the noun and agree in gender and number with the noun or pronoun.

	Masculine	*Feminine*
Singular	un fauteuil moderne	une chaise brune
	un vin français	une revue française
Plural	des fauteuils modernes	des chaises brunes
	des vins français	des revues françaises

➤ **Note:** Adjectives of nationality are not capitalized in French.

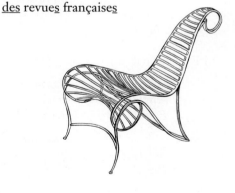

EXERCICES (ORALEMENT)

A. Répondez aux questions.

Modèle: Est-ce que tu as une chaise confortable?
Oui, j'ai une chaise confortable.

Est-ce que ...

1. j'ai une table antique?
2. tu as un disque récent?
3. il a un bureau moderne?
4. elle a un miroir carré?
5. nous avons un disque exceptionnel?
6. vous avez un lit confortable?
7. ils ont une lampe moderne?
8. elles ont un fauteuil superbe?

B. Répondez aux questions.

Modèle: Est-ce que vous avez des livres intéressants?
Oui, nous avons des livres intéressants.

Est-ce que vous avez ...
1. des photos originales?
2. des plantes vertes?
3. des disques intéressants?
4. des affiches modernes?

5. des lampes anciennes?
6. des lits confortables?
7. des livres précieux?
8. des chaises luxueuses?

Place des adjectifs (suite)

The following adjectives normally precede the noun and agree in gender and number with the noun they qualify.

	Masculine	*Feminine*
Singular	un grand lit	une grande table
Plural	de grands lits	de grandes tables

BAGS

grand	grande (tall/large)
petit	petite (small)
beau	belle (beautiful)
joli	jolie (pretty)
gros	grosse (big)
nouveau	nouvelle (new)
vieux	vieille (old)
bon	bonne (good)
autre	autre (other)

➤ **Note:** 1) In front of an adjective that is plural, **des ⟶ de**. Compare:
   des livres intéressants /   des chaises confortables /
   de beaux livres   de belles chaises

2) When placed before a masculine singular noun which begins with a vowel or a silent **h, beau, nouveau** and **vieux** become **bel, nouvel** and **vieil**:
   un vieil ami   un bel homme   un nouvel ordinateur

3) An adjective that modifies more than one noun is plural. If the nouns have different genders the *masculine plural form* is used:
   un garçon et une fille courageux   un bureau et une table anciens

EXERCICES (ORALEMENT)

A. Répondez aux questions.

   Modèle: Est-ce que tu as un grand lit?
            Oui, j'ai un grand lit.

Est-ce que tu as ...

1. une petite table?
2. une belle lampe?
3. un joli bureau?
4. un nouveau disque?
5. un vieux tourne-disque?

6. un bon miroir?
7. une belle affiche?
8. un gros fauteuil?
9. une vieille chaise?
10. une bonne télévision?

B. Répondez aux questions.

Modèle: Est-ce que vous avez de petites tables?
Oui, nous avons de petites tables.

Est-ce que vous avez ...

1. de grands lits
2. de petites tables?
3. de vieux livres?
4. de belles lampes?

5. de beaux disques?
6. de gros fauteuils?
7. de jolies serviettes?
8. de vieilles chaises?

Les nombres

1	un	18	dix-huit	35	trente-cinq
2	deux	19	dix-neuf	36	trente-six
3	trois	20	vingt	37	trente-sept
4	quatre	21	vingt et un	38	trente-huit
5	cinq	22	vingt-deux	39	trente-neuf
6	six	23	vingt-trois	40	quarante
7	sept	24	vingt-quatre	41	quarante et un
8	huit	25	vingt-cinq	42	quarante-deux
9	neuf	26	vingt-six	43	quarante-trois
10	dix	27	vingt-sept	44	quarante-quatre
11	onze	28	vingt-huit	45	quarante-cinq
12	douze	29	vingt-neuf	46	quarante-six
13	treize	30	trente	47	quarante-sept
14	quatorze	31	trente et un	48	quarante-huit
15	quinze	32	trente-deux	49	quarante-neuf
16	seize	33	trente-trois	50	cinquante
17	dix-sept	34	trente-quatre		

➤ **Note:** The final consonants of all the numbers are pronounced when followed by words beginning with a vowel. The final **x** or **s** of deu<u>x</u>, troi<u>s</u>, si<u>x</u> and di<u>x</u> is pronounced as a /z/ sound.

un ami   deux étudiants   trois exercices

EXERCICES (ORALEMENT)

A. Répétez:

45	11	13	49	2	17	9	48	16	32
12	22	27	26	12	50	13	23	15	42
15	10	32	19	22	30	40	7	14	48

B. Donnez la réponse correcte.

Modèle: 2 + 2 =

Deux plus deux font quatre. / Deux et deux font quatre.

plus
15 + 15 =	32 + 13 =	7 + 15 =
11 + 22 =	18 + 16 =	9 + 2 =
13 + 27 =	15 + 7 =	8 + 7 =

moins
17 - 2 =	23 - 9 =	12 - 6 =
40 - 13 =	49 - 23 =	27 - 11 =
48 - 12 =	18 - 16 =	50 - 25 =

fois
2 x 2 =	15 x 2 =	5 x 5 =
13 x 2 =	4 x 4 =	12 x 3 =
10 x 4 =	11 x 3 =	7 x 4 =

C. Répondez aux questions.

Modèle: Combien est-ce que tu as de crayons? (12)
J'ai douze crayons.

Combien est-ce que tu as ...

1. de livres? (22)
2. de tables? (4)
3. de chaises? (5)
4. de lampes? (2)
5. de fauteuils? (4)
6. de fenêtres? (3)
7. de chats? (11)
8. de plantes? (4)
9. de cahiers? (8)
10. d'amis? (2)
11. d'affiches? (4)
12. d'exercices? (23)

EXERCICES ECRITS

➤➤➤➤➤➤➤

A. Ecrivez *un, une* ou *des*:

1. Est-ce que tu as _____ lit?
2. J'ai _____ commode.
3. Il a _____ chaises.
4. Charles a _____ télévision.
5. Claire a _____ tourne-disque.
6. Ils ont _____ ordinateur.
7. Nous avons _____ chien.
8. Vous avez _____ radio.
9. Elles ont _____ machine à écrire.
10. Ils ont _____ rideaux.
11. Antoine a _____ chambre.
12. J'ai _____ plantes.
13. Est-ce qu'il a _____ affiches?
14. Vous avez _____ flûte.
15. Ils ont _____ miroir.
16. Georges et Paul ont _____ tapis.
17. Elle a _____ téléphone.
18. Nous avons _____ lampes.

B. Remplacez les tirets par le verbe *avoir* à la forme qui convient:

1. Elle _____ une télévision.
2. Je _____ un tapis.
3. Edouard _____ des livres.
4. Nous _____ des disques.
5. Tu _____ un ordinateur.
6. Elles _____ des stylos.

C. Mettez les phrases de l'exercice précédent: 1) à la forme négative; 2) à la forme interrogative avec *Est-ce que*.

D. Mettez au pluriel d'après les modèles.

Modèles: C'est un nouvel ordinateur.
Ce sont de nouveaux ordinateurs.
C'est une chaise confortable.
Ce sont des chaises confortables.

1. C'est un étudiant sportif.
2. C'est une vieille chaise.
3. C'est un gros chien.
4. C'est un livre intéressant.
5. C'est un étudiant sérieux.
6. C'est un bel animal.
7. C'est un grand tableau.
8. C'est une table basse.
9. C'est une bonne idée.
10. C'est un milieu intellectuel.

E. Mettez l'adjectif ou les adjectifs à la place qui convient et faites-les accorder avec le nom.

Modèle: Elle a des tables (petit, bas).
Elle a de petites tables basses.

1. Nous avons des disques (nouveau).
2. J'ai un lit (grand).
3. Il a un fauteuil (confortable).
4. Il a un chien (intelligent).
5. Nous avons une commode (ancien).
6. Tu as un stylo (bon).
7. Nous n'avons pas de commode (beau).
8. Tu as une machine à écrire (pratique).
9. Pierre a des photos (intéressant).
10. Vous avez une lampe (joli, chinois).

11. Ils ont un tourne-disque (bon, moderne).
12. Paul et Louise ont des disques (exceptionnel).
13. J'ai une machine à écrire (vieux).
14. Marie a des lampes (beau, pratique).
15. Elles n'ont pas de couvertures (gros).
16. Vous avez des chambres(luxueux).
17. Ils ont des affiches (superbe).
18. Nous avons des couvertures (doux).

F. Répondez aux questions par des phrases complètes. (Écrivez les chiffres en toutes lettres.)

Combien est-ce que tu as ...

1. de chaises?   (3)
2. de tables?   (2)
3. de lampes?   (5)
4. de livres?   (42)
5. de crayons?   (13)

6. de fenêtres?   (6)
7. de fauteuils?   (7)
8. d'affiches?   (5)
9. de photos?   (8)
10. de stylos?   (15)

G. Indiquez les réponses en chiffres écrits.

Modèle: 5 x 5 = *vingt-cinq*

1. 4 x 4 =
2. 16 + 16 =
3. 35 - 15 =
4. 10 + 10 =

5. 50 - 12 =
6. 20 - 10 =
7. 5 x 3 =
8. 10 + 13 =

9. 5 + 6 =
10. 25 - 12 =
11. 24 - 10 =
12. 24 - 12 =

SITUATIONS / CONVERSATIONS

1. Qu'est-ce que vous avez dans votre chambre?

2. Demandez à votre voisin(e) quelle sorte de table il/elle a?

de chaise
de fauteuil
de disques
etc.

Exemple: J'ai une table ancienne.
        J'ai une petite table.

COMPOSITION

Faites une description des objets de votre chambre:

Exemple: J'ai un grand lit confortable, un vieux tapis, de grandes fenêtres. J'ai aussi
        un tourne-disque, etc.

PRONONCIATION

(This exercise is at the end of Leçon 2 on Tape.)

I. Enchaînement

Within a rhythmic group, when a word ends with a pronounced consonant and the next word begins with a vowel sound, that consonant is linked with the vowel.

Répétez:

Il est amusant.   C'est un nouvel ordinateur.
Il est actif.   C'est un vieil ami.
Il est impatient.

Few words in French end in a consonant which is pronounced. However, a number of words end with the letter **e** which is never pronounced in that position: in such a case, the preceding consonant is pronounced and may also be linked with the following word if that word begins with a vowel sound.

Répétez:

Madame Armand   quatre amis
Mademoiselle Olive   un autre étudiant
Elle est absente   une grande armoire
Elle est sportive.   une petite amie

II. Liaison

Although in most French words the final consonant is not pronounced, when a word ending in a silent consonant is followed by a word beginning with a vowel sound, that consonant is sometimes pronounced and linked with the vowel sound. Depending on the case, **liaison** is optional, compulsory, or even to be avoided (see Chapter 21). **Liaison** is compulsory between a subject pronoun and a verb as well as between an article and a noun or an adjective and a noun.

Final **s** and **x** are pronounced /z/ in **liaison**; final **d** is pronounced /t/.

Répétez:

nous avons   de bons étudiants
vous avez   de vieux arbres
ils ont   de vieux amis
elles ont   de nouveaux étudiants
des armoires   un grand arbre
des affiches   un grand ami
des amis   un grand animal
des étudiants   Ils ont des amis.
de grands arbres   Nous avons de bons amis.
de bons amis

Chapitre trois

Parle-moi de toi

VOCABULAIRE UTILE

aimable	amicable	**échecs: jeu d'** —	chess
avocat, ate	lawyer	**église** (f.)	church
batterie (f.)	drum	**facile**	easy
bibliothèque (f.)	library	**femme** (f.)	woman
bois (m.)	wood	**fête** (f.) **des Mères**	mother's day
chanson (f.)	song	**fête** (f.) **de Noël**	Christmas
dames: jeu de —	checkers	**fête** (f.) **de Pâques**	Easter
dire	to say, tell	**fête** (f.) **du Travail**	Labor Day
drôle	funny	**fromage** (m.)	cheese

herbe (f.)	grass	**travailleur, euse**	worker
homme (m.)	man	**vite**	fast, quick
jusque	up to	**paresseux, euse**	lazy
médecin (m.)	doctor	**parler**	to speak, to talk
meilleur(e)	best	**piscine** (f.)	pool
oiseau (m.)	bird	**spectacle** (m.)	show

GRAMMAIRE ET EXERCICES ORAUX

➤➤➤➤➤➤➤

Verbes réguliers et verbes irréguliers

The majority of French verbs are regular (**réguliers**), which means that they are conjugated according to a fixed pattern. There are three groups of regular verbs. Their infinitives end in **-er** (first group); in **-ir** (second group); and in **-re** (third group). Dropping the infinitive ending (**la terminaison**) leaves the stem (**le radical**). Regular verbs are conjugated in the various tenses by adding a particular set of endings to the stem.

Irregular verbs are those which do not follow an established pattern and must be memorized individually. (**Être** and **avoir** are irregular verbs.)

Présent de l'indicatif des verbes en -er

The present tense of verbs in the first group is formed by adding to the stem the endings shown in this example:

danser (to dance)

je	dans**e**	nous	dans**ons**
tu	dans**es**	vous	dans**ez**
il/elle/on	dans**e**	ils/elles	dans**ent**

➤ **Note:** The endings **-e, -es, -e, -ent** are silent: hence the forms **je danse, tu danses, il/elle/on danse, ils/elles dansent** all have the same pronunciation.

The first group includes all the regular verbs whose infinitives end in **-er**, such as:

aimer	(to like/to love)	Nous aimons la musique.
arriver	(to arrive)	J'arrive de la cafétéria.
chanter	(to sing)	Est-ce que tu chantes à l'église?
écouter	(to listen to)	Lise écoute un disque.
entrer	(to enter)	Nous entrons dans la classe.
étudier	(to study)	Ils étudient le français.

j'étudiais

fumer	(to smoke)	Serge ne fume pas.
habiter	(to dwell)	Nous habitons Montréal.
marcher	(to walk)	Vous marchez dans le parc.
manger	(to eat)	Est-ce que vous mangez au restaurant?
parler	(to speak)	Elle parle l'anglais.
regarder	(to look at/to watch)	Tu regardes la télévision.
rester	(to stay)	Je reste chez moi.
travailler	(to work)	Nous ne travaillons pas bien.

➤ **Note:** 1) The pronoun **je** before a vowel or a silent **h** becomes **j'**: **j'arrive, j'entre, j'habite.**

2) There is only one verb form in French to indicate the present tense, whereas there are three forms in English:

je danse { I dance (present)
I do dance (present emphatic)
I am dancing (present progressive)

EXERCICES (ORALEMENT)

A. Répétez chaque phrase. Changez la forme du verbe selon le sujet entre parenthèses.

Modèle: Tu (elle, nous, je) imagines.
Tu imagines. Elle imagine. Nous imaginons. J'imagine.

1. Martin (vous, tu, je) écoute un disque de jazz.
2. Nous (on, vous, Suzanne et Marc) regardons la télévision.
3. Je (vous, ils, tu, un professeur) marche dans le bois.
4. Elle (tu, André, nous) aime la nature.
5. Sylvie (nous, elles, vous) travaille à la bibliothèque.
6. Vous (je, ils, Henri, tu) parlez avec le professeur.
7. Ils (nous, je, Louise) étudient à Toronto.

B. Mettez à la forme négative et à la forme interrogative.

Modèle: Il chante.
Il ne chante pas. Est-ce qu'il chante?

1. Vous parlez.
2. Nous étudions.
3. Elles arrivent.
4. Elle marche.
5. Tu travailles.
6. Je rentre.
7. Il regarde.
8. Ils écoutent.
9. Tu parles.
10. Vous dansez.

C. Posez la question appropriée.

Modèles: Je fume des cigares.
   Est-ce que tu fumes des cigares?

   Nous regardons un film.
   Est-ce que vous regardez un film?

1. Je mange un sandwich.
2. Nous chantons une ballade.
3. J'étudie très fort.
4. Je parle avec Hélène.
5. Vous regardez un film.
6. Nous parlons avec Yvon.
7. J'écoute une chanson.
8. Nous travaillons.
9. Nous marchons.
10. Tu aimes la classe.

L'article défini

Forms

le   before a masculine singular noun or adjective beginning with a consonant:
          le garçon, le stylo, le grand bureau

la   before a feminine singular noun or adjective beginning with a consonant:
          la table, la serviette, la jolie chaise

l'   before a masculine or feminine singular noun or adjective beginning with
          a vowel sound or a silent **h**:
          l'étudiant, l'homme, l'autre classe

les   before all plural nouns or adjectives:
          les stylos, les femmes, les nouveaux livres

Uses of the Definite Article

1) Like "the" in English, it precedes nouns indicating particular persons, places or things:

   Le professeur est dans la classe.
   Les étudiants sont attentifs.
   L'université est grande.

2) Unlike "the" in English, the definite article in French also precedes nouns used abstractly or in a general sense. Compare:

   Le français est facile.   French is easy.
   Les arbres sont verts.   Trees are green.
   L'honnêteté est une vertu.   Honesty is a virtue.

EXERCICES (ORALEMENT)

A. Remplacez l'article indéfini par l'article défini approprié:

un garçon	un mur
une fille	des couvertures
un étudiant	un ordinateur
une étudiante	un arbre
un chat	des feuilles
une chaise	un tapis
des livres	une femme
un pupitre	des fenêtres
une table	des bois
des disques	un oiseau

B. Insérez l'article défini qui convient:

la	télévision	le	téléphone	la	photo
le	lit	la	table	la	plante
l'	affiche	la	machine à écrire	la	radio
le	commode	le	plafond	la	couverture
le	disque	le	miroir	le	réveille-matin
le	livre	le	fauteuil	le	plancher

Prépositions de lieu

à (at/in/to/into)	Il est <u>à</u> Montréal; <u>à</u> l'université.
de (from)	Elle arrive <u>de</u> Toronto; <u>de</u> la bibliothèque.
dans (in/into)	La plante est <u>dans</u> le pot.
devant (in front of)	Le professeur est <u>devant</u> les étudiants.
derrière (behind)	Le tableau est <u>derrière</u> le professeur.
sur (on)	Les livres sont <u>sur</u> la table.
sous (under)	Le chien est <u>sous</u> la chaise.
à côté de (beside/next to)	Le restaurant est <u>à côté de</u> la discothèque.
à droite de (to the right of)	Pierre est <u>à droite de</u> Marie.
à gauche de (to the left of)	Sylvie est <u>à gauche de</u> Marie.
entre (between)	Marie est <u>entre</u> Pierre et Sylvie.
en face de (facing)	Jean est <u>en face du</u> professeur.

Contractions

When **à** or **de** precedes the definite article **le** or **les**, the following contractions are made:

à + le = au	**à + les = aux**
de + le = du	**de + les = des**
Nous sommes **au** restaurant.	Il parle **aux** étudiants.
J'arrive **du** cinéma.	Il parle **des** étudiants.

No contraction is made with **la** or **l'**:

> Elle est **à la** maison.   Nous sommes **à l'**église.

Contractions are also made with **le** or **les** when **à** or **de** are part of longer prepositions:

> à côté de + les étudiants ——————→ à côté **des** étudiants
>
> jusqu'à (up to) + le parc ——————→ jusqu'**au** parc

Interrogation — l'inversion

Questions in French are asked not only by using upward intonation (**Ils sont grands?**) or **Est-ce que** (**Est-ce qu'ils sont grands?**), but also by inverting the subject and verb: **Sont-ils grands?**

Inversion can be used when:

1) the subject is a pronoun, although it is not normally used if the subject is the pronoun **je**.

> Tu es fatigué. ——————————→ Es-tu fatigué?
>
> Vous avez des disques. ——————→ Avez-vous des disques?

If the verb ends with a vowel, a **t** must be inserted between the verb and the pronouns **il**, **elle** and **on**:

> Danse-t-il à la discothèque?
> A-t-elle un ordinateur?
> Chante-t-on dans la classe?

2) the subject is a noun. The noun remains before the verb, but a subject pronoun of the same gender and number as the noun is added after the verb:

> Les arbres sont-ils verts?
> René est-il intelligent?
> Le professeur regarde-t-il les étudiants?

3) the question begins with an interrogative adverb such as **où** (where) or **d'où** (from where):

> Où mange-t-il?
> Où Pierre travaille-t-il?
> D'où Suzanne arrive-t-elle?

An alternative construction is often used when the subject is a noun and the verb is **être**: **où** + verb (**être**) + noun subject:

> Où est Pierre?
> Où est le professeur?
> Où sont les livres?

EXERCICES (ORALEMENT)

A. Formez une question avec l'inversion.

> *Modèles:* Tu es sportif.
> *Es-tu sportif?*
>
> Bernard regarde la télévision.
> *Bernard regarde-t-il la télévision?*

1. Elle est sympathique.
2. Vous êtes sportifs.
3. Il a une télévision.
4. Ils marchent dans le bois.
5. Tu manges le fromage.
6. Elles sont amusantes.
7. Lisette mange un sandwich.
8. André regarde un film.
9. Le professeur écoute les étudiants.
10. Les poètes aiment la nature.
11. Louis a une télévision.
12. Les étudiants sont attentifs.

B. Formez la question. Employez *où* et l'inversion.

> *Modèle:* Carole est à Montréal.
> *Où est Carole?*

1. Le chat est sous la table.
2. Julien est derrière la porte.
3. Les livres sont sur le bureau.
4. Il est à droite de la fenêtre.
5. Le professeur est à côté de la porte.
6. Le fauteuil est entre la commode et la fenêtre.
7. Nous sommes dans la classe.
8. Elizabeth est à côté de Pierre.
9. Je suis devant Lucien.
10. La télévision est sur la commode.
11. Marc est dans la chambre.
12. Le chien est entre Loulou et Marie.

C. Même exercice.

> *Modèle:* Pierre mange au restaurant.
> *Où Pierre mange-t-il?*

1. Les étudiants marchent dans le bois.
2. Marc et Sylvie dansent à la discothèque.
3. Le professeur travaille à la bibliothèque.
4. Antoinette chante à l'église.
5. Serge entre dans la classe.
6. Les enfants jouent dans le jardin.

D. Répondez par une phrase complète. Utilisez *à, au, à la, à l'* ou *de, de l', de la, du*.

> *Modèle:* D'où arrives-tu? (le cinéma)
> *J'arrive du cinéma.*

1. Où Jean habite-t-il? (Toronto)
2. Où manges-tu? (la cafétéria)
3. Où Pierre mange-t-il? (le restaurant)
4. Où sommes-nous? (l'église)
5. D'où es-tu? (Vancouver)
6. D'où rentre-t-elle? (le cinéma)
7. Où Yvette étudie-t-elle? (la bibliothèque)
8. D'où arrive-t-il? (le bois)
9. Où chantez-vous? (l'église)
10. Où est-il? (l'hôpital)

E. Regardez "Une chambre confortable," (page 19, chapitre deux), et répondez aux questions.

Où est ...

1. la radio?
2. l'ordinateur?
3. le fauteuil?
4. la télévision?
5. le téléphone?

6. le tourne-disque?
7. la commode?
8. le miroir?
9. la chaise?
10. le rideau?

F. Posez une question à un(e) autre étudiant(e) avec les verbes suivants: *manger, jouer, étudier, travailler, être, chanter, marcher, habiter.*

Modèle: Où es-tu?
Je suis dans la classe.

L'impératif

Like the indicative, the imperative is a mood (**un mode**). It is a form of the verb used to give commands or offer suggestions.

The imperative has three forms which correspond to the three subject pronouns **tu, nous** and **vous**, but these subject pronouns are omitted. The three forms of the imperative are identical to the corresponding forms of the present indicative, except that the final **s** is dropped from the **tu** form of **-er** verbs.

danser	**chanter**	**parler**
danse	chante	parle
dansons	chantons	parlons
dansez	chantez	parlez

The imperative forms of **être** and **avoir** are irregular.

être	**avoir**
sois	aie
soyons	ayons
soyez	ayez

To form the negative form of the imperative, use **ne** before the verb and **pas** after it:

Ne parle pas!
Ne regardez pas la télévision!
Ne chantons pas!
Ne sois pas méchant!

EXERCICES (ORALEMENT)

A. Mettez les verbes à la forme correcte d'après le modèle.

> *Modèle:* (manger) à la cafétéria
>> *Mange à la cafétéria. Ne mange pas à la cafétéria.*

1. (écouter) un disque
2. (danser) avec Danielle
3. (étudier) fort
4. (être) dans la classe
5. (manger) à la cafétéria
6. (parler) avec les étudiants
7. (regarder) les autres étudiants
8. (travailler) dans la chambre
9. (imaginer) le spectacle
10. (chanter) une chanson
11. (rester) chez toi
12. (avoir) du courage

B. Même exercice.

> *Modèle:* (regarder) le tableau
>> *Regardez le tableau. Ne regardez pas le tableau.*

1. (être) attentifs
2. (marcher) sur l'herbe
3. (respirer) l'air pur
4. (entrer) dans la classe
5. (fumer) la pipe
6. (regarder) le spectacle

C. Même exercice.

> *Modèle:* (écouter) le professeur
>> *Écoutons le professeur. N'écoutons pas le professeur.*

1. (regarder) le livre
2. (rentrer) à la maison
3. (marcher) vite
4. (étudier) la philosophie
5. (entrer) dans la chambre
6. (parler) avec Henri

Verbes suivis de prépositions

Many verbs may be followed directly by a noun which is the direct object:

> Il regarde la <u>télévision</u>.　　　　Tu manges un <u>croissant</u>.

Other verbs are followed by a preposition before a noun, as are the following:

parler de (to speak of/about)	Elle parle <u>du professeur</u>.
	Nous parlons <u>de la cafétéria</u>.
jouer à (to play games/sports)	Pierre joue <u>au tennis</u>.
	Le vieil homme joue <u>aux cartes</u>.
jouer de (to play a musical instrument)	Suzanne joue <u>de la guitare</u>.
	Guy ne joue pas <u>du piano</u>.

Remember that contractions occur with **à** and **de** when followed by the definite articles **le** or **les**:

le tennis ⟶ jouer **au** tennis (**à** + le)
les étudiants ⟶ parler **des** étudiants (**de** + les)

Rappel

When the verb **avoir** is in the negative, the indefinite article preceding the direct object always becomes **de** (**d'**):

J'ai <u>un</u> ordinateur.   Je n'ai pas <u>d'</u>ordinateur.

This also applies to other transitive verbs, i.e., verbs which take a direct object:

Je mange <u>un</u> sandwich. ⟶ Je ne mange pas <u>de</u> sandwich.
Nous écoutons <u>des</u> cassettes. ⟶ Nous n'écoutons pas <u>de</u> cassettes.

EXERCICES (ORALEMENT)

A. Répondez aux questions (affirmativement et négativement):

1. Est-ce que tu joues de la flûte?
2. Est-ce que nous jouons aux échecs dans la classe?
3. Est-ce qu'Albert joue au football?
4. Est-ce que tu regardes un vidéo?
5. Est-ce que vous écoutez un concert?
6. Est-ce que vous écoutez des disques de rock?
7. Est-ce que nous parlons de Paul?
8. Est-ce que le professeur joue du violon?
9. Est-ce que je fume des cigares?
10. Est-ce que l'étudiante mange un steak?

B. De quel(s) instrument(s) est-ce que tu joues?

1. Je joue de ... le piano, le violon, la flûte, l'harmonica, la batterie, la guitare, l'orgue, la contrebasse, le clavecin, etc.

A quels jeux joues-tu?

2. Je joue à ... les échecs, le Monopoly, les cartes, le bridge, le poker, le Scrabble, les dames, les dominos, etc.

C. Posez la question à un(e) autre étudiant(e) selon le modèle.

Modèle: fumer des cigarettes.
Question: Est-ce que tu fumes des cigarettes?
Réponse: Oui, je fume des cigarettes. / Non, je ne fume pas de cigarettes.

1. écouter la radio
2. regarder la télévision
3. marcher dans le bois
4. manger des croissants
5. jouer aux échecs
6. aimer la musique rock
7. jouer de la trompette
8. parler du professeur

D. Répondez à la forme négative.

Modèle: Regardes-tu un film?
Non, je ne regarde pas de film.

1. Jean-Luc mange-t-il des bananes?
2. Est-ce qu'Eric écoute un concert?
3. Est-ce que tu fumes un cigare?
4. Le chien mange-t-il un gâteau?
5. Ecoutent-elles une chanson?
6. Est-ce qu'il regarde un livre?
7. Le professeur écoute-t-il des cassettes?
8. Aimes-tu le vidéo?

Le verbe irrégulier *aller*

Présent de l'indicatif				*Impératif*
je	vais	nous	allons	va*
tu	vas	vous	allez	allons
il/elle/on	va	ils/elles	vont	allez

Aller is used in expressions such as:

Comment ça va?   Ça va.
Comment allez-vous?   Je ne vais pas très bien.
Comment va Pierre?   Il va bien.

Aller generally means **to go**. It is used with the preposition **à** before the name of a city or a noun indicating a place:

Elle va à la bibliothèque.
Je vais à Montréal.

*In the **tu** form of the imperative, the **s** is dropped.

It is used with the preposition **chez** before a proper noun or a noun designating a person or persons:

> Allons chez Catherine.
> Ils vont chez des amis.
> Elle va chez le médecin.

EXERCICES (ORALEMENT)

A. Répétez avec les changements appropriés:

1. Il va bien.
2. Tu _____ .
3. Nous _____ .
4. Vous n'allez pas bien.
5. Je _____ .
6. Elle _____ .
7. Suzanne va mal.
8. Diane et Marie _____ .
9. Vous _____ .
10. Tu _____ .
11. Est-ce que Maurice va bien?
12. _____ tu _____ ?
13. _____ ils _____ ?
14. _____ Julie _____ ?

B. Répétez avec les changements appropriés:

1. René va à Trois-Rivières.
2. Nous _____ .
3. Je _____ .
4. _____ à la maison.
5. Tu _____ .
6. Marc et Sylvie _____ .
7. Vous _____ .
8. _____ chez le médecin.
9. Il _____ .
10. Elles _____ .
11. Est-ce que tu vas chez le professeur?
12. _____ il _____ ?
13. _____ vous _____ ?
14. Nous n'allons pas au cinéma.
15. Je _____ .
16. Jean et Albert _____ .
17. Tu _____ .

C. Répondez aux questions. Employez *à, au, à la, à l'* ou *chez*:

1. Où vas-tu? (le coiffeur)
2. Où allez-vous? (le restaurant)
3. Où est-ce que je vais? (la cafétéria)
4. Où allons-nous? (Charles)
5. Où est-ce qu'elle va? (Montréal)
6. Où vont Pierre et Chantal? (la discothèque)
7. Où va-t-il? (le dentiste)

Les pronoms toniques

Stress pronouns are used to refer to persons.

Subject Pronouns	Stress Pronouns
je	**moi**
tu	**toi**
il	**lui**
elle	**elle**
nous	**nous**
vous	**vous**
ils	**eux**
elles	**elles**

They are used:

1) to emphasize the subject:
> Marie, <u>elle</u>, est dynamique, mais <u>moi</u>, je suis fatigué(e).

Stress pronouns come *after* the subject if it is a noun, but *before* a subject pronoun.

2) alone, or in short phrases:
> J'ai un ordinateur, et <u>toi</u>?
> Pierre est sportif, et <u>moi</u> aussi.

3) as part of compound subjects:
> Hélène et <u>moi</u> allons à l'université.

4) as objects of prepositions:
> Nous allons chez <u>Andrée</u>. → Nous allons chez <u>elle</u>. Pierre travaille avec <u>moi</u>.
> Elle parle du <u>professeur</u>. → Elle parle de <u>lui</u>. Ils parlent entre <u>eux</u>.

EXERCICES (ORALEMENT)

A. Remplacez le nom souligné par un pronom tonique:

1. Je vais chez <u>Marie</u>.
2. Hélène est chez <u>Pierre</u>.
3. Ils vont chez les <u>Armand</u>.
4. Marc est à côté de <u>Lucie</u>.
5. Marc est entre <u>Lucie</u> et <u>Henri</u>.
6. Les étudiants parlent de <u>M. Paul</u>.
7. Ils parlent des <u>professeurs</u>.

B. Employez le pronom tonique correspondant au sujet.

> *Modèle:* Je / fatigué(e)
> *Moi, je suis fatigué(e).*

1. Tu / sympathique	5. Vous / dynamiques
2. Elle / aimable	6. Je / grand(e)
3. Nous / sportifs	7. Il / travailleur
4. Ils / paresseux	8. Elles / drôles

C. Répondez négativement aux questions d'après le modèle.

> *Modèle:* Travailles-tu avec le professeur?
> *Non, je ne travaille pas avec lui.*

1. Joues-tu au tennis avec Björn?	4. Vas-tu à la piscine avec Geneviève?
2. Vas-tu au cinéma avec l'avocate?	5. Es-tu à côté de Serge?
3. Manges-tu avec les autres étudiants?	6. Parles-tu de moi avec Jean?

Jours — mois — saisons — date

Une semaine = 7 jours
= lundi, mardi, mercredi, jeudi, vendredi, samedi, dimanche

Le premier jour de la semaine est lundi.
Le dernier jour de la semaine est dimanche.

hier	*aujourd'hui*	*demain*
lundi ←	— mardi —	→ mercredi
vendredi ←	— samedi —	→ dimanche

> **Note:** 1) When referring to a particular day in the preceding or in the following week, use the name of the day only:
> **Il est arrivé dimanche.** (He arrived on Sunday.)
> **Elle va à Montréal mardi.** (She's going to Montreal on Tuesday.)
>
> 2) The masculine definite article **le** is used before the name of a day to indicate that some event or action regularly occurs on that particular day:
> **Le samedi, il va à la discothèque.** (On Saturdays, he goes to the discotheque.)
> **Le mardi, il joue aux échecs.** (On Tuesdays, he plays chess.)

Une année = 12 mois
= janvier, février, mars, avril, mai, juin, juillet, août, septembre, octobre, novembre, décembre

Nous sommes en septembre.
Il arrive en octobre.

4 saisons

= le printemps, l'été, l'automne, l'hiver

> **Note:** Nous sommes <u>en</u> été / <u>en</u> automne / <u>en</u> hiver.
> *but* Nous sommes <u>au</u> printemps.

La date

Quelle est la date aujourd'hui?   C'est <u>le 3 juin</u>.
Quelle est la date de l'examen?   C'est <u>le 20 octobre</u>.

> **Note:** 1) le <u>deux</u> février, le <u>cinq</u> avril, le <u>dix-huit</u> octobre
>   *but* le <u>premier</u> août
>
>   2) <u>le</u> huit mars, <u>le</u> onze avril (**le** does not become **l'**)

Les adjectifs interrogatifs (which, what)

The forms of the interrogative adjective are:

	Singular	*Plural*
Masculine	quel	quels
Feminine	quelle	quelles

The interrogative adjective agrees in gender and number with the noun it modifies.

1) It is used before a noun:

      Quel film regardes-tu?   Quelles saisons aimes-tu?
      Quelle chanson chante-t-elle?   C'est quel jour, aujourd'hui?

2) It may be used after a preposition:

      Dans quelle chambre es-tu?   En quelle saison sommes-nous?
      A quelle date est Noël?   De quelle ville es-tu?

3) It may be separated from the noun by the verb **être**:

      Quelle est la date aujourd'hui?   Quels sont les jours de la semaine?
      Quels sont les mois d'hiver?

EXERCICES (ORALEMENT)

A. Répondez aux questions:

   1. En quel mois sommes-nous?   3. Quelle est la date?
   2. C'est quel jour, aujourd'hui?   4. En quelle saison sommes-nous?

5. Quels sont les mois de printemps? d'été? d'automne? d'hiver?
6. A quelle date est Noël? Pâques? la fête du Travail?
7. Quels sont les jours du week-end?
8. Après mercredi, c'est quel jour? et après jeudi? etc.
9. Après juin, c'est quel mois? et après septembre? etc.
10. En quelle saison est décembre? et août? et mars? et octobre? etc.
11. Quelle est la date de l'examen?

B. Posez une question avec un adjectif interrogatif d'après le modèle.

Modèle: Pâques est le 3 avril.
A quelle date est Pâques?

1. Nous sommes en automne.
2. Noël est en hiver.
3. Nous sommes en octobre.
4. L'examen est le 15 octobre.
5. La fête des Mères est le 20 mai.
6. Le premier jour de la semaine est lundi.
7. Nous sommes dans la classe de français.
8. L'examen est le 1er novembre.
9. Le match de football est le 24 octobre.

EXERCICES ECRITS

➤➤➤➤➤➤➤

A. Ecrivez la forme correcte du verbe entre parenthèses:

1. Nous (danser) _____ dans les discothèques.
2. Je (rentrer) _____ du cinéma.
3. Vous (regarder) _____ le vidéo.
4. Lucie (écouter) _____ la radio.
5. Les étudiants (manger) _____ à la cafétéria.
6. Elle (jouer) _____ de la guitare.
7. Nous (parler) _____ de toi.
8. Elles (arriver) _____ à l'académie de danse lundi.
9. Pierre (aller) _____ à Chicoutimi.
10. Ils (aller) _____ à la bibliothèque.
11. Je (aimer) _____ la nature.
12. Luciano (chanter) _____ l'opéra.
13. Nous (entrer) _____ dans la classe.
14. Tu (rester) _____ chez toi dimanche.
15. Vous (travailler) _____ à la cafétéria.
16. Je (habiter) _____ sur le campus.
17. Josette (arriver) _____ du parc.
18. Je (marcher) _____ jusque chez toi.
19. Elles (étudier) _____ à la bibliothèque.
20. Tu (fumer) _____ des cigarettes.

B. Insérez la préposition et l'article défini qui conviennent:

1. Le tableau est _____ professeur.
2. Le professeur est _____ étudiants.
3. La fenêtre est _____ mur.
4. La télévision est _____ commode.
5. François est _____ dentiste.
6. Bernadette entre _____ classe.

C. Ecrivez la question avec la forme appropriée de l'adjectif interrogatif (*quel, quelle, quels, quelles*).

Modèle: Noël est le 25 décembre.
A quelle date est Noël?

1. C'est le 6 mai.
2. La fête de Maurice est le 3 avril.
3. Les jours du week-end sont samedi et dimanche.
4. Nous sommes en automne.
5. Nous sommes en décembre.
6. C'est lundi.

D. Insérez l'article défini qui convient. (Attention à la contraction: *au, aux, du, des.*)

1. Les étudiants arrivent (de) _____ bibliothèque.
2. Mme Brulot va (à) _____ restaurant.
3. Tu arrives (de) _____ Etats-Unis.
4. Marc va (à) _____ église.
5. Elles rentrent (de) _____ cinéma.

E. Posez la question avec l'inversion.

Modèle: Il mange à la cafétéria.
Où mange-t-il?

1. Les étudiants arrivent de la piscine.
2. M. Gagnon va à Chicago.
3. Elle va à Miami.
4. Les disques sont sous la chaise.
5. Luc rentre de Montréal.
6. Il regarde la télévision dans la chambre.

F. Faites une suggestion à un(e) ami(e).

Modèle: (aller) à Montréal.
Va à Montréal.

1. (demander) _____ un renseignement.
2. (aller) _____ au cinéma Cartier.
3. (regarder) _____ le film à la télévision.
4. (retourner) _____ chez toi ce soir.
5. (ne pas manger) _____ au restaurant.
6. (étudier) _____ dans ta chambre.
7. (ne pas travailler) _____ à la bibliothèque.
8. (parler) _____ de toi.
9. (imaginer) _____ un voyage dans le Nord.
10. (être) _____ gentil(le).

G. Mettez à la forme négative:

1. Elle mange des croissants.
2. Regardons un film.
3. Ecoute le professeur.
4. Vous jouez aux échecs.
5. Il va à New York.
6. Elles parlent d'une autre étudiante.

H. Ecrivez la date en toutes lettres:

Modèle: 4/8
          le quatre août

3/6   20/1   8/5   21/2   30/7   13/9   11/11

LECTURE

Parlez-moi de vous

Parlez-moi de vous
Parlez-moi
Parle-moi de toi
Entre nous
Entre vous et moi
Vous avoue
Je parle beaucoup
Trop de moi
Voyez-vous

Dites-moi l'amour
En fleurs sur vos lèvres
Dites-moi les grèves
De vos amours
Dites-moi le coeur
De votre tendresse
Dites la douceur
De votre caresse.

Refrain
Dites-moi l'espoir
De votre sourire
Je me sens vieillir
Un peu chaque soir
Dites-moi l'étang
De votre jeunesse
Dites le printemps
Pour que je renaisse.

Refrain
J'ai tellement dit
Sur mon propre compte
Que je n'ai de contes
Qui soient inédits
Je n'ai plus d'atout
Je suis mal à l'aise
Parlez-moi de vous
Pour que je me taise.

(Texte d'une chanson de Claude Gauthier publiée dans le recueil *le plus beau voyage*, Leméac, 1975)

amour (m.)	love	**jeunesse** (f.)	youth
atout (m.)	trump (asset)	**lèvre** (f.)	lips
avouer	to confess	**mal à l'aise**	ill at ease
beaucoup trop	far too much	**peu**	a little
chaque	each	**plus**	no more, no longer
coeur (m.)	heart	**pour que**	so that
compte (m.)	account	**propre**	own
conte (m.)	story	**renaître**	to spring up again
dire	to tell	**sourire** (m.)	smile
douceur (f.)	softness	**(se) taire**	to be quiet
espoir (m.)	hope	**tellement**	so much
étang (m.)	pond	**tendresse** (f.)	tenderness
fleur (f.)	flower	**vieillir**	to grow old
grève (f.)	shore	**voir**	to see
inédit(e)	original	**votre (vos)**	your

QUESTIONS

1. Qui est l'auteur, un homme? une femme?
2. Est-il ou est-elle jeune ou vieux (vieille)?
3. Qu'est-ce qu'il/elle demande?
4. De quoi désire-t-il/elle parler?
5. Qu'est-ce qu'il/elle dit sur son compte?
6. Pourquoi est-il/elle mal à l'aise?

SITUATIONS / CONVERSATIONS

1. Parle-moi de toi.

   a) Quelles sortes de films regardes-tu?

   Je regarde les films comiques, intellectuels, dramatiques, les films d'épouvante (Dracula), les films d'espionnage (James Bond), les films western, les films policiers. Et toi?

   b) Quel genre de musique aimes-tu?

   J'aime le jazz, le rock, le classique, l'opéra, les chansons poétiques, les chansons folkloriques, le blues, la musique western, etc. Et toi?

   c) Où travailles-tu en été?

   Je travaille à l'université, dans un bureau, dans un restaurant, dans un magasin, dans un parc, dans un camp, dans une ferme, dans la construction, etc. Et toi?

   d) Où vas-tu en vacances en été?

   Je vais à la campagne, à la mer, à la montagne, près d'un lac, près d'une rivière, dans une grande ville, sur une île, etc. Et toi?

   e) Quels sports pratiques-tu en été/au printemps/ en automne/ en hiver?

   Je pratique le ski de fond, le ski alpin, le ski nautique, la natation, la plongée sous-marine, la voile, l'équitation, le cyclisme, la course à pied, la boxe, le karaté, le judo, la planche à voile, le hockey, le football, le volley-ball.

2. Décrivez un paysage que vous aimez.

   Exemple: J'aime la mer, la plage, la montagne, une rivière, un lac, un ruisseau, des cascades, des arbres, des fleurs, des champs, des plaines, des vagues, etc.

3. Désignez des objets et des personnes dans la classe et demandez à un(e) autre étudiant(e) de dire où ils/elles sont situé(e)s.

   Exemple: Où est John?
   Il est en face de Paul, à côté de la fenêtre.

4. Décrivez la position d'un objet dans votre chambre.

   Exemple: La machine à écrire est sur le bureau, à côté du mur, sous la fenêtre.
   Où est le tourne-disque? le réveille-matin? la télévision? la radio? le tapis? etc.

5. Décrivez un objet de la classe avec des mots et des gestes. Les autres étudiants devinent (guess):

   Exemple: Il est petit et long. Il est sur le bureau du professeur. Il est noir.
   (un stylo)

6. Demandez à un(e) autre étudiant(e):

> De quelle couleur est ... (le mur, le stylo, le tableau, le ciel, la chaise, le livre, etc.)?
> Il/Elle est ... (jaune, rouge, bleu, etc.).

> Les couleurs: jaune + rouge = orange   jaune + bleu = vert
>   rouge + bleu = violet   blanc + noir = gris

COMPOSITIONS

1. Parlez-moi de votre meilleur(e) ami(e). Comment est il/elle? Qu'est-ce qu'il/elle aime ou n'aime pas?

2. Donnez les positions des objets de votre chambre.

PRONONCIATION
(This exercise is at the end of Leçon 3 on the tape)

I. L'élision

The **e muet** in **que**, **je**, **le**, **ce**, **ne**, **de** is dropped before a word beginning with a vowel sound or an **h muet**. When writing, the **e** is replaced by an apostrophe.

> Est-ce qu'il est intelligent?
> Qu'est-ce qu'elle regarde?
> J'ai un livre.
> Je n'ai pas de livre.
> L'homme est assis.
> Il n'a pas d'ordinateur.

II. La lettre h

H is never pronounced in French. However, **le h muet** and **le h aspiré** are distinguishable. The difference between the two becomes apparent through the phenomena of **élision** and **liaison**.

> Compare:
>
> | | **h muet** | | **h aspiré** |
> |----------|------------------------|------------------|------------------------|
> | *élision:* | l'homme, j'habite | *pas d'élision:* | le héros, je hèle |
> | *liaison:* | les hommes | *pas de liaison:* | les hangars |
> | | des habits | | des homards |

III. Un / une

1) Before a vowel or a silent **h**:

The consonant **n** is pronounced and linked with the initial vowel of the following word (**liaison**). However, **un** is pronounced with a nasal sound and **une** without a nasal sound.

Compare: un arbre / une idée
             /œ̃ - na/ /y - ni/

Répétez:

un ami / une amie	un habit / une habitude
un arbre / une armoire	un ombilic / une ombre
un Italien / une Italienne	un ordre / une ordonnance
un ogre / une ogresse	un homme / une omelette
un avocat / une avocate	un étudiant / une étudiante

Replace the definite article by an indefinite article.

Exemple: l'arbre (m.)
             un arbre

l'ordinateur (m.)	l'hiver (m.)
l'Espagnole (f.)	l'homme (m.)
l'oreille (f.)	l'épouse (f.)
l'enfant (m.)	l'ombre (f.)

2) Before a consonant:

Un: the **n** is not pronounced and the vowel is nasalized.
Une: the **n** is pronounced and the vowel is not nasalized.

Compare: un bruit / une branche
             /œ̃ - b/ /yn - b/

Répétez:

un Canadien / une Canadienne	un sportif / une sportive
un chien / une chienne	un camarade / une camarade
un conducteur / une conductrice	un marchand / une marchande
un disciple / une disciple	un chat / une chatte

Replace the definite article by an indefinite article:

le bibelot	la table	la branche	le tapis	le tableau
la chaise	le stylo	la chambre	la fenêtre	le tronc

IV. Le / la / les

1) Contrast **le / la**

Répétez:

le bout / la boule   le rosé / la rosée
le prix / la prise   le pli / la plie
le but / la bulle   le lit / la lie
le riz / la rime   le cours / la cour

2) Contrast **le / les**

Répétez:

le livre / les livres   le jour / les jours
le dimanche / les dimanches   le bruit / les bruits
le piano / les pianos   le disque / les disques
le soir / les soirs   le cahier / les cahiers

Chapitre quatre

Un dimanche
à Québec

VOCABULAIRE UTILE

achat (m.)	shopping	**équipe** (f.)	team
barbe (f.)	beard	**examen** (m.)	test
carnet (m.)	notebook	**facilement**	easily
chanter	to sing	**faux, fausse**	false
chercher	to look for	**intéressant, ante**	interesting
choiffeur, euse	hairdresser	**jardin** (m.)	garden
d'accord	agreed	**joli(e)**	pretty
enfant (m./f.)	child	**laboratoire** (m.)	laboratory
épatant, ante	splendid	**malade**	sick

paresseux, euse	lazy	**rosier** (m.)	rose bush
paume (f.)	palm	**saule** (m.)	willow
pays (m.)	country	**sel** (m.)	salt
peau (f.)	skin	**sol** (m.)	floor
père (m.)	father	**sort** (m.)	lot
quartier (m.)	area	**sot, sotte**	foolish
raisonnable	reasonable	**terrain** (m.) **de golf**	golf course
règlement (m.)	rule	**tôt**	early
réunion (f.)	meeting	**triste**	sad
maire, esse	mayor	**vacances** (f.)	holidays
numéro (m.)	number	**voix** (f.)	voice

GRAMMAIRE ET EXERCICES ORAUX

Les verbes réguliers en -ir

The second group of regular verbs has infinitives ending in **-ir**. These verbs are conjugated by dropping the **-ir** from the infinitive and adding the endings shown below.

finir (to finish/to end/to complete)

Présent de l'indicatif

					Impératif
je	fin**is**	nous	fin**issons**		fin**is**
tu	fin**is**	vous	fin**issez**		fin**issons**
il/elle/on	fin**it**	ils/elles	fin**issent**		fin**issez**

Other verbs conjugated like **finir** include:

avertir (to inform/to warn)	Le professeur avertit les étudiants.
bâtir (to build)	Ils bâtissent une maison.
choisir (to choose)	Choisis un cours intéressant.
démolir (to demolish)	On démolit la vieille école.
établir (to establish/to set)	Le gouvernement établit un plan d'urbanisme.
fleurir (to bloom)	Les rosiers fleurissent.
obéir à (to obey)	Obéissons à l'autorité.
punir (to punish)	Il punit le chien.
réfléchir à (to think about/to consider)	Je réfléchis à la proposition de Jean.
réussir à (to succeed/to pass (a test))	Il réussit à l'examen.

réussissais

A number of **-ir** verbs are formed from adjectives:

grand ⟶	**grandir** (to grow, to get bigger)
gros ⟶	**grossir** (to gain weight)
jeune ⟶	**rajeunir** (to get younger)
large ⟶	**élargir** (to widen/to broaden)
pâle ⟶	**pâlir** (to grow pale)
vieux ⟶	**vieillir** (to grow old)

Verbs formed from color adjectives usually have the meaning of "to become white/red, etc." (**Rougir** also means "to blush".)

blanc ⟶	**blanchir**	jaune ⟶	**jaunir**
bleu ⟶	**bleuir**	noir ⟶	**noircir**
blond ⟶	**blondir**	rouge ⟶	**rougir**
brun ⟶	**brunir**	vert ⟶	**verdir**

EXERCICES (ORALEMENT)

A. Répétez en faisant les substitutions indiquées:

1. Je finis l'exercice.
2. Nous _____ .
3. Elles _____ .
4. Tu _____ .
5. _____ le travail.
6. Henri _____ .
7. Ils _____ .
8. Vous _____ .
9. Vous bâtissez une maison.
10. Je _____ .
11. Tu choisis un cours.
12. Vous _____ .
13. Carole _____ .
14. Nous _____ .

B. Répondez aux questions:

1. Finissons-nous la leçon?
2. Est-ce que tu bâtis une maison?
3. Réfléchis-tu à un problème?
4. Obéissez-vous au professeur?
5. Les parents punissent-ils les enfants?
6. Le professeur punit-il les étudiants?
7. Est-ce que tu établis un programme de travail?
8. Est-ce que les enfants grandissent?
9. Grandis-tu encore?
10. Est-ce que les plantes fleurissent en hiver?
11. Rougis-tu facilement?
12. Est-ce que les arbres verdissent au printemps?
13. Est-ce que tu établis des priorités?
14. Choisis-tu des cours intéressants?

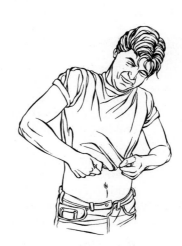

C. Employez l'impératif selon les modèles.

> *Modèle:* obéir
>> *Obéis!*

1. réfléchir au problème
2. choisir une route
3. réussir à l'examen

4. finir la promenade
5. avertir la directrice

> *Modèle:* finir
>> *Finissons!*

6. établir des priorités
7. démolir le vieil édifice
8. choisir le bon moment

9. avertir le maire
10. obéir aux règlements municipaux

> *Modèle:* ne pas choisir
>> *Ne choisissez pas!*

11. ne pas rougir
12. ne pas vieillir
13. ne pas démolir le quartier

14. ne pas grossir
15. ne pas punir les enfants

L'heure

1) **Quelle heure est-il?** (What time is it?)

Il est six heures.

Il est midi moins cinq.

Il est sept heures moins le quart.

Il est trois heures et quart.

Il est huit heures et demie*.

Il est deux heures moins vingt.

Il est deux heures vingt.

Il est minuit moins dix.

*There is always an **-e** at the end of **demi**, except for **midi et demi** and **minuit et demi**. A half hour = **une demi-heure**.

2) Questions:

> <u>A</u> quelle heure déjeunes-tu?
> — Je déjeune à sept heures.
> <u>De</u> quelle heure <u>à</u> quelle heure travailles-tu?
> — Je travaille de neuf heures à trois heures.

3) To avoid ambiguity regarding a.m./p.m., the following expressions are used:

> **du matin** (from midnight till noon) Il est huit heures du matin.
> **de l'après-midi** (from noon till 5:59 p.m.) Je rentre à cinq heures de l'après-midi.
> **du soir** (from 6 p.m. till midnight) Le spectacle est à huit heures du soir.

4) A 24-hour system is used (on radio, television, in airports, etc.):

> seize heures = (4:00 p.m.) quatre heures de l'après-midi
> treize heures quinze = (1:15 p.m.) une heure et quart de l'après-midi
> quatorze heures trente = (2:30 p.m.) deux heures et demie de l'après-midi
> vingt heures quarante-cinq = (8:45 p.m.) neuf heures moins le quart du soir

5) Some useful expressions:

> **être à l'heure** (to be on time)
> **être en avance** (to be early)
> **être en retard** (to be late)

EXERCICES (ORALEMENT)

A. Quelle heure est-il?

1. Il est ... <u>du matin</u>.

7h 30	10h 15	8h 20	10h 45	7h 50	3h 30

2. Il est ... <u>de l'après-midi</u>.

2h 10	1h 50	3h 40	5h 15	4h 45	3h 35

3. Il est ... <u>du soir</u>.

9h 00	9h 50	11h 15	10h 40	7h 35	8h 30

4. Il est <u>midi</u> (12h 00); il est <u>minuit</u> (00h 00).

12h 10	00h 15	11h 50	11h 45	12h 30	00h 20

B. Posez la question à un(e) autre étudiant(e):

1. A quelle heure es-tu dans la classe de français?
2. A quelle heure es-tu au lit?
3. A quelle heure es-tu devant la télévision?
4. A quelle heure es-tu à la cafétéria?
5. A quelle heure finit la classe de français?
6. A quelle heure arrives-tu à l'université?

C. Répondez en faisant une phrase complète:

1. De quelle heure à quelle heure dînes-tu?
2. De quelle heure à quelle heure travailles-tu à la bibliothèque?
3. De quelle heure à quelle heure es-tu dans la classe de français?
4. De quelle heure à quelle heure es-tu au lit?
5. De quelle heure à quelle heure es-tu à l'université?
6. De quelle heure à quelle heure regardes-tu la télévision?

D. Répondez par des phrases complètes:

Où es-tu généralement ...

1. à huit heures du matin?
2. à midi?
3. à une heure de l'après-midi?
4. à six heures du soir?
5. à onze heures du soir?

E. Posez la question à un(e) autre étudiant(e):

Arrives-tu généralement à l'heure/en avance/en retard ...

1. au cinéma?
2. au travail?
3. à la classe de français?
4. à l'aéroport?
5. chez le dentiste?
6. chez le coiffeur?
7. à un rendez-vous?

Le verbe irrégulier *venir*

Venir (to come) is an irregular verb.

Présent de l'indicatif				*Impératif*
je	viens	nous	venons	viens
tu	viens	vous	venez	venons
il/elle/on	vient	ils/elles	viennent	venez

Other verbs conjugated like **venir** are **devenir** (to become) and **revenir** (to come back).

Je viens de Halifax.   Je reviens de la bibliothèque.   Il devient paresseux.

Rappel

De (from) + nom de ville:

Je viens <u>de</u> Vancouver.   Elle revient <u>de</u> Trois-Rivières

Contractions: de + le = **du**   Victor revient <u>du</u> laboratoire.
de + les = **des**   Il vient <u>des</u> Etats-Unis.

EXERCICES (ORALEMENT)

A. Substituez au pronom sujet les mots entre parenthèses et faites les changements appropriés:

1. Je viens de Calgary. (nous, Claudine, les enfants, vous)
2. Elle devient intelligente. (Pierre, tu, nous, je)
3. Ils reviennent du cinéma. (vous, je, tu, elle, nous)

B. Répondez aux questions:

1. Viens-tu au centre ville?
2. Venez-vous à la classe de français?
3. Venons-nous à la piscine le dimanche?
4. Venez-vous au Palais des sports?
5. Est-ce que tu reviens de la bibliothèque?
6. Est-ce que tu deviens paresseux?
7. Est-ce qu'on devient fatigué à une heure du matin?
8. Est-ce que tu reviens de la discothèque à quatre heures du matin?

C. Posez la question à un(e) autre étudiant(e) selon le modèle.

Modèle: tu / venir / avec moi à la bibliothèque
Viens-tu avec moi à la bibliothèque?

1. tu / revenir / au laboratoire demain
2. le professeur / venir / avec nous au cinéma
3. tu / venir / au cinéma avec nous
4. nous / revenir / en classe demain
5. nous / devenir / intelligents dans la classe de français

D. Dites à un(e) autre étudiant(e) ...

Modèle: de venir à la réception.
Viens à la réception.

1. de venir à la bibliothèque.
2. de ne pas venir au restaurant.
3. de ne pas venir demain.
4. de revenir à l'heure.
5. de revenir à la classe.

E. Dites à d'autres étudiants ...

Modèle: de venir en classe.
Venez en classe.

1. de venir dimanche soir.
2. de devenir raisonnables.
3. de devenir sportifs.
4. de ne pas devenir malades.
5. de ne pas revenir en retard.

La possession: préposition *de* — adjectifs possessifs

1) The preposition **de** is used to indicate possession:

le livre de Julien	Julian's book
l'auto d'Hélène	Helen's car
le bureau de la directrice	the manager's desk
la serviette du professeur	the professor's briefcase

2) *Possessive Adjectives:*

Masculine Singular	Feminine Singular	Plural	
mon	**ma/mon**	**mes**	my
ton	**ta/ton**	**tes**	your
son	**sa/son**	**ses**	his/her/its
notre	**notre**	**nos**	our
votre	**votre**	**vos**	your
leur	**leur**	**leurs**	their

Possessive adjectives agree in gender and number with the noun modified rather than with the owner:

André mange <u>sa soupe</u>.	Andrew is eating his soup.
Marie prépare <u>son repas</u>.	Mary is preparing her meal.
Le chien cherche <u>sa balle</u>.	The dog is looking for its ball.

The feminine adjectives **ma, ta, sa** become **mon, ton, son** before a feminine singular noun beginning with a vowel or a silent **h**:

Je mange <u>ma</u> pêche. / Je mange <u>mon</u> orange.
<u>Ta</u> voiture est puissante. / <u>Ton</u> auto est puissante.
Il parle avec <u>sa</u> mère. / Il parle avec <u>son</u> amie.

EXERCICES (ORALEMENT)

A. Répondez affirmativement:

Est-ce que c'est ...

1. ma classe?
2. notre voiture?
3. son stylo?
4. ton auto?
5. notre livre?
6. ta maison?
7. leur ordinateur?
8. mon taxi?
9. son professeur?
10. sa chaise?
11. ma leçon?
12. leur ville?

Est-ce que ce sont ...

13. tes tables?
14. ses chiens?
15. ses amis?
16. nos livres?
17. mes cigarettes?
18. ses cahiers?

19. nos photos?
20. leurs disques?
21. vos amis?
22. leurs enfants?
23. tes parents?
24. ses projets?

B. Transformez selon les modèles.

> *Modèles:* l'auto de Paul
> *son auto*
> l'auto de mes parents
> *leur auto*

1. la blouse de Francine
2. le chien du professeur
3. les amis de Michel
4. le professeur de Jean et de Suzanne
5. les disques de ton père

6. le stylo de Pierre
7. les cigarettes de la secrétaire
8. les parents des étudiants
9. les projets du directeur
10. la chambre de mon amie

C. Répondez aux questions:

1. As-tu ton stylo?
2. Regardes-tu ton carnet?
3. Sommes-nous dans notre classe?
4. Avons-nous nos disques?
5. Viens-tu en classe avec ton chien?

6. Tes parents sont-ils jeunes?
7. Est-ce que tes parents aiment leur quartier?
8. Est-ce que Josette regarde ses enfants?
9. Ecoutez-vous votre professeur?
10. Réfléchis-tu à tes travaux?

Les adverbes interrogatifs

Où / D'où (where/from where)

> Où vas-tu? — Je vais au jardin zoologique.
> D'où viens-tu? — Je viens du terrain de golf.

Quand (when)

> Quand revient-il? — Il revient lundi.

Comment (how)

> Comment vas-tu? — Je vais bien, merci.
> Comment est ton amie? — Elle est jolie et sympathique.

Pourquoi (why)

> Pourquoi es-tu triste? — Parce que j'ai des problèmes.

1) After these interrogative adverbs, either **est-ce que** or inversion may be used:

Comment vas-tu à Toronto?   Où est-ce que Pierre travaille?

Comment est-ce que tu vas à Toronto?   Où Pierre travaille-t-il?

2) To answer a question beginning with **pourquoi, parce que** (because) or **à cause de** (because of) may often be used. **Parce que** is a conjunction followed by a clause. **A cause de** is a preposition followed by a noun or a pronoun:

Pourquoi es-tu heureux? — <u>Parce que</u> j'ai une nouvelle amie.

Pourquoi aimes-tu l'animateur? — <u>A cause</u> de sa belle voix.

EXERCICES (ORALEMENT)

A. Posez des questions avec l'adverbe interrogatif approprié.

> *Modèles:* Je vais bien.
> *Comment vas-tu?*
> Il revient lundi.
> *Quand revient-il?*

1. Nous allons au Quartier Latin.
2. Elle revient demain.
3. Il arrive en taxi.
4. Il est intéressant.
5. Je viens de Medicine Hat.
6. Il va à Québec.

7. Il est absent parce qu'il est en réunion.
8. Les cours finissent vendredi.
9. Les étudiants mangent à la cafétéria.
10. Mon père travaille à la Place Ville-Marie.
11. Ma mère est dans son bureau.
12. Arthur va au travail.

B. Remplacez *est-ce que* par l'inversion.

1. Où est-ce que Paul va?
2. Comment est-ce que Claudine travaille?
3. Pourquoi est-ce que les enfants chantent?
4. Quand est-ce que tes parents reviennent?
5. D'où est-ce qu'Hélène vient?

6. Quand est-ce que les enfants regardent la télévision?
7. Où est-ce que M. Vincent bâtit une maison?
8. Comment est-ce que tes parents reviennent de l'aéroport?

C. Répondez aux questions. (Use **parce que** or **à cause** de according to the answer suggested.)

1. Pourquoi aimes-tu ce film?
   (il est intéressant)
2. Pourquoi es-tu en retard? (ma motocyclette)
3. Pourquoi obéis-tu aux règlements?
   (ils sont raisonnables)

4. Pourquoi es-tu fatigué(e)? (mon travail)
5. Pourquoi les arbres jaunissent-ils?
   (nous sommes en automne)

Aller + infinitif (le futur proche)

Aller in the present tense followed by an infinitive may be used to indicate that an event will (or will not) take place in the near future.

Je vais revenir demain.	I am going to come back tomorrow.
Nous n'allons pas regarder la télé.	We are not going to watch television.

EXERCICES (ORALEMENT)

A. Mettez les verbes au futur proche.

> *Modèle:* (aujourd'hui) Il choisit un cours.
> (demain) *Il va choisir un cours.*

1. Nous regardons un bon film.
2. Vous venez au rendez-vous.
3. Il parle au maire.
4. Ils obéissent au Tribunal.
5. Vous revenez avec nous.
6. Elle prépare le dîner.
7. Tu réussis à l'examen.
8. Je mange à la cantine.
9. Il finit son travail.
10. Elles choisissent un restaurant.

B. Répondez négativement:

1. Est-ce que tu vas regarder le film à la télé?
2. Vas-tu préparer le café?
3. Allons-nous manger au restaurant chinois?
4. Vas-tu aller au zoo?
5. Est-ce qu'elle va jouer au Centre d'Art?
6. Vont-ils parler à leurs collègues?
7. Va-t-elle être choisie?
8. Allez-vous devenir conscients?

C. Répondez aux questions:

1. Où vas-tu aller demain?
2. Le professeur va-t-il/elle être en retard demain?
3. Quand vas-tu aller à la bibliothèque?
4. Vas-tu réussir à l'examen?
5. Les enfants vont-ils grandir?
6. Allons-nous finir la leçon?
7. Vas-tu réfléchir à ta composition?
8. Allez-vous venir à la réunion avec moi?

D. Posez la question à un(e) autre étudiant(e), qui répond à la question.

> *Modèle:* Où / manger? (à la cafétéria)
> Question: *Où vas-tu manger?*
> Réponse: *Je vais manger à la cafétéria.*

1. Quand / manger? (à 5 h de l'après-midi)
2. Quand / danser? (samedi)
3. Où / danser? (à la discothèque)
4. Où / travailler? (à la bibliothèque)
5. Comment / revenir? (en taxi)
6. Comment / aller à la Nouvelle-Orléans? (en train)

E. Répondez aux questions:

Où allez-vous aller cet après-midi? ce soir? demain? demain soir? la semaine prochaine? l'année prochaine? pendant vos vacances d'été? pendant vos vacances d'hiver?

Les nombres

50	cinquante	100	cent	
51	cinquante et un	101	cent un	
52	cinquante-deux	102	cent deux	
60	soixante	200	deux cents	
61	soixante et un	201	deux cent un	
62	soixante-deux	412	quatre cent douze	
70	soixante-dix	1000	mille	
71	soixante et onze	1001	mille un	
72	soixante-douze	1231	mille deux cent trente et un	
80	quatre-vingts	1986	mille neuf cent quatre-vingt six/	
81	quatre-vingt-un		dix-neuf cent quatre-vingt six	
82	quatre-vingt-deux	2000	deux mille	
90	quatre-vingt-dix	1 000 000	un million	
91	quatre-vingt-onze	1 000 000 000	un milliard	
92	quatre-vingt-douze			

➤ **Note:** 1) The letter **s** is added to **vingt** in **quatre-vingts** and to **cent** in multiples of one hundred (**deux cents**, etc.), but it is dropped when these are followed by another number (**quatre-vingt-un**, **trois cent quarante**).

2) A hyphen is used in compound numbers from 0 to 100.

3) **Et** is used in 21, 31, 41, 51, 61, 71 but not in 81, 91, 101.

4) In a date, **mil** (not **mille**) is used: 1988 = mil neuf cent quatre-vingt huit
1812 = mil huit cent douze.

EXERCICES (ORALEMENT)

A. Répétez:

53	98	73	103	748
80	84	95	218	992
67	59	82	573	546
91	70	76	690	888
72	67	99	100	666

1840	1900	2680	10 000	111 000
1980	1600	8949	80 300	230 000
1971	1990	7850	30 640	845 000
1984	1975	6374	40 950	738 940

B. Donnez la réponse correcte.

Modèle: 20 + 20 = 40
Vingt plus vingt font quarante.

plus			
	20 + 50 =	100 + 30 =	1100 + 250 =
	40 + 25 =	300 + 50 =	800 + 500 =
	60 + 15 =	600 + 66 =	600 + 400 =
	80 + 3 =	820 + 24 =	3200 + 700 =
	70 + 20 =	460 + 13 =	5850 + 23 =

fois			
	10 x 10 =	20 x 3 =	25 x 5 =
	100 x 10 =	45 x 2 =	80 x 3 =
	100 x 100 =	20 x 4 =	90 x 4 =
	1000 x 1000 =	9 x 9 =	50 x 7 =

EXERCICES ECRITS
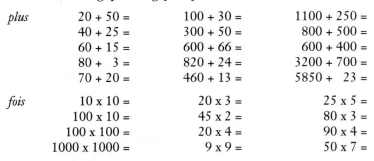

A. Complétez les phrases avec la forme correcte du verbe approprié.

réussir	finir	brunir	verdir
avertir	réfléchir	établir	rougir
démolir	vieillir	punir	obéir

1. Nous _____ à l'examen.
2. Ils _____ la vieille église.
3. Les enfants _____ à leurs parents.
4. Louise _____ à l'agent de police.
5. Vous _____ devant une jeune fille.
6. Je _____ souvent à mes problèmes.
7. Les arbres _____ en automne au Québec.
8. Les feuilles _____ au printemps.
9. Paul _____ son chien.
10. Elle _____ toujours en été.
11. Nous _____ un nouveau système.
12. Mes parents _____ bien.

B. Répondez par des phrases complètes:

Où es-tu généralement ...
1. à 8h00 du matin? (le restaurant)
2. à 10h00 du matin? (la classe)
3. à 12h00? (la cafétéria)
4. à 3h00 de l'après-midi? (la bibliothèque)
5. à 6h00 du soir? (dans la cuisine)
6. à 8h00 du soir? (devant la télé)
7. à 11h00 du soir? (dans mon lit)

C. Complétez les phrases avec les verbes *venir*, *revenir* et *devenir*:

1. Je _____ avec vous.
2. Tu ne _____ pas dimanche?
3. Lise _____ au travail demain?
4. Elles _____ lundi soir.
5. Nous _____ à l'université en septembre.
6. Vous _____ en classe jeudi.
7. Tu _____ à mon bureau demain.
8. Charles _____ de Winnipeg.
9. Ils _____ de Montréal.
10. Le livre _____ intéressant à la fin.
11. Il _____ raisonnable.
12. Nous _____ responsables.

D. Employez *de/du/de la/d'*:

1. Le livre vient _____ bibliothèque.
2. Robert revient _____ Shédiac.
3. Louise vient _____ cafétéria.
4. Nous revenons _____ cinéma.
5. Ils reviennent _____ discothèque.
6. Vous revenez _____ magasin.
7. Il revient _____ centre commercial.
8. Elles reviennent _____ cours de français.
9. Elle vient _____ Nanaimo.

E. Remplacez *le*, *la*, *les* par les adjectifs possessifs.

mon/ma/mes	ton/ta/tes	son/sa/ses
l'ami	les stylos	le programme
le livre	le bureau	l'amie
la table	la ville	l'université
les cigarettes	la télévision	le problème
la tasse	la rue	l'idée
la maison	les exercices	l'examen
le taxi	le chien	la réponse

notre/nos	votre/vos	leur/leurs
le quartier	l'appartement	les ennemis
les vacances	les parents	l'enfant
le jardin	la chambre	la réponse
la maison	l'ordinateur	le téléphone
le pays	la province	le laboratoire
la profession	l'automobile	l'édifice
l'adresse	l'équipe	les chaises

F. Mettez au futur proche:

1. Madeleine finit son travail.
2. Tu bâtis un condo.
3. Vous réfléchissez un moment.
4. Jules et Pierre téléphonent au professeur.
5. Je marche avec toi.
6. Nous allons à la Place des Arts.
7. J'écoute le concert.
8. Tu choisis un cours de géologie.
9. Ils parlent à leur avocate.

10. On ne démolit pas l'école.
11. Je ne grossis pas.
12. Tu reviens demain matin.
13. Elle ne prépare pas son examen.
14. Ils ne visitent pas Québec.
15. Nous ne regardons pas le monument.

G. Formez la question avec l'adverbe interrogatif approprié.

Modèle: Je réfléchis <u>parce que j'ai des problèmes</u>.
Pourquoi réfléchis-tu?

1. Ils vont <u>en autobus au cinéma</u>.
   (2 questions)
2. Gaston va dîner <u>au restaurant demain</u>.
   (2 questions)
3. Ils arrivent <u>samedi</u>. (1 question)
4. Simone est <u>intelligente</u>. (1 question)
5. Il a deux automobiles <u>parce qu'il est riche</u>. (1 question)
6. J'aime Paul <u>à cause de son charme</u>. (1 question)
7. Elle revient <u>de Montréal</u>. (1 question)

LECTURE

>➤ ➤ ➤ ➤ ➤ ➤

Un dimanche à Québec

Pour remonter aux sources de l'histoire du pays, rien n'est plus profitable que de déambuler dans les rues étroites de la ville de Québec. C'est dimanche, le soleil est chaud et caressant; laissez la ville raconter son histoire.

Entrez dans Québec par le pont Pierre-Laporte et roulez sur le boulevard Laurier où vous allez trouver des hôtels et motels et des centres commerciaux. Plus loin, vous remarquez le centre hospitalier de l'université Laval, ensuite la maison de Radio-Canada et le campus universitaire.

Continuez dans la Grande-Allée et admirez l'entrée des Plaines d'Abraham, appelées aussi Parc des Champs de Bataille, et l'édifice de l'Assemblée Nationale. Lorsque vous arrivez à la Porte Saint-Louis, laissez votre voiture et passez à l'intérieur des vieux murs. La rue Saint-Louis date du début de la colonie française. C'est là que vous trouvez la maison Jacquet, construite en 1675, où le célèbre romancier Philippe Aubert de Gaspé écrit *Les Anciens Canadiens*. Juste derrière, il y a le Monastère des Ursulines, fondé en 1639 par Mère Marie de l'Incarnation, qui est la première institution d'enseignement en Amérique.

Allez jusqu'à la Terrasse Dufferin, au sommet du Cap Diamant. Une soixantaine de mètres plus bas coule le Saint-Laurent; à l'est, la pointe de Lévis et le bout de l'Ile d'Orléans. A côté de la Terrasse, il y a le Château Frontenac, inauguré le 13 décembre 1893 et commandé par la compagnie du Canadien Pacifique.

Une falaise sépare la ville en deux parties, la Haute et la Basse ville. Quittez la Haute ville et descendez un de ces interminables escaliers qui mènent en bas, à la Place Royale. C'est ici qu'en 1608 Samuel de Champlain fait construire un fort quand il arrive pour fonder la petite colonie qui donne naissance au Canada. A droite, il y a la maison de Louis Jolliet, le coureur de bois et explorateur qui découvre en 1673 le Mississipi avec le Père Marquette.

Remontez en Haute ville et venez sur les remparts de la Citadelle. A vos pieds se trouvent les offices du 22e régiment. Devant vous les Plaines d'Abraham. C'est là que la colonie française d'Amérique est, pendant deux mois consécutifs, la cible des Anglais qui sont de l'autre côté du fleuve, à Lévis. Les efforts de Montcalm sont vains. En 1763, le Traité de Paris confirme la conquête et la Nouvelle-France passe aux mains de l'Angleterre.

Tout ici, au détour d'une rue, sur le porche d'une église, sur la façade d'un édifice, révèle le passé.

à l'intérieur de	inside	**il y a**	there is
appelé(e)	called	**jusqu'à**	up to/all the way to
au détour de	at the turn of	**laisser**	to let/to leave
à vos pieds	at your feet	**mener**	to lead
bout (m.)	extremity	**mur** (m.)	wall
célèbre	famous	**partie** (f.)	part
centre commercial (m.)	shopping center	**passer aux**	to be handed
champ de bataille (m.)	battlefield	**mains de**	over to
cible (f.)	target	**pointe** (f.)	tip/headland
commandé(e)	ordered	**pont** (m.)	bridge
couler	to flow	**plus**	more
coureur de bois (m.)	trapper	**plus bas**	below
déambuler	to stroll	**plus loin**	further
début (m.)	beginning	**quitter**	to leave
découvrir	to discover	**raconter**	to tell
descendre	to go down	**remarquer**	to notice
donner naissance à	to give birth to	**remonter**	to go back up
écrire	to write	**révéler**	to reveal
édifice (m.)	building	**rien**	nothing
église (f.)	church	**rouler**	to roll/to drive
enseignement (m.)	education	**rue** (f.)	street
ensuite	then	**soixantaine** (f.)	sixty or so
équipage (m.)	crew	**sommet** (m.)	top
escalier (m.)	stairway	**tout**	everything
étroit, oite	narrow	**(se) trouver**	to be located
falaise (f.)	cliff	**ville** (f.)	city
façade (f.)	frontage	**voiture** (f.)	car
île (f.)	island		

QUESTIONS

1. Pourquoi est-ce que la ville de Québec est intéressante à visiter?
2. Comment entre-t-on dans Québec?
3. De quand date la rue Saint-Louis?
4. Pourquoi la maison Jacquet est-elle célèbre?
5. Quel est l'intérêt du Monastère des Ursulines?
6. Où est la Terrasse Dufferin?
7. Où est la falaise?
8. Quel est le nom du fondateur de Québec?
9. Pourquoi les Champs de Bataille sont-ils réputés?
10. En quelle année la Nouvelle-France passe-t-elle aux mains de l'Angleterre?

SITUATIONS / CONVERSATIONS

1. Demander et donner la direction. (Réponses dans le texte — page 72-73)

   Exemple: Question: Pardon Monsieur/ Madame/Mademoiselle, où est le Château Frontenac, s'il vous plaît?
   Réponse: *Allez tout droit jusqu'à la Terrasse Dufferin. Le château est à droite.*

   Où est le Cap Diamant s.v.p.?
   le fleuve St-Laurent?
   la Place Royale?
   la Citadelle?
   le parc des Champs de Bataille?
   le boulevard Laurier?

2. Décrivez votre ville natale (where you were born):

   Nom de la ville, situation géographique, aspect physique, industries principales, attraits touristiques, monuments célèbres, particularités.

3. Quelle ville souhaitez-vous visiter et pourquoi?

   Exemple: Je souhaite visiter Québec/ Montréal/ Toronto/ Winnipeg/ New York/ Paris/ Los Angeles parce qu'il y a des monuments historiques; parce que mes parents habitent là; parce qu'il y a des restaurants exotiques; parce que l'architecture est exceptionnelle; parce que le site est merveilleux; parce que j'aime l'ambiance/ l'atmosphère de la ville/ les théâtres/ les clubs de nuit/ les cinémas/ l'opéra/ les spectacles/ le stade, etc.

4. Quel est votre horaire quotidien? Votre emploi du temps pendant une journée? une semaine? une année?

   Exemple: Le lundi, je vais à l'université; le mardi, je reste à la maison; le mercredi, je vais au marché pour les achats; etc.

5. Préparez votre alibi pour une journée précise. L'Inspecteur Poirot va vous interroger.

   Exemple: Dans la journée du 8 août: de 8h00 à 11h00 du matin, je suis au lit. De 11h00 à 2h00, je mange à la cafétéria. De 2h00 à 4h00, je suis dans ma classe de maths et de géographie, etc.

COMPOSITIONS

1. Racontez une visite dans une ville et décrivez les monuments et les sites historiques.

2. Décrivez l'organisation de votre fin de semaine. Employez le futur proche.

PRONONCIATION
(This exercise is at the end of Leçon 4 on the tape.)

I. Consonnes finales — consonnes finales + e muet

1) Generally, final consonants are not pronounced:

   trois, bond, droit, petit, chinois, long

2) The final consonants **c, f, l, r** are usually pronounced:

   ave<u>c</u>, sporti<u>f</u>, se<u>l</u>, pa<u>r</u>

3) The final **e** is silent (**-es** and **-ent** as plural forms and/or verb endings are also silent):

   disque, commode, active, dynamique, livres, parlent

4) The consonant which precedes the final **e** is pronounced:

   droi<u>t</u>e, peti<u>t</u>e, chinoi<u>s</u>e, gran<u>d</u>e, bar<u>b</u>e

   Répétez:
   il est grand / elle est grande
   il est content / elle est contente
   il est heureux / elle est heureuse
   il est épatant / elle est épatante
   il est blond / elle est blonde
   il est présent / elle est présente
   il est absent / elle est absente
   il est impatient / elle est impatiente

➤ **Note:** When the following word begins with a consonant, the final consonant in **cinq, six, huit** and **dix** is not pronounced:

cin<u>q</u> arbres / cin~~q~~ livres
si<u>x</u> enfants / si~~x~~ disques
hui<u>t</u> oiseaux / hui~~t~~ pots
di<u>x</u> hommes / di~~x~~ cahiers

II. O ouvert — o fermé (/ɔ/ - /o/)

1) **O ouvert** (/ɔ/) is generally found in a closed syllable (a syllable ending with a pronounced consonant).

2. **O fermé** (/o/) is found in an open syllable (not ending with a pronounced consonant), in a syllable closed by a /z/ sound, or when it is spelled **au**, **eau** or **ô**.

Répétez: /ɔ/
d'accord, sport, téléphone, porte, mol, robe

Répétez: /o/
rose, ôte, beau, stylo, nos, vos, gauche

Répétez d'après le modèle:

beau / bol	faux / folle
mot / molle	nos / nord
peau / porc	tôt / tord
sot / sort	saule / sol
badaud / dormir	paume / pomme
vôtre / votre	rauque / roc

Chapitre cinq

A votre santé

VOCABULAIRE UTILE

à votre santé!	cheers	**connaissance** (f.)	conscience
argent (m.)	money	**copain, copine**	pal
avaler	swallow	**devoir** (m.)	homework
bière (f.)	beer	**faire**	to do
bruit (m.)	noise	**guérir**	to cure
chanteur, euse	singer	**infirmier, ière**	nurse
chirurgien (f.)	surgeon	**jus** (m.)	juice
cloche (f.)	bell	**lunettes** (f.)	glasses
comprimé (m.)	tablet	**maladie** (f.)	sickness

médicament (m.)	medicine	**remède** (m.)	medicine
pilule (f.)	pill	**santé** (f.)	health
plage (f.)	beach	**temps** (m.)	time
poids (m.)	weight	**urgence** (f.)	emergency
radiographie (f.)	X-ray	**verre** (m.)	glass
raison (f.)	reason	**voiture** (f.)	car

GRAMMAIRE ET EXERCICES ORAUX

Les verbes réguliers en -re

The third group is made up of regular **-re** verbs. The **-re** ending is dropped from the infinitive and the following endings are added:

attendre (to wait/to wait for)

Présent de l'indicatif

j'	attend**s**	nous	attend**ons**
tu	attend**s**	vous	attend**ez**
il/elle/on	attend*	ils/elles	attend**ent**

Impératif

attend**s**
attend**ons**
attend**ez**

Other verbs conjugated like **attendre** include:

entendre	(to hear)	J'entends un bruit étrange.
perdre	(to lose)	Vous perdez la tête!
rendre	(to hand back/to return)	Nous rendons le livre.
répondre à	(to answer)	Ils ne répondent pas aux lettres.
vendre	(to sell)	Vends-tu ta voiture?

EXERCICES (ORALEMENT)

A. Répétez en faisant les substitutions indiquées:

1. J'attends le docteur Paul.
2. Nous _____ .
3. Ils _____ .
4. _____ un taxi.
5. Vous _____ .
6. Tu _____ .
7. _____ rends des livres.
8. Elle _____ .

* Note that in the inversion **attend-il/elle/on**, the letter **d** is pronounced /t/.

9. Nous _____ .

10. Ils _____ .

11. Elle répond aux questions.

12. Tu _____ .

13. Elles _____ .

14. _____ au professeur.

15. Je _____ .

16. Vous _____ .

17. Ils _____ .

18. _____ vendent des médicaments.

19. Nous _____ .

20. Vous _____ .

B. Répondez aux questions:

1. Est-ce que tu entends la directrice?
2. Entendez-vous le professeur?
3. Répondez-vous aux questions du spécialiste?
4. Est-ce que le professeur répond aux questions des patients?
5. Rends-tu les livres à la bibliothèque?
6. Le professeur rend-il/elle les compositions aux étudiants?
7. Est-ce que tu vends ta voiture?
8. Vends-tu ton vélo?
9. Est-ce qu'on vend des pilules à la pharmacie?
10. Est-ce que tu perds du poids?
11. Est-ce que vous perdez votre temps à l'université?
12. Perds-tu ton argent à la loterie?
13. Perds-tu ton argent au poker?
14. Attends-tu tes amis après la classe?
15. Attendez-vous le dentiste quand il/elle est en retard?

C. Posez la question avec l'inversion.

Modèle: Pierre rend le livre à la bibliothèque.
Pierre rend-il le livre à la bibliothèque?

1. On entend la musique.
2. Solange vend ses disques.
3. Il perd la tête.
4. L'optométriste attend les enfants.
5. Elle rend les lunettes à Hubert.
6. Il répond au téléphone.

D. Employez l'impératif d'après les modèles.

Modèle: rendre le livre à la bibliothèque
Rends le livre à la bibliothèque.

1. attendre cinq minutes
2. ne pas vendre la maison.
3. ne pas perdre l'argent
4. répondre au téléphone

Modèle: répondre aux questions
　　　　 Répondons aux questions.

5. attendre l'infirmière
6. vendre la voiture

7. rendre l'argent à Suzanne
8. ne pas perdre notre temps

Modèle: ne pas vendre vos livres
　　　　 Ne vendez pas vos livres.

9. attendre l'arrivée de Mario
10. ne pas perdre l'adresse de la clinique

11. rendre l'argent à Guy
12. ne pas répondre aux insultes

Les adjectifs démonstratifs

	Singular	*Plural*
Masculine Before a Consonant	**ce**	**ces**
Masculine Before a Vowel Sound	**cet**	**ces**
Feminine	**cette**	**ces**

The demonstrative adjective agrees in gender and number with the noun modified:

ce garçon　⟶　ces garçons
cet homme　⟶　ces hommes
cette table　⟶　ces tables

These forms correspond to the English "this" or "that" ("these" or "those"). In French, however, the distinction between "this" and "that" is not usually made except for emphasis or to distinguish between two items or groups of items, in which case **-ci** and **-là** are added to the noun modified:

> **J'aime cette <u>maison-ci</u> mais Hélène aime cette <u>maison-là</u>.**
> I like this house but Helen likes that house.

EXERCICES (ORALEMENT)

A. Remplacez *le/la/les* par *ce/cet/cette/ces*:

le concert	l'homme	l'épaule	les genoux
les filles	la femme	la profession	le front
l'enfant	le bras	le dos	l'oreille
l'animal	la jambe	les dents	le doigt
la voiture	les cheveux	la bouche	les organes
le problème	la poitrine	le coude	les pieds
le matin	l'après-midi	l'oeil	la dent
le soir	les yeux	le nez	les ongles

B. Répondez selon le modèle.

> *Modèle:* Attends-tu cet homme? (une femme)
> *Non, mais j'attends cette femme.*

1. Attends-tu ce taxi? (un autobus)
2. Est-ce que tu vends ce disque? (un livre)
3. Vas-tu manger cette pêche? (une orange)
4. Allons-nous finir ce chapitre aujourd'hui? (un exercice)
5. Ecoutes-tu ce chanteur? (une chanteuse)

C. Répondez selon le modèle.

> *Modèle:* Rends-tu ce livre-ci?
> *Non, mais je rends ce livre-là.*

1. Attends-tu cet autobus-ci?
2. Est-ce qu'on démolit cette hôpital-ci?
3. Vas-tu vendre cette voiture-ci?
4. Vas-tu choisir ce dentiste-là?
5. Allons-nous à ce restaurant-ci?
6. Réponds-tu à ces questions-ci?

Venir de + infinitif (le passé immédiat)

Venir in the present tense followed by **de + infinitif** indicates that the action or event referred to by the infinitive has just taken place:

> **Je viens de finir ce travail.**   I have just finished this work.
> **Il vient de téléphoner au médecin.**   He has just phoned the doctor.

EXERCICES (ORALEMENT)

A. Répondez aux questions affirmativement:

1. Est-ce que nous venons de finir le chapitre quatre?
2. Est-ce que tu viens d'avaler la pilule?
3. Est-ce que le chirurgien vient d'entrer?
4. Est-ce que tu viens d'écouter les nouvelles?
5. Est-ce que tes parents viennent d'arriver d'Ottawa?
6. Est-ce que nous venons de passer une radiographie?
7. Est-ce que vous venez de répondre à des questions?

B. Utilisez le passé immédiat dans la réponse négative.

> *Modèle:* Vas-tu regarder un film?
> *Non, je viens de regarder un film.*

1. Vas-tu travailler à la bibliothèque?
2. Vas-tu parler à ton médecin?
3. Vas-tu aller à l'hôpital?
4. Les enfants vont-ils jouer au hockey?

5. Allons-nous écouter des disques?
6. Le chien va-t-il manger?
7. Allons-nous répondre aux questions?

8. Allez-vous répondre aux questions du test?

Les verbes irréguliers *vouloir* et *pouvoir*

vouloir (to want/to wish)				**pouvoir** (to be able to)			
je	veux	nous	voulons	je	peux	nous	pouvons
tu	veux	vous	voulez	tu	peux	vous	pouvez
il/elle/on	veut	ils/elles	veulent	il/elle/on	peut	ils/elles	peuvent

1) **Vouloir** may be followed by a noun or an infinitive:

> Je veux un sirop contre le rhume.
> Elle veut aller à l'urgence.

2) **Pouvoir** is usually followed by an infinitive. It may indicate ability to do something or permission to do something:

> **Pouvez-vous réparer ma voiture?** Can you (are you able to) repair my car?
> **Les enfants ne peuvent pas entrer dans ce cinéma.** Children are not permitted (to go) in this cinema.

EXERCICES (ORALEMENT)

A. Construisez des phrases selon le modèle.

> *Modèle:* Je veux travailler. Et toi?
> *Moi aussi, je veux travailler.*

1. Je veux aller à Banff. Et lui? Et toi? Et eux? Et Hélène?
2. Nous voulons manger. Et vous? Et elles? Et toi? Et Stéphane?
3. Je peux attendre cinq minutes. Et eux? Et lui? Et vous? Et elles?
4. Nous pouvons aller au cinéma. Et toi? Et Pascale? Et les enfants? Et vous?

B. Répétez en remplaçant le pronom sujet par les mots entre parenthèses et en changeant la forme du verbe:

1. Je ne peux pas aller chez le dentiste demain. (nous, Daniel, vous, elle)
2. Pouvez-vous répondre aux questions? (ils, tu, elle, nous)
3. Elle veut écouter ce concert. (tu, mes parents, je, ils)
4. Je ne veux pas danser. (Suzanne, ils, tu, vous)

C. Posez la question à un(e) autre étudiant(e).

> *Modèle:* pouvoir / venir au cinéma avec moi
> *Peux-tu venir au cinéma avec moi?*

1. vouloir / regarder un film à la télé ce soir
2. pouvoir / répondre à ma question
3. vouloir / vendre tes vieux livres
4. pouvoir / réussir à l'examen
5. vouloir / aller au restaurant
6. vouloir / aller aux Etats-Unis
7. pouvoir / jouer du piano
8. vouloir / travailler avec moi
9. vouloir / devenir riche
10. pouvoir / aller avec moi à la clinique
11. vouloir / attendre l'autobus avec moi

D. Répondez selon le modèle.

> *Modèle:* Peux-tu fermer la télévision?
> *Non, je ne peux pas.*

1. Peux-tu téléphoner au médecin?
2. Veux-tu regarder le devoir?
3. Peux-tu venir chez le pédiatre avec moi?
4. Veux-tu jouer aux cartes avec nous?
5. Peux-tu entrer dans les discothèques?

> *Modèle:* Veux-tu venir avec moi à l'infirmerie?
> *Oui, je veux bien.*

6. Peux-tu avertir mon ami?
7. Veux-tu perdre du poids?
8. Peux-tu répondre au téléphone?
9. Veux-tu attendre un moment?
10. Veux-tu aller au concert demain soir?

Les expressions idiomatiques avec *avoir*

avoir . . . ans (to be . . . years old)	J'ai dix-huit ans.
avoir l'air **+ adjectif** (to seem/to) **+ de + nom** (look like) **+ de + infinitif**	Elle a l'air intelligent(e).* Il a l'air d'un bandit. Ils ont l'air de travailler fort.
avoir besoin de **+ nom** (to need) **+ infinitif**	Les étudiants ont besoin de vacances. *no article* J'ai besoin de consulter un médecin.
avoir chaud/froid (to be warm/cold)	J'ai chaud en été. Nous avons froid en hiver.

* The adjective can be made to agree either with **l'air** (masculine singular) or with the subject

avoir envie de + nom (to feel like) **+ infinitif**	As-tu envie d'un dessert? J'ai envie de regarder ce film.
avoir faim/soif (to be hungry/thirsty)	J'ai faim; je veux un sandwich. Il a soif; il veut un verre de jus.
avoir hâte de + infinitif (to be eager/impatient)	J'ai hâte de rentrer chez moi. Elle a hâte d'avoir dix-huit ans.
avoir l'intention de + infinitif (to intend)	Nous avons l'intention de visiter Montréal.
avoir peur de + nom (to be afraid of) **+ infinitif**	Il a peur des maladies. Ils ont peur de perdre connaissance.
avoir mal à + nom (to have a . . . ache)	J'ai mal à la tête/aux yeux/au ventre/ au dos/aux dents.
avoir raison / tort de + infinitif (to be right/wrong)	J'ai raison. Toi, tu as tort. Elle a raison de vouloir réussir.

EXERCICES (ORALEMENT)

A. Répondez aux questions:

1. Quel âge as-tu?
2. Quel âge a ton copain?
3. Quel âge a ta copine?
4. As-tu chaud en hiver?
5. As-tu froid en été?
6. Quand avons-nous chaud généralement?
7. Est-ce qu'on a froid dans un sauna?
8. As-tu faim à midi? à minuit?
9. Vas-tu avoir faim ce soir?
10. Est-ce qu'on a soif dans le désert?
11. Est-ce qu'on a soif après un match de tennis?

B. Répondez aux questions selon le modèle.

> *Modèle:* As-tu envie d'un dessert? (d'un verre de vin)
> *Non, je n'ai pas envie d'un dessert mais j'ai envie d'un verre de vin.*

1. As-tu envie d'une nouvelle voiture?
   (d'un nouveau vélo)
2. As-tu envie d'un livre? (d'un disque)
3. As-tu envie de regarder un film?
   (d'aller à la discothèque)
4. As-tu envie de manger un sandwich?
   (de manger un croissant)
5. As-tu besoin d'une aspirine? (d'un
   bon café)
6. As-tu besoin d'une moto? (d'une
   voiture)

7. As-tu besoin d'aller chez le médecin?
(d'aller chez le dentiste)
8. As-tu peur du professeur? (de l'examen)

9. As-tu peur des chiens? (des serpents)
10. As-tu peur d'aller chez le dentiste?
(d'avoir mal aux dents)

C. Répondez aux questions selon le modèle.

Modèle: Antoine a l'air malade. (fatigué)
Non, il a plutôt l'air fatigué.

1. Pierrette a l'air dynamique. (nerveux)
2. Guy a l'air distrait. (préoccupé)
3. Il a l'air d'un acteur de cinéma. (d'un boxeur)
4. Elle a l'air d'une avocate. (d'une pharmacienne)

5. Le chien a l'air d'avoir faim. (d'avoir soif)
6. Cet enfant a l'air d'avoir peur. (d'être fatigué)

D. Répondez aux questions:

1. As-tu l'intention de devenir riche?
2. As-tu hâte de travailler?
3. Avez-vous hâte d'avoir des vacances?
4. Avez-vous l'intention de protéger l'environnement?

5. Les hommes ont-ils raison de bien manger?
6. Les femmes ont-elles tort de vouloir l'égalité?

E. Vous êtes médecin. Posez la question à un(e) autre étudiant(e).

Modèle: Avez-vous mal / la tête? (les oreilles)
Question: *Avez-vous mal à la tête?*
Réponse: *Non, mais j'ai mal aux oreilles.*

1. Avez-vous mal / les yeux? (les sinus)
2. Avez-vous mal / le dos? (le ventre)
3. Avez-vous mal / les pieds? (les jambes)
4. Avez-vous mal / la tête? (les yeux)
5. Avez-vous mal / les genoux? (les chevilles)

6. Avez-vous mal / les bras? (les coudes)
7. Avez-vous mal / le cou? (la tête)
8. Avez-vous mal / le ventre? (la poitrine)
9. Avez-vous mal / l'estomac? (la tête)
10. Avez-vous mal / le coeur? (la poitrine)

EXERCICES ECRITS
▶▶▶▶▶▶▶

A. Mettez le verbe à la forme correcte:

1. Ils _____ l'autobus numéro 38. (attendre)
2. Elle _____ un bruit bizarre. (entendre)
3. Je _____ ma vieille auto. (vendre)
4. Hubert _____ souvent la tête. (perdre)

5. Nous _____ à sa lettre. (répondre)
6. Tu _____ le livre à Jean. (rendre)
7. Il _____ un taxi. (attendre)
8. Lise et Jeanne _____ la musique. (entendre)

LE CORPS HUMAIN

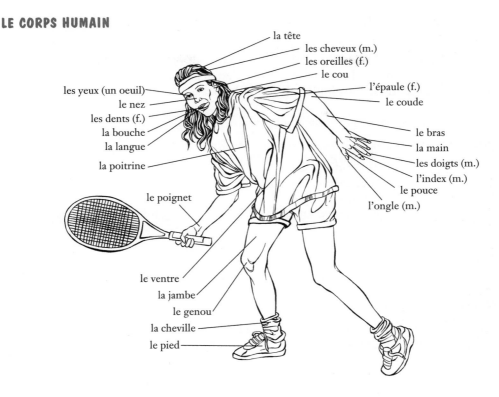

la tête
les cheveux (m.)
les oreilles (f.)
le cou
l'épaule (f.)
le coude
les yeux (un oeuil)
le nez
les dents (f.)
la bouche
la langue
la poitrine
le bras
la main
les doigts (m.)
l'index (m.)
le pouce
l'ongle (m.)
le poignet
le ventre
la jambe
le genou
la cheville
le pied

B. Posez la question avec l'adverbe interrogatif approprié (*où/quand/comment/pourquoi*) et en employant l'inversion.

> *Modèle:* Il attend l'autobus <u>devant l'hôpital</u>.
> *Où attend-il l'autobus?*

1. Il perd son temps <u>dans les discothèques</u>.
2. On vend des médicaments <u>à la pharmacie</u>.
3. Elle répond <u>correctement</u> aux questions du médecin.
4. Il vend ses livres <u>parce qu'il a besoin d'argent</u>.
5. On entend les cloches <u>à midi</u>.

C. Employez l'impératif et dites à un(e) ami(e) de:

1. Rendre le disque à son amie.
2. Ne pas perdre l'ordonnance du médecin.
3. Répondre à la question de l'infirmière.
4. Ne pas vendre sa belle voiture.
5. Attendre la spécialiste après l'examen.

D. Remplacez *le/la/les* par *ce/cet/cette/ces*:

la pilule	les jambes	la pharmacienne	le malade
le pied	la gorge	l'infirmière	la malade
la tête	le médecin	l'enfant	l'étudiant
le dos	la spécialiste	les adultes	les maladies

E. Mettez les verbes *pouvoir* et *vouloir* à la forme correcte:

pouvoir

1. Tu _____ partir avant midi.
2. Nous _____ attendre madame Gagnon.
3. Vous _____ répondre aux critiques.
4. Elle _____ entendre la conversation.
5. Je _____ finir l'exercice.
6. Ils _____ inviter leurs amis.

vouloir

1. Je _____ aller à l'hôpital.
2. Nous _____ regarder un film à la télé.
3. Ils _____ finir les devoirs après la classe.
4. Elles _____ un comprimé.
5. Tu _____ une bière.
6. Il _____ une nouvelle ordonnance.

F. Répondez aux questions par des phrases complètes:

1. Est-ce que tu veux travailler ce soir?
2. Est-ce que vous voulez venir à l'urgence?
3. Pouvons-nous finir ce chapitre aujourd'hui?
4. Peux-tu entrer dans les discothèques?
5. Veux-tu aller à la clinique ce soir?
6. Voulez-vous venir au restaurant avec moi?
7. Est-ce que les enfants veulent jouer au hockey?
8. Est-ce que les étudiants veulent réussir aux examens?
9. Veux-tu perdre du poids?
10. Veux-tu perdre ton argent dans les casinos?
11. Peux-tu jouer de la guitare? du piano? du violon?
12. Peux-tu aller sur la lune?
13. Tes parents veulent-ils venir dans notre classe?
14. Voulez-vous réussir à l'examen de francais?
15. Pourquoi veux-tu étudier la médecine?
16. Où veux-tu aller ce soir?
17. Quelle sorte de voiture veux-tu?
18. Quand vas-tu pouvoir aller à Montréal?
19. A quelle heure peux-tu rentrer chez toi?
20. Où peut-on regarder un film?

G. Répondez aux questions selon le modèle.

Modèle: Est-ce que tu vas à la bibliothèque?
Non, je viens d'aller à la bibliothèque.

1. Est-ce que tu regardes la photo?
2. Est-ce que Monique finit son travail?
3. Est-ce que vous réfléchissez à cette question?
4. Est-ce que les enfants écoutent des cassettes?
5. Est-ce qu'il vend sa voiture?

H. Complétez les phrases avec imagination.

> *Modèle:* Quand je suis fatigué(e), je . . . (avoir mal à)
> *Quand je suis fatigué(e), j'ai mal aux yeux.*

1. Quand je suis à la discothèque, je . . . (avoir envie de)
2. J'admire Renée parce qu'elle . . . (avoir l'air de)
3. Je veux rentrer chez moi parce que je . . . (avoir hâte de)
4. Quand on est fatigué, on . . . (avoir besoin de)
5. Demain, je . . . (avoir l'intention de)
6. Solange ne veut pas être malade parce qu'elle . . . (avoir peur de)
7. On va chez le dentiste quand on . . . (avoir mal à)

I. Répondez aux questions par des phrases complètes:

1. Quel âge as-tu?
2. Quel âge a le professeur?
3. Quand est-ce que tu as chaud / soif / faim / froid?
4. Quand as-tu peur?
5. Quand as-tu mal à la tête?
6. Quelle voiture as-tu envie d'avoir?
7. Quelle ville as-tu l'intention de visiter?
8. De quoi as-tu hâte?
9. Quand as-tu l'air intelligent / important / malade/ stupide?
10. De quoi as-tu besoin présentement?

LECTURE

➤➤➤➤➤➤➤

La santé ... en huit points.

Si vous suivez les conseils des experts de la santé, vous avez sûrement à la maison du jus de canneberges, des vitamines, des minéraux, du son d'avoine, de l'ail, et d'autres produits semblables. Vous disposez aussi d'une liste de choses à manger le mardi et non le jeudi, d'aliments à combiner et d'autres à éviter. Entre les rendez-vous d'affaires, les visites chez le médecin, les deux soirées de yoga par semaine, la leçon de Taï-Chi ou de workout du samedi et la séance de thérapie du vendredi, vous avez l'intention d'entreprendre un régime. Certains jours, vous arrive-t-il d'avoir envie d'arrêter tout ça?

Sans rejeter toutes les suggestions, il est possible de mettre de côté certaines extravagances et d'adopter un mode de vie sain et équilibré. Rappelez-vous qu'un mode de vie sain est un retour à l'essentiel; comblez les véritables besoins de votre corps et de votre esprit. Voici les huit points essentiels à surveiller:

1) *Prenez un petit déjeuner.*
Votre organisme a besoin de nourriture le matin. Un bon déjeuner comprend un fruit, un produit laitier, des protéines (viande, oeufs, fromage ou beurre d'arachides), des glucides et des fibres sous la forme de céréales, de pain ou de muffin de blé entier.

2) *Consommez des fruits et des légumes frais.*
Les aliments à l'état naturel renferment davantage de vitamines et de minéraux. Certaines fibres des fruits et des légumes contribuent à la réduction du cholestérol. De plus la béta-carotène présente dans ces aliments prévient le cancer.

3) *Des vitamines et des minéraux.*
Une diète équilibrée procure tous les minéraux et vitamines dont vous avez besoin. Si vous ne mangez pas de viande rouge, choisissez des grains et des légumineuses.

4) *Des aliments riches en fibres.*
Le pain, les céréales de grains entiers, les fruits et les légumes sont tous d'excellentes sources de fibres.

5) *Buvez beaucoup d'eau.*
De nombreuses personnes sont déshydratées sans le savoir. Une règle simple consiste à boire un verre de liquide non-caféiné à chaque repas. Avant l'exercice, un verre d'eau glacée et après l'exercice, un verre d'eau tiède.

6) *Faites de l'exercice régulièrement.*
L'exercice renforce le coeur, les poumons et les muscles. Donc marcher, faire du jogging, ramer ou nager pendant au moins vingts minutes à un taux de 60 à 85% de votre capacité maximale d'effort, de trois à cinq fois par semaine.

7) *Riez et profitez de la vie.*
Pour être en santé, le bonheur est un élément de base. Alors riez avec vos parents, vos amis, les personnes qui vous aiment, voilà l'important.

8) *Cherchez à vous épanouir.*
S'occuper des autres, consacrer du temps aux jeunes, à de vieux parents, à une campagne de charité; tout ça est une garantie de bonne santé mentale et physique.

(Extrait du magazine *Châtelaine* — janvier 1990).

affaires (f.)	business	**mode** (m.)	way
ail (m.)	garlic	**nager**	to swim
aliment (m.)	food	**nourriture** (f.)	food
apporter	to bring	**pain** (m.)	bread
arrêter	stop	**pendant**	during
avoine (f.)	oats	**prendre**	to take
blé (m.)	wheat	**prévenir**	to prevent
boire	to drink	**procurer**	to bring
bonheur (m.)	happiness	**ramer**	to paddle
canneberges (f.)	cranberries	**régime** (m.)	diet
chaque	each	**règle** (f.)	rule
combler	to fill in	**rejeter**	to reject
comprendre	to include	**renfermer**	to contain
consacrer	to devote	**renforcer**	to reinforce
conseil (m.)	advice	**retour** (m.)	return
chose (f.)	thing	**rire**	to laugh
davantage	even more	**sans**	without
devoir	to have to	**savoir**	to know
eau (f.)	water	**séance** (f.)	session
entier, ière	whole	**semblable**	similar
entreprendre	to begin	**sentiment** (m.)	feeling
entouré(e)	surrounded	**(se) sentir**	to feel
épanouir	to open out	**signifier**	to mean
équilibré(e)	well-balanced	**simplement**	simply
esprit (m.)	mind	**son** (m.)	bran
état (m.)	state	**suivre**	to follow
éviter	to avoid	**surveiller**	to watch
frais, fraîche	fresh	**taux** (m.)	rate
glacé(e)	iced	**tiède**	lukewarm
goût (m.)	taste	**véritable**	real
laitier, ière	dairy (product)	**viande** (f.)	meat
légumineuses (f.)	leguminous plant	**vie** (f.)	life
mettre	to put	**vivre**	to live

QUESTIONS

1. Qu'est-ce que vous avez à la maison si vous suivez les conseils des experts?
2. Qu'est-ce qu'il y a sur votre liste?
3. Quelles autres activités avez-vous aussi?
4. Est-il nécessaire d'écouter les experts? Que vous propose-t-on en échange?
5. De quoi avez-vous besoin le matin?
6. Pourquoi les fruits et les légumes?
7. Où trouve-t-on des minéraux? Et des fibres?
8. Quelle quantité d'eau doit-on boire à chaque repas?
9. Pourquoi faire de l'exercice?
10. Quelles autres conseils donne-t-on pour une bonne santé?

SITUATIONS / CONVERSATIONS
➤➤➤➤➤➤➤

1. *Une visite chez le médecin.* Un(e) étudiant(e) joue le rôle du médecin et deux autres jouent les rôles de la secrétaire et de la patiente/du patient. Inspirez-vous du modèle ci-dessous.

   a) (*Avec la secrétaire du médecin*)

   SECRETAIRE: Bonjour, Monsieur.

   PATIENT: Bonjour, je suis Louis Dupras et j'ai rendez-vous à 7h 00 avec Docteur Lafontaine.

   SECRETAIRE: Est-ce que c'est votre première visite? Est-ce que vous avez un dossier ici?

   PATIENT: Oui, c'est ma première visite et je n'ai pas de dossier.

   SECRETAIRE: Votre carte d'assurance-maladie, s'il vous plaît?

   PATIENT: Voici ma carte.

   SECRETAIRE: Passez à la salle d'attente. Le docteur vous appelle dans quelques minutes.

   PATIENT: Très bien, merci.

   b) (*Avec le médecin*)

   LE MEDECIN: Bonjour Monsieur. Quel est l'objet de votre visite?

   PATIENT: Bonjour docteur. Eh bien, j'ai mal à la tête et à la gorge. Je tousse, j'ai le nez bouché et j'ai aussi mal aux oreilles.

   LE MEDECIN: Eh bien, ce n'est pas grave. Vous avez une grippe. Voici une ordonnance et vous allez revenir dans quinze jours.

   PATIENT: Très bien, merci docteur. Au revoir.

   Autres symptômes: Je tousse, je respire mal, j'étouffe. J'ai mal au coeur.
   J'ai une douleur dans la poitrine.
   J'ai des étourdissements, je perds connaissance.

   Autres maladies: le rhume, la grippe, une pneumonie, la fièvre, une bronchite.

   Des médicaments: des aspirines, du sirop, des antibiotiques, des onguents.

2. Qu'est-ce qu'on peut faire avec . . . (What can you do with . . .)

   les yeux? le nez? la bouche? l'estomac? les pieds? les jambes? les poumons? les mains? les oreilles? les doigts? les bras?

   Exemple: Avec la tête, je pense.

   (Verbes: respirer, digérer, marcher, entendre, embrasser, écouter, regarder, goûter, travailler, jouer d'un instrument, etc.)

3. Décrivez votre animal favori:

   J'aime les chats/les chiens/les souris/les vaches/les écureuils/les lions/les tigres/les girafes/les éléphants/les kangourous, etc.

Le pelage (fur) est blanc/brun/noir; avec des raies/des taches/des couleurs différentes, etc.
Le cou est très long/court/étroit/large, etc.
La queue (tail) est longue/courte/courbée, etc.
Les pattes (legs) sont longues/courtes, etc.
Le museau, la gueule (mouth) est rond(e)/pointu(e), etc.

4. Pour rester en bonne santé, on a besoin . . .
de manger des fruits, de respirer de l'air pur, de consulter un médecin, de manger modérément, d'éviter l'alcool, de marcher plusieurs heures par jour, de jouer d'un instrument de musique, de surveiller son alimentation, de pratiquer des sports, de ne pas fumer de cigarettes, etc.

COMPOSITIONS

1. Vous êtes malade. Ecrivez une courte lettre à votre professeur pour expliquer la situation.

2. Quelles sont les mauvaises habitudes qui sont nuisibles à votre santé?

3. Décrivez un régime de vie recommandé pour rester en bonne santé.

4. Dessinez et coloriez un clown et indiquez les parties du corps.

PRONONCIATION
(This exercice is at the end of Leçon 5 on the tape)

Contraste i, u, ou - /i/ - /y/ - /u/

1) La voyelle i (/i/)

Répétez d'après le modèle:

ris	petit	image	amiral
si	radis	idée	habiter
mi	mardi	idem	politique
dit	lundi	arriver	

2) La voyelle u (/y/)
(Bring your tongue to the front as for /i/, but round the lips.)

Répétez d'après le modèle:

dit / du	mi / mu	lit / lu	débit / début
ni / nu	pis / pu	pli / plu	habit / abus
si / su	riz / rue	bris / bru	pari / paru
fi / fut	vit / vu	cri / cru	écrit / écru

Répétez d'après le modèle. (Try not to say **biu, miu, piu**.)

bu	buvez	rébus	amusant
pu	pudique	repu	rebuter
mû	musique	ému	débuter

3) **La voyelle ou (/u/)**
(Rounded lips as for /y/, but bring your tongue towards the back; for /y/, the tongue is pushed towards the front.)

Répétez d'après le modèle:

tu / tout	mu / mou	bru / broue
bu / bout	pu/ pou	truc/ trouve
rue / roue	vu / vous	bulle / boule
du / doux	nu / nous	furet / fourré

4) **Contraste /i/ — /y/ — /u/**

Répétez d'après le modèle:

vit / vu / vous	pis / pu / pou	mi / mue / mou
rit / rue / roux	fit / fût / fou	ni / nu / nous
si / su / sous	dit / du / doux	lit / lu / loue

Chapitre six

Le magasinage et la mode

VOCABULAIRE UTILE

atelier (m.)	shop	**coiffure** (f.)	hairdo
bande magnétique (f.)	tape	**commentaire** (m.)	comment
blesser	to hurt	**complet** (m.)	suit
botte (f.)	boot	**compliqué(e)**	complicated
bouteille (f.)	bottle	**comptant**	cash
ceinture (f.)	belt	**conférencier, ière**	speaker
châle (m.)	shawl	**course** (f.)	errand
chaleur (f.)	heat	**couture** (f.)	sewing
chandail (m.)	sweater	**couturier, ière**	fashion designer

cravate (f.)	tie	**poulet** (m.)	chicken
croquis (m.)	sketch	**récompense** (f.)	reward
défilé de mode (m.)	fashion show	**repos** (m.)	rest
dessin (m.)	drawing	**robe** (f.)	dress
dessiner	to draw	**sac à main** (m.)	purse
emplette (f.)	purchase	**sale**	dirty
épouvante (f.)	terror	**souhaiter**	to wish
féliciter	to congratulate	**soulier** (m.)	shoe
foulard (m.)	scarf	**sucre** (m.)	sugar
jupe (f.)	skirt	**vendeur, euse**	salesclerk
magasinage (m.)	shopping	**veste** (f.)	jacket
mercerie (f.)	notion shop	**veston** (m.)	jacket
mode (f.)	fashion	**vin** (m.)	wine
moutarde (f.)	mustard	**vitrine** (f.)	shopwindow
ombre (f.)	shadow	**voyage** (m.)	trip
pain (m.)	bread		

GRAMMAIRE ET EXERCICES ORAUX

Modifications orthographiques de quelques verbes réguliers en -er

Spelling Changes Before Silent Endings (-e, -es, -ent).

[handwritten: no – in imparfait]

1) In verbs like **acheter** (to buy), **amener** (to bring), **emmener** (to take), the letter **e** which precedes the final consonant in the stem takes an **accent grave** (è) before a silent ending:

> j'ach**è**te, tu ach**è**tes, il ach**è**te, ils ach**è**tent
> *but* nous achetons, vous achetez   *[handwritten: swallow the "e"]*

2) In verbs like **préférer** (to prefer), **espérer** (to hope), **répéter** (to repeat), **précéder** (to precede), the **accent aigu** over the **e** which precedes the final consonant in the stem changes to an **accent grave** before a silent ending:

> je préf**è**re, tu préf**è**res, il préf**è**re, ils préf**è**rent
> *but* nous préf**é**rons, vous préf**é**rez   *[handwritten: préférais]*

3) In verbs like **appeler** (to call) and **jeter** (to throw), the final consonant in the stem is doubled before a silent ending:

[handwritten: je jette / je jetais]

j'appelle, tu appelles, il appelle, ils appellent
but nous appelons, vous appelez   *swallow the "e"*
je jette, tu jettes, il jette, ils jettent
but nous jetons, vous jetez

4) In verbs ending in **-yer**, the **y** changes to **i** before a silent ending. (In verbs ending in
-ayer, like **payer**, the **y** may be retained as an optional spelling.)

j'ennuyais

> **ennuyer** (to bore/to bother):
> j'ennuie, tu ennuies, il ennuie, ils ennuient
> *but* nous ennuyons, vous ennuyez

> **payer** (to pay for):
> je paie, tu paies, il paie, ils paient
> *but* nous payons, vous payez

Verbs Ending in *-ger* and *-cer*

1) With verbs whose stems end in **g** like **manger** (to eat) or **obliger** (to force/to compel),
whenever the ending does not begin with **e** or **i**, the letter **e** must be inserted between
the stem and the ending, as in the **nous** form of the present tense:

> nous mangeons, nous obligeons

mangeais   mangions   mangiez   mangeaient

2) With verbs whose stems end in **c**, like **commencer** (to begin) or **agacer** (to bother/to
irritate), a **cédille** must be placed under the letter **c** (**ç**) whenever the ending does not
begin with **e** or **i**, as in the **nous** form of the present tense:

> nous commençons, nous agaçons

je commençais   nous commencions

EXERCICES (ORALEMENT)

A. Substituez au sujet les mots entre parenthèses:

1. Lucien appelle le vendeur chez lui. (tu, elles, vous, je, nous)
2. André jette de vieux souliers. (je, ils, l'étudiant, nous)
3. Tu espères une récompense. (vous, elles, Suzanne, je)
4. Elles achètent des vêtements. (vous, je, nous, Lucien)
5. Ils paient comptant. (nous, tu, Juliette, je)

B. Répondez aux questions, affirmativement et négativement:

Est-ce que . . .
1. tu jettes tes vieux vêtements?
2. vous jetez vos vieux souliers?
3. tu achètes à crédit?
4. vous achetez à crédit?
5. tu emmènes ton ami(e) à la boutique?
6. vous emmenez votre professeur au cinéma?

7. j'emmène mes étudiants au centre commercial?
8. vous répétez après le professeur?
9. vous préférez le français à l'anglais?
10. nous commençons la leçon?
11. vous mangez à la cafétéria?
12. nous mangeons dans la classe?
13. la télévision ennuie les enfants?
14. tu amènes tes parents au magasin?
15. vous amenez vos amis au supermarché?

Amener — apporter — emmener — emporter

amener (une personne/un animal)
apporter (une chose) } to bring (along)

emmener (une personne/un animal)
emporter (une chose) } to take (along)

David amène sa petite amie chez lui.
Sylvie emmène son chien chez le vétérinaire.
J'apporte une bouteille de vin pour le repas.
Quand il va en voyage, il emporte des livres.

EXERCICE (ORALEMENT)

Répondez aux questions par des phrases complètes:

1. Est-ce que vous amenez vos amis chez vous?
2. Est-ce que tu emportes des livres de la bibliothèque?
3. Qu'est-ce que vous apportez à la classe de français?
4. Où amène-t-on une personne blessée?
5. Où amène-t-on un animal blessé?
6. Quelle(s) personne(s) emmenez-vous à la discothèque?
7. Qu'est-ce que tu emportes quand tu vas en voyage?
8. Quand emmène-t-on une personne chez le médecin?
9. Qu'est-ce que tu apportes à un ami malade?
10. Quels vêtements apportez-vous pour aller à la plage?

L'article partitif

Forms of the Partitive Article

du   before a masculine singular noun beginning with a consonant
de la   before a feminine singular noun beginning with a consonant
de l'   before a masculine or feminine noun beginning with a vowel sound
des   before a plural noun

1) The partitive article is used before singular mass nouns (referring to items which are not countable): **de l'argent, de la musique, du mérite**. The plural form of the partitive article is used before countable nouns (**des fleurs**) and nouns which are always plural, like **des gens** (people). The partitive article is used when referring to an undetermined amount of the item mentioned, and thus corresponds to "some" or "any". While "some" and "any" are frequently omitted in English, in French, the partitive article must be stated:

Je veux de la salade.	I want (some) salad.
Elle mange du pain.	She is eating (some) bread.
Ils regardent des photos.	They are looking at (some) pictures.

2) When they precede a noun which is the direct object of a verb, all forms of the partitive article are reduced to **de** after a negative expression such as **ne . . . pas**:

J'ai <u>de</u> l'argent. ⟶ Je n'ai pas <u>d</u>'argent.
Elle écoute <u>de</u> la musique. ⟶ Elle n'écoute pas <u>de</u> musique.

This change does not occur after a verb like **être**, which is not a transitive verb (that is, it does not take a direct object):

Ce sont <u>des</u> gens intelligents.
Ce ne sont pas <u>des</u> gens intelligents.

3) The use of the partitive article must be clearly distinguished from that of the definite article. The definite article is used when speaking about a particular item or with nouns used abstractly or in a general sense. The partitive article is used when speaking about an undertermined amount of the item to which the noun refers. Do not be confused by the fact that, in English, articles are not usually placed before abstract nouns, or that "some" is frequently omitted before nouns.

Compare:

She likes plants.	Elle aime <u>les</u> plantes.
She buys plants.	Elle achète <u>des</u> plantes.
Talent is a gift.	<u>Le</u> talent est un don.
He has talent.	Il a <u>du</u> talent.

EXERCICES (ORALEMENT)

A. Répondez aux questions affirmativement et négativement:

Est-ce que tu as . . .

1. de l'argent?	4. du courage?
2. de la chance?	5. du talent?
3. de l'ambition?	6. de la patience?

7. de l'enthousiasme?

8. de la ténacité?

9. de l'imagination?

Est-ce que tu manges . . .

10. de la salade?
11. du fromage?
12. du beurre?

13. du porc?
14. du boeuf?
15. de la crème glacée?

Est-ce que tu veux . . .

16. du vin?
17. de la bière?
18. du café?
19. du thé?

20. du whisky?
21. de la vodka?
22. de l'eau?
23. du coca?

B. Employez les mots indiqués d'après le modèle.

Modèle: Je n'ai pas . . . mais j'ai . . .
Je n'ai pas d'argent, mais j'ai de l'ambition.

du courage, de l'enthousiasme, de l'énergie, du talent, de l'ambition, de la chance, de la patience, du tact, de la ténacité, de l'imagination, de l'intuition

C. Changez l'article défini en article partitif:

le respect	la lumière	l'ombre
l'amabilité	le sel	l'obscurité
l'eau	le sucre	le poulet
la neige	l'air	la moutarde

D. Mettez à la forme négative:

1. Elle mange de la salade.
2. Il a de l'argent.
3. C'est de la moutarde.
4. Ils invitent des gens intéressants.
5. J'entends du bruit.
6. Elle écoute du jazz.

7. Nous avons de la patience.
8. J'apporte de la vodka.
9. Tu as de la patience.
10. Il veut du café.
11. Elle achète du porc.
12. Elle prépare de la pâtisserie.

Le verbe irrégulier *devoir*

Présent de l'indicatif

je	dois	nous	devons
tu	dois	vous	devez
il/elle/on	doit	ils/elles	doivent

j'ai dû
je devais

1) **Devoir** followed by a noun may mean "to owe":

> **Je dois dix dollars à mon ami.**
> I owe my friend ten dollars.

2) In the present tense, and followed by an infinitive, **devoir** may express:

a) necessity or obligation (must/to have to):

> **Nous devons rendre les livres à la bibliothèque.**
> We must return the books to the library.
> **On doit payer ses dettes.**
> One must pay one's debts.

b) probability (must):

> **Il doit avoir chaud après ce match.**
> He must be hot after that match.

c) intention or expectation (to be supposed to):

> **Je dois rencontrer Marie au centre commercial ce soir.**
> I am supposed to meet Mary at the shopping center tonight.
> **Il doit arriver cet après-midi.**
> He is supposed to arrive this afternoon.

EXERCICES (ORALEMENT)

A. Changez la forme du verbe selon le sujet entre parenthèses:

1. Je dois finir cette robe. (tu/elle/nous/vous)
2. Il doit être fatigué après le magasinage. (ils/vous/les touristes/elle)
3. Elle doit arriver demain soir. (tu/il/nous/les enfants)

B. Répondez à la question:

1. Est-ce que tu dois de l'argent à la Caisse?
2. A quelle heure la mercerie doit-elle fermer?
3. Quand devons-nous avoir l'examen?
4. Est-ce que vous devez rendre des livres à la bibliothèque?
5. Dois-tu retrouver tes amis après la classe?
6. Les vendeurs doivent-ils être enthousiastes?
7. Le professeur doit-il être intéressant?
8. Est-ce que je dois essayer la chemise?
9. Est-ce que tu dois de l'argent à tes parents?
10. Devons-nous répéter cet exercice?

C. Répondez aux questions d'après le modèle.

> *Modèle:* A quelle heure Armand arrive-t-il? (à cinq heures)
> *Armand doit arriver à cinq heures.*

1. A quelle heure rentres-tu chez toi?
2. A quelle heure vas-tu à la bibliothèque?
3. A quelle heure la classe finit-elle?
4. Quand vas-tu à Shawinigan?
5. Quand vas-tu chez le médecin?
6. Quand rencontres-tu tes amis?
7. Pourquoi vas-tu à la pharmacie?
8. Qu'est-ce que tu étudies ce soir?
9. Retournes-tu au magasin bientôt?
10. Quand joues-tu au soccer?

D. Transformez les phrases selon le modèle.

> *Modèle:* Le professeur est fatigué après la classe.
> *Oh! oui, il doit être fatigué.*

1. Hélène a chaud après cette compétition sportive.
2. Les enfants ont peur après ce film d'épouvante.
3. Le chien a soif après cette promenade.
4. Elle est déprimée après cet examen difficile.
5. Il parle français après ce cours.
6. Il a envie d'un bon café après ce gros repas.
7. Je suis fatiguée après ce long magasinage.
8. Edouard est nerveux après cet accident.
9. Les étudiants sont en forme après les exercices.
10. J'ai besoin de repos après ces études.

Les pronoms interrogatifs *qui* et *que*

Qui:

To ask a question about a person, the interrogative pronoun **qui** is used.

1) To ask the identity of a person, use **Qui est-ce**:

> Qui est-ce?   C'est Bernard.
> C'est le professeur.
> C'est le père de Léonard.
> Ce sont mes voisins.

2) **Qui** may be used as the subject of an interrogative sentence:

> Qui joue du piano? — Moi, je joue du piano.
> Qui veut aller au défilé de mode? — Suzanne et Pierre veulent aller au défilé de mode.

3) **Qui** may also be used as the direct object of a verb:

> Qui regardes-tu? — Je regarde ce mannequin.

Que:

The interrogative pronoun **que** is used to ask a question about a thing.

1) To ask someone to identify or name something, use
   Qu'est-ce que c'est:

> Qu'est-ce que c'est? — C'est un sac à main
>
> Ce sont des chaussures.

2) **Qu'est-ce qui (que + est-ce qui)** is used as the subject of an interrogative sentence:

> Qu'est-ce qui est sur la table? — C'est mon châle.
>
> Qu'est-ce qui fatigue René? — C'est la chaleur.

3) **Que (+ inversion)** or **Qu'est-ce que (que + est-ce que)** are used as direct object of the verb:

> Que regardes-tu? — Je regarde un ensemble de ski.
>
> Qu'est-ce que tu écoutes? — J'écoute un opéra.

EXERCICES (ORALEMENT)

A. Utilisez *Qui est-ce?* ou *Qu'est-ce que c'est?* d'après les modèles.

> *Modèles:* C'est mon ami.
> *Qui est-ce?*
> Ce sont des insectes.
> *Qu'est-ce que c'est?*

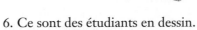

1. C'est le professeur de Lucien.
2. C'est une machine à coudre.
3. Ce sont des bandes magnétiques.
4. C'est un couturier.
5. C'est Mme Barrault.

6. Ce sont des étudiants en dessin.
7. Ce sont des magazines.
8. C'est mon père.
9. C'est Mila.
10. C'est un foulard.

B. Posez la question appropriée d'après les modèles.

> *Modèles:* J'écoute le bruit du ruisseau.
> *Qu'est-ce que tu écoutes?*
> Elle écoute Claude.
> *Qui écoute-t-elle?*

1. Marie mange de la crème glacée.
2. Elle veut des vêtements.
3. Nous écoutons le couturier.

4. Je vais rencontrer une amie de Jean.
5. Ils emportent leurs croquis.
6. J'emmène ma mère au défilé de mode.

C. Posez la question appropriée d'après les modèles.

> *Modèles:* Ma cravate est sous la chaise.
> *Qu'est-ce qui est sous la chaise?*
> Luc joue aux échecs.
> *Qui joue aux échecs?*

1. Les étudiants travaillent à la bibliothèque.
2. Le défilé de mode vient de commencer.
3. Hélène vient d'arriver.
4. Ce costume est élégant.
5. Le couturier va parler à la réunion.
6. Les examens fatiguent les étudiants.

D. Demandez à un(e) autre étudiant(e):

1. Qu'est-ce qu'il/elle regarde?
2. Qui regarde-t-il/elle?
3. Qu'est-ce qu'il/elle dessine?
4. Qui vend des ceintures?
5. Qui est son voisin/sa voisine?
6. Qui aime-t-il/elle regarder dans un film?
7. Qu'est-ce qu'il/elle aime écouter à la radio?
8. Qu'est-ce qu'il/elle veut manger?
9. Qui désire-t-il/elle rencontrer?

Construction verbe + infinitif

Certain verbs expressing a sentiment, wish, movement, or perception are frequently followed by an infinitive.

1) Verbs expressing like, dislike or preference:

aimer
Elle aime dessiner.
She likes to draw.

adorer
J'adore regarder les vitrines.
I love to look in the windows.

aimer mieux
J'aime mieux jouer que travailler.
I would rather play than work.

préférer
J'aime les vêtements à la mode mais je préfère porter des vêtements confortables.
I like fashionable clothes but I prefer to wear comfortable clothes.

détester
Il déteste aller dans les magasins.
He hates going into stores.

2) Verbs expressing a wish:

désirer
Elle désire avoir des enfants.
She wants to have children.

espérer
J'espère aller au Mexique.
I hope to go to Mexico.

souhaiter   **Il souhaite rencontrer ce mannequin.**
He would like to meet this model.

3) **pouvoir, vouloir,** and **devoir**

pouvoir   **Pouvez-vous réparer ma jupe?**
Can you fix my skirt?

vouloir   **Il veut danser avec Béatrice.**
He wants to dance with Beatrice.

devoir   **On doit regarder ce film.**
We must watch this film.

4) **aller** and **venir**:

aller   **Va chercher le chien.**
Go <u>and</u> fetch the dog.

venir   **Viens écouter ce disque.**
Come <u>and</u> listen to this record.

5) Other verbs like:

penser*   **Je pense aller en vacances aux Etats-Unis.**
I intend to spend my vacation in the United States.

compter   **Il compte arriver ce soir.**
He expects to arrive tonight.

> **Note: 1)** Verbs of perception like **écouter, entendre** and **regarder** may be followed by an infinitive clause. The subject of the infinitive is different from the subject of the verb of perception.
>
>   Elle écoute son ami jouer.
>   Elle écoute son ami jouer de la guitare.
>
>   Nous entendons les étudiants répéter.
>   Nous entendons les étudiants répéter la phrase.

>   **2)** If the infinitive is not followed by an object, its subject may come after rather than before it:
>
>   Elle écoute jouer son ami.
>   Nous entendons répéter les étudiants.

* Penser usually means "to think". Followed by an infinitive, it is equivalent to "to intend to" or "to expect to".

EXERCICES (ORALEMENT)

A. Répondez aux questions:

1. Est-ce que vous désirez étudier la coiffure?
2. Est-ce que tu aimes mieux aller à la boutique ou au centre commercial?
3. Détestes-tu travailler?
4. Espérez-vous réussir dans vos études?
5. Est-ce que tu adores aller au concert?
6. Comptes-tu acheter une garde-robe?
7. Souhaites-tu rencontrer le premier ministre?

B. Dites à un(e) autre étudiant(e) de . . . .

1. venir regarder la télévision.
2. aller rendre ses livres à la bibliothèque.
3. venir manger chez vous.
4. aller acheter du maquillage.
5. venir écouter vos disques.
6. aller chercher ses croquis.

C. Transformez les phrases d'après le modèle.

> *Modèle:* Elle écoute son ami. Son ami chante.
> *Elle écoute son ami chanter.*

1. Luc regarde Sylvie. Sylvie danse.
2. Les étudiants écoutent le professeur. Le professeur parle.
3. J'entends mon voisin. Il joue du piano.
4. Entends-tu Lise? Elle répond à la directrice.
5. Je veux regarder Marc. Marc joue au football.
6. Tu dois écouter le conférencier. Il parle.
7. Elle aime entendre Jean-Pierre Rampal. Il joue de la flûte.

Les pronoms relatifs *qui* et *que*

A relative pronoun serves two purposes:
1) It connects two clauses, a main clause and a subordinate (relative) clause of which it is part and in which it has a grammatical function (subject, direct object, etc.);

2) It stands for a noun or pronoun (its *antecedent*) previously mentioned in the main clause.

> He is talking to <u>a man who</u> looks intelligent.

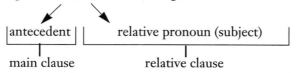

Qui

Qui is the *subject form* of the relative pronoun, whether its antecedent is a person (who/that) or a thing (which/that):

> **Je n'aime pas les gens qui ont toujours raison.**
> I do not like people who are always right.
> **Elle préfère les vêtements qui ne coûtent pas cher.**
> She prefers clothes which are inexpensive.

Que

1) **Que** is the *direct object form* of the relative pronoun. Its antecedent may be a person (whom/that) or a thing (which/that):

> **Elle admire un chanteur que je déteste.**
> She admires a singer whom I hate.
> **Où est la cravate que je viens d'acheter?**
> Where is the tie which I have just bought?

2) In English, a relative pronoun which is the direct object in the relative clause is frequently omitted, but in French it must always be expressed:

> I like the dress you are going to buy.
> **J'aime la robe que tu vas acheter.**

EXERCICES (ORALEMENT)

A. Transformez les phrases selon le modèle.

> *Modèle:* Regarde cette jeune fille. <u>Elle</u> entre dans le magasin.
> *Regarde cette jeune fille qui entre dans le magasin.*

1. Elle porte une blouse. <u>Cette blouse</u> est très élégante.
2. Il aime une jeune fille. <u>Cette jeune fille</u> préfère son ami.
3. Pierre vient d'acheter un oiseau. <u>Cet oiseau</u> ne chante pas.
4. Ne porte pas cette chemise. <u>Elle</u> est sale.
5. Nous allons féliciter un ami. <u>Il</u> vient de réussir à son examen.

B. Transformez les phrases selon le modèle.

> *Modèle:* Je dois rendre ce livre. Je viens de finir <u>ce livre</u>.
> *Je dois rendre ce livre que je viens de finir.*

1. N'emporte pas ces vêtements. Je veux regarder <u>ces vêtements</u>.
2. Elle souhaite rencontrer ce couturier. Elle admire <u>ce couturier</u>.
3. Allons acheter cette robe. Tu désires <u>cette robe</u>.
4. Ma femme vient d'inviter ce couple. Je n'aime pas <u>ce couple</u>.
5. Je vais chercher un magazine. Tu vas aimer <u>ce magazine</u>.

C. Transformez les phrases en employant *qui* ou *que*:

1. Pierre vient d'acheter ce veston. <u>Il</u> n'a pas de boutons.
2. Nous venons de regarder un film. Nous recommandons <u>ce film</u>.
3. C'est une jupe. <u>Cette jupe</u> est à la mode.
4. Elle attend un ami. <u>Cet ami</u> vient de Chicago.
5. Veux-tu cette cravate? Je porte <u>cette cravate</u> dans les grandes occasions.
6. Parlons à cet étudiant. <u>Il</u> travaille à l'atelier de couture.

D. Remplacez les tirets par *qui* ou *que*:

1. J'aime beaucoup la jupe _____ tu portes.
2. Il entre dans les magasins _____ ont l'air bon marché.
3. Tu dois rappeler cette femme _____ vient de téléphoner.
4. Elle préfère acheter des vêtements _____ sont confortables.
5. Quand vas-tu commencer le travail _____ le professeur vient de donner?
6. J'attends mes amis _____ sont en retard.
7. Je vais au concert entendre _____ ce musicien tu détestes.
8. Va consulter le médecin _____ travaille à l'hôpital Ste-Marie.
9. Voici les croquis _____ je viens de dessiner.

E. Complétez les phrases:

1. J'aime les hommes qui . . . .
2. J'adore les femmes qui . . . .
3. Je vais acheter la veste que . . . .
4. Il vient de regarder un film que . . . .
5. N'achète pas le veston qui . . . .
6. Elle parle d'une couturière qui . . . .
7. Je déteste les couleurs que . . . .
8. Je préfère les bottes qui . . . .

EXERCICES ECRITS

>>>>>>>

A. Ecrivez la forme correcte du verbe entre parenthèses:

1. Tu (préférer) _____ la blouse au chandail.
2. Vous (emmener) _____ vos parents au concert.
3. Elle (envoyer) _____ une lettre à son ami.
4. Je (espérer) _____ aller à Vancouver.

5. Elles (jeter) _____ leurs vieilles robes.
6. Le sujet (précéder) _____ normalement le verbe.
7. Il (acheter) _____ une chemise.
8. Vous (payer) _____ comptant.
9. Il (appeler) _____ sa petite amie.
10. Nous (commencer) _____ le repas.

B. Selon le contexte, utilisez un des verbes *amener, emmener, apporter, emporter* à la forme appropriée:

1. Quand il vient chez nous, il _____ sa guitare et nous chantons ensemble.
2. Les infirmiers _____ le malade à l'hôpital.

3. Quand on va en voyage, on _____ son passe port.
4. Paul _____ son chien quand nous allons marcher.

C. Remplacez les tirets par la forme correcte de l'article partitif:

1. Justine a _____ ambition, mais elle n'a pas _____ patience.
2. Ce musicien a _____ talent.
3. Voulez-vous _____ bière ou _____ vin?

4. Tu as _____ chance: tu vas bientôt avoir _____ vacances.
5. Veux-tu _____ sucre dans ton café?
6. Lucien n'a pas _____ argent.

D. Complétez les phrases avec imagination et avec un infinitif.

Modèle: Les étudiants espèrent . . . .
   Les étudiants espèrent avoir une bonne note.

1. Les touristes aiment . . . .
2. Un gourmet adore . . . .
3. Je ne peux pas . . . .
4. Pensez-vous . . . .
5. Ce musicien désire . . . .
6. Les journalistes souhaitent . . . .
7. Les étudiants doivent . . . .

8. Le professeur déteste . . . .
9. Venez . . . .
10. Voulez-vous . . . .
11. Ce vieil homme désire . . . .
12. Va . . . .
13. Ma mère préfère . . . .

E. Répondez aux questions avec *devoir*.

> *Modèle:* Qu'est-ce que tu achètes? (un veston)
> *Je dois acheter un veston.*

1. Qu'est-ce qu'on rend à la bibliothèque? (des livres)
2. Quand le train arrive-t-il? (à cinq heures)
3. Qu'est-ce que nous mangeons? (de la viande)
4. Qui attendez-vous? (Lucie et Jacques)
5. Est-ce que Daniel est dans sa chambre? (Oui)
6. Qui rencontre-t-elle? (un journaliste)

F. Voici la réponse. Posez la question appropriée aux mots soulignés.

> *Modèle:* Elle termine <u>sa composition</u>.
> *Qu'est-ce qu'elle termine?*

1. Elle écoute <u>les commentaires sportifs</u>.
2. C'est <u>mon professeur de couture</u>.
3. Les spectateurs regardent <u>le mannequin</u>.
4. Nous allons acheter <u>des chandails</u>.
5. C'est <u>une sculpture moderne</u>.
6. Je viens de rencontrer <u>une couturière</u>.
7. Ce sont <u>mes voisins</u>.
8. Il compte acheter <u>une robe</u> pour Martine.

G. Transformez les phrases selon le modèle. Employez *qui* ou *que*.

> *Modèle:* Regarde la jeune fille. Elle porte une jupe bleue.
> *Regarde la jeune fille qui porte une jupe bleue.*

1. Nous venons de voir un film. Ce film terrifie les enfants.
2. Apporte ce disque. Tu viens d'acheter ce disque.
3. Peux-tu payer cette jupe? Tu veux acheter cette jupe.
4. Je dois rencontrer un ami. Il est en retard.
5. Nous commençons un travail. Il est long et compliqué.
6. Peux-tu apporter la brosse? Elle est dans la salle de bain.
7. J'espère rencontrer cet homme. Tu admires cet homme.

H. Remplacez les tirets par *qui* ou par *que*:

1. Sa femme déteste les vêtements _____ il aime porter.
2. Voilà le costume _____ je veux acheter.
3. Va chercher le dessin _____ est dans ta chambre.
4. Je n'aime pas parler aux gens _____ ont l'air arrogant.

LECTURE

➤➤➤➤➤➤➤

La mode et les jeunes

Il est vrai que les adolescents et les adolescentes aiment porter des jeans mais ils s'intéressent beaucoup à la mode. Quand ils ont de l'argent, ils préfèrent acheter des vêtements à la mode plutôt que d'acheter autre chose.

La mode est essentielle pour les jeunes autant à l'école qu'ailleurs. Ils s'habillent selon leur tempérament et leurs goûts mais toujours en suivant de très près la mode. Très souvent, lorsqu'une jeune personne ne suit pas la mode elle se tient à l'écart des autres et est moins recherchée de ses camarades. Suivre la mode, cela ne veut pas dire qu'il faut être habillé richement mais plutôt avec goût et selon les dernières créations.

Parfois, la mode peut devenir encombrante parce qu'elle l'emporte sur les valeurs d'une personne. Il y a plusieurs groupes de jeunes qui créent une certaine mode seulement pour s'exprimer ou se valoriser. Une jeune fille, Nathalie, avoue: "Moi, quand je suis à la mode, je suis bien dans ma peau et cela me donne confiance en moi." Elle ajoute: "Je suis attirée par un garçon qui est bien habillé car il a meilleure apparence et c'est ça que les jeunes regardent en premier."

De leur côté, les garçons préfèrent l'allure sportive pendant la semaine mais, en fin de semaine, ils sont souvent vêtus de costumes élégants car la mode masculine est aussi belle que la mode féminine.

(Article tiré de *L'Éducation*, vol. 1 no. 3 (1987), d'I. Saint-Amand)

ailleurs	elsewhere	**créer**	to create
ajouter	to add	**l'emporter sur**	to prevail over
à la mode	fashionable	**en premier**	first
allure (f.)	look	**encombrant, ante**	inhibiting
argent (m.)	money	**être bien dans**	to feel great
attiré(e)	attracted	**sa peau**	
autant	as much	**(s')exprimer**	to express
autre chose	something else	**goût** (m.)	taste
camarade (m./f.)	buddy, pal	**(s')habiller**	to dress
car	because	**(s')intéresser à**	to be interested in
confiance (f.)	confidence	**jeune** (m./f.)	young person

lorsque	when	suivre	to follow
meilleur(e)	best	**tempérament** (m.)	nature
parfois	sometimes	**(se) tenir à l'écart**	to keep to oneself
plutôt (que)	rather (than)	**valeur** (f.)	value
porter	to wear	**se valoriser**	to self-actualize
recherché(e)	to be in great demand	**vêtement** (m.)	clothes, article of
richement	richly		clothing
selon	according to	**vêtu(e)**	dressed
souvent	often	**vouloir dire**	to mean
sportif, ive	athletic	**vrai(e)**	true

QUESTIONS

1. Quel est le vêtement que les adolescents et les adolescentes aiment porter?
2. Qu'est-ce que les jeunes achètent quand ils ont de l'argent?
3. Comment s'habillent les jeunes?
4. Qu'arrive-t-il à une personne qui ne suit pas la mode?
5. Que veut dire "suivre la mode"?
6. Quand la mode devient-elle encombrante?
7. Pourquoi certains groupes de jeunes créent-ils leur mode?
8. Que représente la mode pour Nathalie?
9. Pourquoi est-elle attirée par les garçons bien habillés?
10. Que préfèrent les garçons?

LES VETEMENTS

un chapeau

des lunettes (f.)

un manteau

une chemise

un chandail

une cravate

une ceinture

un veston

une jupe

un pantalon

un imperméable

une chausette

un parapluie

un soulier

un bas

une botte

Useful Expressions

acheter à crédit	to buy on credit	**payer comptant**	to pay cash
une aubaine	a bargain	**bon marché***	inexpensive
coûter (cher/ pas cher)	to be expensive/ inexpensive	**chic***	chic/smart
		confortable	comfortable
dépenser de l'argent	to spend money	**démodé(e)**	out of style
en coton, en laine, en nylon	(made of) cotton, wool, nylon	**élégant, ante**	elegant
		excentrique	eccentric
essayer (un vête- ment)	to try on (an article of clothing)	**neuf, neuve***	brand-new
		usé(e)	worn out
être bien/mal habillé(e)	to be well/badly dressed	**du lèche-vitrine: faire —**	to go window shopping
porter	to wear	**une garde-robe**	a wardrobe

SITUATIONS / CONVERSATIONS

➤➤➤➤➤➤➤

1. *Dans un magasin de vêtements.* Un(e) étudiant(e) joue le rôle d'un vendeur/une vendeuse; un(e) autre étudiant(e) joue le rôle d'un(e) client(e). Variez les achats: sous-vêtements, chaussures, vêtements de sport, d'été, d'hiver, etc. Le vendeur/la vendeuse prend les mesures du client/de la cliente et donne des conseils. Le client/la cliente peut être facile/difficile, payer comptant, acheter à crédit, donner un chèque, etc.

       Inspirez vous du modèle ci-dessous.

(*Au rayon "Hommes"*)

LE VENDEUR:	Bonjour, Monsieur. Je peux vous aider?
DANIEL:	Oui, je veux acheter un pantalon.
LE VENDEUR:	Essayez ce pantalon-ci. Cette couleur est très à la mode en ce moment.
DANIEL:	Je n'aime pas porter du gris. Je préfère le bleu marine.
LE VENDEUR:	Voilà un pantalon bleu qui est élégant et confortable.
DANIEL:	En effet, je vais l'essayer.
	(*Il revient de la cabine d'essayage.*)
DANIEL:	J'achète ce pantalon. Combien coûte-t-il?
LE VENDEUR:	Il est assez bon marché; il coûte seulement cinquante dollars.

* **Bon marché** and **chic** do not change when modifying a feminine or plural noun. **Neuf**, in contrast to **nouveau**, always comes after the noun modified.

	Vous avez une carte de crédit?
DANIEL:	Non, je paie comptant.

(*Au rayon "Femmes"*)

BRIGITTE:	Mademoiselle, s'il vous plaît!
LA VENDEUSE:	Oui, mademoiselle. Vous désirez essayer cette robe? La cabine est par ici . . .
	(*Brigitte revient de la cabine d'essayage.*)
BRIGITTE:	Est-ce qu'elle est en coton?
LA VENDEUSE:	Moitié coton, moitié fibres synthétiques. Ce modèle vous va bien.
BRIGITTE:	Est-ce qu'elle coûte très cher?
LA VENDEUSE:	Vous avez de la chance, c'est une vraie aubaine! Elle coûte seulement trente dollars.
BRIGITTE:	Dans ce cas, j'achète!

2. Qu'est-ce que tu portes quand tu vas à la discothèque? tu es en classe? tu vas en camping? tu es sur une plage? tu participes à une réunion de famille? tu as un rendez-vous d'amoureux?

3. Quelle importance accordez-vous aux vêtements pour vous-mêmes? pour d'autres personnes? quand aimez-vous être élégant(e)? Quels vêtements préférez-vous sur une personne de l'autre sexe?

4. Complétez avec imagination à tour de rôle:

> J'aime les hommes qui . . . .
> Je préfère les femmes qui . . . .
> Je déteste les films qui . . . .
> Je n'aime pas les professeurs qui . . . .
> J'adore manger les choses qui . . . .
> J'aime mieux les vêtements qui . . . .
> Je souhaite rencontrer le politicien qui . . . .

5. Qu'est-ce que vous devez faire cet après-midi? demain matin? demain soir? lundi prochain? cette année? l'année prochaine?

6. De quoi est composée la garde-robe typique d'un étudiant/une étudiante?

COMPOSITIONS
➤➤➤➤➤➤➤

1. Vous allez dans un magasin acheter de nouveaux vêtements. Racontez.

2. Quelle est l'importance de la mode pour vous?

PRONONCIATION
(This exercise is at the end of Leçon 6 on the tape.)

I. E fermé / e ouvert (/e/ - /ɛ/)

E fermé (closed **e**) - /e/

The sound /e/ never occurs in closed syllables (syllables ending in a consonant sound). In an open syllable, the sound /e/ is associated with various spellings:

1) **er** at the end of a noun, adjective or infinitive:

> invit<u>er</u>, march<u>er</u>, premi<u>er</u>, étrang<u>er</u>

2) **é, ée, és, ées**:

> <u>é</u>t<u>é</u>, fatigu<u>é</u>, arm<u>ée</u>, esp<u>é</u>rer, d<u>é</u>sol<u>és</u>

3) **es** in one-syllable words:

> m<u>es</u>, t<u>es</u>, s<u>es</u>, c<u>es</u>, l<u>es</u>, d<u>es</u>

4) **ez**:

> ch<u>ez</u>, vous parl<u>ez</u>, vous finiss<u>ez</u>, n<u>ez</u>

5) the verb ending **ai**:

> j'<u>ai</u>, je chanter<u>ai</u> (future tense)

Répétez:

J'ai l'été pour travailler.	Vous venez de chez René.
Allez chercher mes clés.	Vous devez espérer.
Ces ouvriers sont fatigués.	Vous répétez comme un bébé.

E ouvert (open **e**) - /ɛ/

In a closed syllable, the sound /ɛ/ is associated with the following spellings:

1) **e, è, ê**:

> <u>e</u>rrer, emm<u>è</u>ne, esp<u>è</u>re, t<u>ê</u>te, b<u>ê</u>te

2) **aî, ai, ei**:

> loc<u>ai</u>taire, pl<u>ai</u>re, m<u>aî</u>tre, tr<u>ei</u>ze, n<u>ei</u>ge

In an open syllable, it is associated with the spellings:

1) **è, ê, et**: grès, for<u>êt</u>, bill<u>et</u>, ball<u>et</u>

2) **ai, aid, aie, ais, ait, aix**: m<u>ai</u>s, p<u>ai</u>x, l<u>ai</u>d, d<u>ai</u>s
   However, the tendency is to use /e/ instead of /ɛ/ in an open syllable.

Répétez:
Il amène son père au ballet.
Le locataire plaît à ma mère.
Treize cigarettes restent dans le paquet.
La neige est épaisse dans la forêt.

Contraste /e/ – /ɛ/

Répétez:

répétez/répète	préférez/préfère
précédez/précède	digérez/digère
espérez/espère	référez/réfère
ouvrier/ouvrière	postier/postière
épicier/épicière	boulanger/boulangère

premier/première/premièrement
dernier/dernière/dernièrement
particulier/particulière/particulièrement

II. La lettre c

1) The letter **c** is pronounced /s/ when followed by **e, i** or **y**:

   citer, cerf, racine, macérer, cyanure

2) It is pronounced /k/ when followed by other vowels:

   cadeau, coder, cure, cancan, conseil, écouter

3) The **cédille** placed under **c** indicates that the sound /s/ is retained before vowels other than **e, i** or **y**:

   maçon, tronçonner, commençons, agaçons

III. La lettre g

1) the letter **g** is pronounced /ʒ/ when followed by **e, i** or **y**:

   gêner, geindre, gymnastique, rage, agir, genre

2) It is pronounced /g/ when followed by other vowels:

> gâteau, gond, gant, gober, ambigu, goûter

3) When the letter **e** is inserted between **g** and a vowel other than **e**, **i** or **y**, it indicates that **g** must be pronounced /ʒ/:

> nous mangeons, nous obligeons

4) When the letter **u** is inserted between **g** and **e**, **i** or **y**, it is not pronounced but it indicates that **g** must be pronounced /g/:

> guerre, digue, fatigué, langue, guitare, Guy

Chapitre sept

Les études et la carrière

VOCABULAIRE UTILE

baccalauréat (m.)	B.A.	**feuille** (f.)	sheet, leaf
brouillard (m.)	fog	**frais, fraîche**	fresh
combien	how much	**fermier, ière**	farmer
commerçant, ante	merchant	**gens** (m.)	people
dépenser	to spend	**hambourgeois** (m.)	hamburger
discours (m.)	speech	**hôtesse de l'air** (f.)	flight attendant
doctorat (m.)	Ph.D.	**informaticien, ienne**	computer scientist
documentaire (m.)	documentary	**instituteur, trice**	school teacher
études (f.)	studies	**loisir** (m.)	spare time

maçon (m.)	mason	**policier, ière**	policeman,
magnétoscope (m.)	video recorder		policewoman
maîtrise (f.)	master's degree	**recteur** (m.)	rector
neiger	to snow	**reportage** (m.)	report
nouvelles (f.)	news	**sec, sèche**	dry
nuage (m.)	cloud	**soleil** (m.)	sun
pied (m.)	foot	**tempête** (f.)	storm
pleuvoir	to rain	**traducteur, trice**	translator

GRAMMAIRE ET EXERCICES ORAUX

▶▶▶▶▶▶▶

Le verbe irrégulier *partir*

Présent de l'indicatif

je	pars	nous	partons
tu	pars	vous	partez
il/elle/on	part	ils/elles	partent

The imperative of **partir** is regular: its three forms are identical to those of the **tu**, **nous** and **vous** forms in the present tense.

Partir means "to leave/to go away" and is often used with **pour** (for) and **de** (from), or accompanied by an adverbial expression. It must be distinguished from two other verbs:

1) **aller**. **Partir** may be used by itself, but **aller** must be followed by a preposition:

Je pars.   I am going/I am leaving.
Je vais chez Paul.   I am going to Paul's.

2) **quitter** (to leave a place/a person/an activity) and **laisser** (to leave something or someone behind), which are transitive verbs:

L'avion <u>part</u> de Detroit à six heures.
Les étudiants <u>quittent</u> l'université à six heures.
M. Adam <u>vient</u> de quitter sa femme.
Elle <u>laisse</u> ses livres dans la classe.
Ils <u>partent</u> en vacances et <u>laissent</u> leurs enfants chez les grands-parents.

Other verbs conjugated on the same pattern as **partir** are:

dormir	(to sleep):	dors, dors, dort, dormons, dormez, dorment
mentir	(to lie):	mens, mens, ment, mentons, mentez, mentent

sentir (to smell/to feel): sens, sens, sent, sentons, sentez, sentent
servir (to serve): sers, sers, sert, servons, servez, servent
sortir (to go out): sors, sors, sort, sortons, sortez, sortent

EXERCICES (ORALEMENT)

A. Répondez aux questions affirmativement:

1. Est-ce que nous partons de la piscine à six heures?
2. Est-ce que tu pars de la piscine à six heures?
3. Est-ce que les étudiants partent de la piscine à six heures?
4. Partez-vous pour Toronto demain?
5. Pars-tu pour Toronto demain?
6. Est-ce qu'elle sort de la classe?
7. Est-ce que je sors de la classe?
8. Est-ce qu'ils sortent avec leurs amis?
9. Est-ce que les fleurs sentent bon?
10. Est-ce que le parfum sent bon?
11. Est-ce que tu sens une bonne odeur dans la cuisine?
12. Est-ce que tu mens à tes parents?
13. Est-ce que les enfants dorment douze heures par nuit?
14. Est-ce qu'un chien dort douze heures par nuit?
15. Est-ce que tu sers des hambourgeois à tes amis?

B. Demandez à un(e) autre étudiant(e) s'il/si elle . . .

1. dort pendant la classe de français.
2. sort avec ses amis le samedi soir.
3. part pour Montréal.
4. quitte la maison à neuf heures.
5. ment à ses parents.
6. ment à ses amis.
7. sert du vin à ses amis.
8. sert du caviar à son copain.
9. dort pendant la journée.
10. sent la bonne odeur de la cafétéria.

Le verbe irrégulier *faire*

Présent de l'indicatif

je	fais	nous	faisons
tu	fais	vous	faites
il/elle/on	fait	ils/elles	font

The imperative of **faire** is regular.

Faire (to do/to make) is used in a variety of expressions:

1) *Studies:*

faire des études	to study/to take classes
faire des études de français/d'anglais/ de médecine/de danse, etc.	to study French/English/medicine/ dance, etc.
faire du français, etc.	to study French, etc.

faire des exercices	to do exercises
faire un travail	to do an assignment
faire un baccalauréat/une maîtrise	to do a Bachelor's degree/a Master's

2) *At home:*

faire la cuisine	to do the cooking
faire le ménage	to do the housework
faire la vaisselle	to do the dishes

3) *Sports:*

faire du sport	to take part in sports
faire du tennis/du ski	to play tennis/to ski

4) *Miscellaneous:*

faire 10 kilomètres à pied	to walk 10 kilometers
faire 100 kilomètres en voiture	to drive 100 kilometers
faire l'amour	to make love
faire la guerre	to make war
faire des affaires	to do business
faire des progrès	to make progress

EXERCICES (ORALEMENT)

A. Répondez aux questions:

1. Est-ce que tu fais du français? de l'anglais? de la physique?
2. Est-ce que vous faites des exercices dans la classe de français?
3. Faites-vous des études universitaires?
4. Fais-tu des études de médecine?
5. Est-ce que tu fais un baccalauréat? une maîtrise? un doctorat?
6. Vas-tu faire une maîtrise après ton baccalauréat?
7. Les banquiers font-ils des affaires?
8. Qui fait la vaisselle chez vous?
9. Est-ce que vous faites le ménage dans la classe?
10. Est-ce que le professeur fait la vaisselle dans la classe?
11. Fais-tu du sport? Quel sport?
12. Est-ce que vous faites des progrès en français?

B. Demandez à un(e) autre étudiant(e) s'il/si elle . . .

1. fait des mathématiques; de la psychologie; de la chimie; de l'anglais; du russe.
2. fait un baccalauréat; une maîtrise; un doctorat.
3. fait la cuisine; la vaisselle; son lit.

4. fait une composition pour le professeur de français.
5. veut faire du sport.

C. Répondez aux questions:

1. Que faisons-nous en ce moment?
2. Combien de kilomètres fais-tu pour venir à l'université?
3. Pourquoi fais-tu des études?
4. Quand fais-tu la cuisine?

5. En quelle saison fait-on du ski? du tennis?
6. Quelles nations font la guerre en ce moment?

Quel temps fait-il?

Il fait beau. / Il fait mauvais. / Il fait tempête.
Il fait chaud. / Il fait froid. / Il fait du brouillard.
Il fait (du) soleil. / Il fait frais.
Il fait sec. / Il fait humide.
Le ciel est bleu et pur. / Le ciel est couvert de nuages.

Les précipitations: Il pleut (pleuvoir). Il neige (neiger). Il grêle (grêler).

La température: Combien fait-il? Il fait 25 degrés.
Il fait combien? Il fait 10 sous zéro. (Il fait moins 10.)

EXERCICE (ORALEMENT)

A. Répondez aux questions:

1. Quel temps fait-il aujourd'hui?
2. Quel temps fait-il au printemps? en été? en automne? en hiver?
3. En hiver, il neige. Et en été?
4. Quel temps fait-il à Miami en été?
5. Quel temps fait-il à Edmonton en hiver?
6. Il fait combien aujourd'hui?
7. En général, combien fait-il en hiver? en été?
8. Est-ce qu'il pleut aujourd'hui?
9. Est-ce qu'il neige?
10. Qu'est-ce que tu fais quand il pleut? quand il fait tempête?
11. Comment est le ciel aujourd'hui?
12. Quel temps va-t-il faire demain?
13. Est-ce qu'il va pleuvoir demain? Est-ce qu'il va neiger? Est-ce qu'il va grêler?
14. Est-ce qu'il va neiger à Noël?
15. Est-ce qu'il va faire beau pendant la fin de semaine?
16. Est-ce qu'on a facilement le rhume quand il fait froid et humide?
17. Est-ce qu'il fait du brouillard en automne?

il ne fait pas de

Les pronoms interrogatifs *qui* et *quoi* après une préposition

Qui and **quoi** are the interrogative pronouns used as objects of prepositions.

1) **Qui** refers to persons:

> A qui parles-tu? — Je parle à Francine.
> Avec qui sors-tu? — Je sors avec Marcelle.
> A côté de qui es-tu assis(e)? — Je suis assis(e) à côté de Guy.
> A qui penses-tu? — Je pense à mon amie Louise.

2) **Quoi** refers to things:

> A quoi est-ce que tu joues? — Je joue au poker.
> De quoi joues-tu? — Je joue du violon.
> A quoi réfléchis-tu? — Je réfléchis à l'exercice.
> Avec quoi fais-tu la vaisselle? — Avec du savon et une éponge.

EXERCICE (ORALEMENT)

A. Posez la question qui correspond à la réponse donnée.

> *Modèle:* Elle joue <u>aux cartes</u>.
> *A quoi joue-t-elle?*

1. Je pense <u>à ma composition</u>.
2. Nous jouons <u>du piano</u>. *De quoi jouez-vous?*
3. Ils jouent <u>au baseball</u>. *A quoi jouent-ils?*
4. Nous parlons <u>de nos études</u>.
5. Elles parlent <u>du recteur de l'université</u>.
6. Je vais téléphoner <u>à Sylvie</u>.
7. Les parents pensent <u>à leurs enfants</u>.
8. J'ai besoin <u>d'argent</u>.
9. Elle a envie <u>d'une nouvelle robe</u>. *De quoi a-t-elle envie?*
10. Ils ont besoin <u>de toi</u>.
11. Je pense <u>à toi</u>.
12. Elles ont peur <u>du professeur</u>.
13. On fait du vin <u>avec du raisin</u>.
14. Henri sort <u>avec Jacinthe</u>. *Avec qui est-ce H. sort?*
15. Il fait la vaisselle <u>avec une éponge</u>.
16. Elle est assise <u>derrière Lucien</u>.
17. Ils comptent <u>sur leurs amis</u>.

Il y a

1) **Il y a** (there is/there are) is used to indicate the presence of persons or things. It may be followed by singular or plural nouns:

> Il y a un conférencier dans la salle.
> Il y a des étudiants dans le corridor.

2) To form a question, one may use either **est-ce qu'il y a** or **y a-t-il**:

> Est-ce qu'il y a un magnétoscope dans la classe?
> Y a-t-il une ordinateur dans ta chambre?

3) After **il n'y a pas**, the indefinite and partitive articles all become **de**:

> Il y a un arbre dans le jardin. Il n'y a pas <u>d</u>'arbre.
> Il y a du sucre dans mon café. Il n'y a pas <u>de</u> sucre.

EXERCICES (ORALEMENT)

A. Répondez aux questions:

1. Est-ce qu'il y a un tableau dans la classe? une girafe? une télévision? un professeur? une bicyclette?
2. Qu'est-ce qu'il y a sur le bureau du professeur? derrière le professeur? sur le mur? au plafond?

B. Demandez à un(e) autre étudiant(e) s'il y a . . .

1. un ordinateur dans sa chambre.
2. des feuilles sur les pupitres.
3. un sandwich dans sa serviette.
4. des vampires en Transylvanie.
5. des rhinocéros en Alaska.
6. un bon film à la télé ce soir.
7. des livres intéressants à la bibliothèque.
8. des nuages dans le ciel.
9. un examen demain.
10. des gens sympathiques à l'université.

C. Répondez aux questions:

1. Est-ce qu'il va y avoir un cours à la télévision?
2. Est-ce qu'il va y avoir un examen la semaine prochaine?
3. Est-ce qu'il va y avoir beaucoup de gens sur la terre en l'an 2000?
4. Où est-ce qu'il y a des arbres?
5. Où y a-t-il des animaux exotiques?
6. Combien y a-t-il d'étudiants dans la classe?
7. Combien est-ce qu'il y a d'étudiants à l'université?
8. Pourquoi est-ce qu'il y a de la pollution dans les villes?

Il faut

il a fallu
il fallait

1) The irregular verb **falloir** (to be necessary) is only used with the pronoun **il**. **Il faut** may be followed by a noun or an infinitive:

> **Il faut du talent pour être artiste.** One needs talent to be an artist.
> **Il faut travailler pour réussir.** It is necessary to work in order to succeed.

2) The negative form **il ne faut pas** does not mean "it is not necessary" but rather "one must not":

> Il ne faut pas fumer dans la classe.
> Il ne faut pas avoir peur des difficultés.

3) The expression corresponding to "it is not necessary" is **il n'est pas nécessaire de** which is followed by an infinitive:

> Il n'est pas nécessaire d'avoir une calculatrice pour faire une addition.

EXERCICES (ORALEMENT)

A. Répondez aux questions avec un nom.

> *Modèle:* Qu'est-ce qu'il faut pour réussir?
> *Il faut de l'ambition.*

1. Qu'est-ce qu'il faut pour être un bon étudiant?
2. Qu'est-ce qu'il faut pour être un bon professeur?
3. Qu'est-ce qu'il faut pour être un bon acteur?
4. Qu'est-ce qu'il faut pour être amusant?
5. Qu'est-ce qu'il faut pour être heureux?
6. Combien de personnes faut-il pour avoir un quatuor?
7. Combien de cartes faut-il pour jouer au poker?
8. Qu'est-ce qu'il faut pour réussir au collège?

B. Répondez aux questions avec un infinitif.

> *Modèle:* Que faut-il faire pour bien dormir? (faire de l'exercice)
> *Il faut faire de l'exercice.*

1. Que faut-il faire pour avoir de bonnes notes? (travailler)
2. Que faut-il faire pour avoir un baccalauréat? (faire des études)
3. Que faut-il faire pour être en forme? (faire du sport)
4. Que faut-il faire pour être heureux? (garder son sens de l'humour)
5. Que faut-il faire pour avoir des amis? (montrer de la générosité)

C. Répondez aux questions d'après le modèle.

> *Modèle:* Qu'est-ce qu'il ne faut pas faire quand on a le rhume? (sortir dans le froid)
> *Il ne faut pas sortir dans le froid.*

Qu'est-ce qu'il ne faut pas faire . . .

1. quand on a du travail? (regarder la télé)
2. quand on est sportif? (fumer)
3. quand on est à l'hôpital? (faire du bruit)
4. quand on veut être économe? (dépenser beaucoup d'argent)
5. quand on est en classe? (dormir)

Les pronoms personnels *objets directs*

Personal pronouns change according to their grammatical function in the sentence. Here are the forms of the direct *object pronouns*:

Subject Pronouns	Direct Object Pronouns
je	**me***
tu	**te***
il	**le***
elle	**la***
nous	**nous**
vous	**vous**
ils	**les**
elles	**les**

Le, la, les may stand for:

1) a proper noun:

> Est-ce que tu admires <u>Gaston</u>? — Oui, je l'admire.

2) a noun preceded by a definite article (**le, la, les**):

> Attends-tu <u>l'autobus</u>? — Je l'attends.

3) a noun preceded by a demonstrative adjective:

> Veux-tu <u>ce livre</u>? — Je <u>le</u> veux.

4) a noun preceded by a possessive adjective:

> Est-ce qu'il écoute <u>mes disques</u>? — Oui, il <u>les</u> écoute.

A direct object pronoun precedes the verb, even if the verb is in the infinitive and follows another conjugated verb:

Affirmative	*Negative*	*Interrogative (inversion)*
Il <u>la</u> regarde.	Il ne <u>la</u> regarde pas.	<u>La</u> regarde-t-il?
Tu <u>m</u>'écoutes.	Tu ne <u>m</u>'écoutes pas.	<u>M</u>'écoutes-tu?
Nous allons <u>l</u>'acheter.	Nous n'allons pas <u>l</u>'acheter.	Allons-nous <u>l</u>'acheter?
Elle veut <u>le</u> jeter.	Elle ne veut pas <u>le</u> jeter.	Veut-elle <u>le</u> jeter?

EXERCICES (ORALEMENT)

A. Remplacez les mots soulignés par des pronoms.

1. Je prépare <u>le cours de maths</u>.
2. Nous aimons <u>les étudiants</u>.
3. Ils adorent <u>ce professeur</u>.
4. Il trouve <u>la leçon</u> intéressante.

---

* Before a vowel sound, **me** becomes **m'**, **te** becomes **t'**, **le** and **la** both become **l'**: il <u>m</u>'écoute, je <u>t</u>'entends, nous <u>l</u>'emportons

5. Vous n'avez pas l'heure.

6. Elle préfère la musique classique.

7. Ecoutez-vous les commentaires?

8. On étudie les sciences dans cette classe.

9. Finissez-vous le travail bientôt?

10. J'écoute la conférencière.

B. Répondez aux questions avec des pronoms, affirmativement et négativement.

Modèle: Aimes-tu le livre?
   Oui, je l'aime.
   Non, je ne l'aime pas.

1. Achètes-tu le journal?

2. Regardes-tu le reportage?

3. Explique-t-il le problème?

4. Est-ce que tu tolères le racisme?

5. Finit-elle sa composition?

6. Attend-on l'autobus?

7. Est-ce que vous écoutez les nouvelles?

8. Aidons-nous les enfants?

9. Est-ce que tu aimes ces exercices?

10. Regrettez-vous cette décision?

C. Formulez la question, selon le modèle.

Modèle: Je regarde la télévision.
   La regardes-tu?

1. J'ai le journal d'aujourd'hui. *Est-ce que tu l'as?*

2. Il prépare l'examen d'anglais.

3. Nous écoutons le nouveau programme.

4. Elle choisit le cours de comptabilité.

5. Vous entendez la chanson.

6. Ils étudient les sciences sociales. *Est-ce qu'ils les étudient?*

7. Je fais les exercices.

8. On invite les étudiants de première année. *Les invite-t-on? Est-ce qu'on l'invite?*

D. Répondez aux questions.

Est-ce que . . .

1. tu me regardes?

2. je vous regarde?

3. elle te regarde?

4. nous te regardons?

5. vous me regardez?

6. il me regarde?

7. vous m'écoutez?

8. tu m'écoutes?

9. je t'écoute?

10. vous nous écoutez?

11. nous vous écoutons?

12. ils vous écoutent?

13. vous pouvez m'entendre?

14. tu peux m'entendre?

15. je peux te rencontrer?

16. tu peux me rencontrer?

17. vous pouvez nous rencontrer?

18. nous pouvons vous rencontrer?

19. tu vas m'inviter?

20. je vais vous inviter?

E. Demandez à un(e) autre étudiant(e) s'il/si elle . . .

Modèle: vous regarde.
   Est-ce que tu me regardes?

1. vous écoute.

2. vous trouve intelligent(e).

3. vous trouve intéressant(e).

4. veut vous inviter à sortir.

5. peut vous attendre.
6. va vous accompagner à la bibliothèque.
7. vous déteste.
8. vous aime.
9. va vous aider.
10. vous donne son numéro.

F. Répondez à la question avec un pronom, affirmativement ou négativement.

> *Modèle:* Viens-tu d'acheter <u>ce livre</u>?
> *Oui, je viens de l'acheter.*
> *Non, je ne viens pas de l'acheter.*

1. Vas-tu regarder <u>la télévision</u> ce soir?
2. Faisons-nous <u>cet exercice</u>?
3. Manges-tu <u>ton sandwich</u> dans la classe?
4. Est-ce je vais inviter <u>les étudiants</u> au restaurant?
5. Aimes-tu écouter <u>les politiciens</u>?
6. Devons-nous faire <u>les exercices</u>?
7. Est-ce que tu fais <u>la vaisselle</u>? *Je ne la fais pas*
8. Rendez-vous <u>vos livres</u> à la bibliothèque?
9. Ecoutes-tu <u>la radio</u>?
10. Est-ce que tu adores <u>la musique rock</u>?

Les expressions de quantité

Expressions of quantity are followed by **de** before a noun rather than by the full partitive article. Most may be used with both countable and uncountable nouns:

+ *Uncountable Noun (Singular)*	+ *Countable Noun (Plural)*
assez de temps (enough)	**assez** d'exercices (enough)
beaucoup de travail (a lot of)	**beaucoup** de livres (many)
combien de sucre? (how much)	**combien** de stylos? (how many)
peu de chance (little)	**peu** de films (few)
tant de courage (so much)	**tant** de femmes (so many)
trop de sucre (too much)	**trop** de cigarettes (too many)

There are a few special cases:

N.B ·1) **un peu de** (a little) is used exclusively with uncountable nouns whereas **quelques** (a few) is used only with countable nouns:

> un <u>peu</u> de talent / <u>quelques</u> amis

2) **quelques** (a few) and **plusieurs** (several) are used only with plural countable nouns; they are not followed by **de** and they have the same form with both masculine and feminine nouns:

> <u>plusieurs</u> hommes/<u>plusieurs</u> femmes
> <u>quelques</u> garçons/<u>quelques</u> filles

3) **la plupart** (most) is followed by the full partitive article and may be used with either countable or uncountable nouns; the partitive article agrees with whatever follows the expression.

la plupart du temps (most of the time)
la plupart des gens (most people)

EXERCICES (ORALEMENT)

A. Répondez aux questions:

1. Y a-t-il beaucoup d'étudiants dans la classe?
2. Avez-vous trop de travail?
3. Est-ce qu'il y a assez de travail dans ce cours?
4. As-tu trop d'argent, assez d'argent ou seulement un peu d'argent?
5. Manges-tu assez de fruits?
6. As-tu beaucoup de disques ou seulement quelques disques?
7. Fumes-tu trop de cigarettes?
8. As-tu assez de talent pour être acteur/ actrice? *Je n'ai pas assez de . . .*
9. Est-ce que les étudiants ont trop de loisirs?
10. Est-ce que tu as peu d'imagination?

B. Demandez à un(e) autre étudiant(e) s'il/si elle . . .

1. a beaucoup de vêtements.
2. a peu d'ambition.
3. mange trop de chocolat.
4. fait assez d'exercices.
5. a besoin d'un peu de chance.
6. veut écouter quelques disques.
7. aime avoir quelques amis.
8. aime un peu de sucre dans son café.
9. a trop de travaux.
10. fait trop de compositions.
11. n'a pas assez de temps libre.
12. regarde beaucoup de films.

C. Remplacez les tirets par une expression de quantité appropriée:

1. Il faut _____ argent pour faire des études.
2. Il fume _____ cigarettes: ce n'est pas bon pour sa santé.
3. Je n'ai pas _____ ambition pour devenir avocat(e).
4. Aux échecs, il faut _____ patience.
5. C'est un homme admirable: Il a _____ courage!

D. Quelle est votre idée de la vie parfaite?

Il faut avoir   beaucoup de . . .   un peu de . . .
                 assez de . . .   quelques . . .
                 pas trop de . . .   peu de . . .

Noms de profession avec *être*

1) The indefinite article (**un, une, des**) is not used before an unmodified noun indicating a profession after the verbs **être** and **devenir**:

Je suis ingénieur.
Il est maçon. *mason*
Ils sont étudiants.

Tu vas devenir médecin.
Elle va être dentiste.
Elle veut devenir avocate.

2) If the noun indicating a profession is modified by an adjective, the indefinite article must be used:

> Je suis un étudiant brillant.
> Elle va devenir une excellente architecte.

3) After **c'est** and **ce sont**, the indefinite article must also be used:

> C'est un ingénieur.
> C'est une contrebassiste.
> Ce sont des étudiants.

4) When should one use, for instance, **il est architecte** rather than **c'est un architecte** and vice versa? (Both forms may be translated as "He is an architect.")

> **C'est un architecte** is used when one wants to *identify* that person: it answers a question (which may be implied) such as **Qui est-ce?**

> **Il est architecte** is used to *characterize* a person whose identity is known or has been previously stated: it could answer such a question as **Que fait-il dans la vie?**

EXERCICES (ORALEMENT)

A. Employez *c'est (ce sont)* ou *il/elle est (ils/elles sont)*:

> *Modèles:* ingénieur
> > *Il est ingénieur.*
> > des fermiers
> > *Ce sont des fermiers.*

1. musicienne Elle est
2. un policier C'est
3. une avocate C'est
4. un fermier C'est
5. fermière Elle est
6. informaticien Il est
7. des maçons Ce sont
8. une pharmacienne C'est

9. une commerçante C'est une
10. un vendeur C'est
11. des professeurs Ce sont
12. institutrice Elle est
13. un instituteur C'est
14. infirmières Elles sont
15. électriciens Ils sont
16. une informaticienne C'est

B. Changez la phrase selon les modèles.

> *Modèles:* Il est plombier. (mauvais)
> > *C'est un mauvais plombier.)*
> > Elles sont architectes. (bonnes)
> > *Ce sont de bonnes architectes.*

1. Elle est hôtesse de l'air. (jeune)
2. Ils sont médecins. (excellents)
3. Elle est directrice de banque. (compétente)
4. Il est psychiatre. (prudent)
5. Il est musicien. (réputé)
6. Elles sont avocates. (dynamiques)
7. Elle est traductrice. (intelligente)
8. Ils sont dentistes. (nouveaux)

C'est, Ce sont; Il/Elle est, Ils/Elles sont

1) **C'est, Ce sont**

> **+ article + nom** (avec ou sans adjectif)
> C'est le livre de Jean.
> C'est une table.
> C'est une jolie femme.
> Ce sont des cahiers.
> C'est un étudiant intelligent.

> **+ nom propre**
> C'est Hélène.
> C'est Mme Bertrand.
> Ce sont les Morel.

2) **Il/Elle est, Ils/Elles sont**

> **+ nom de profession** (sans article)
> Il est pilote.
> Elles sont vendeuses.

> **+ préposition + nom**
> Elle est sur la table.
> Il est à Toronto.
> Ils sont dans la petite boîte.

> **+ adjectif** (sans nom)
> Elle est pratique.
> Ils sont jeunes.
> Il est intelligent.

EXERCICE (ORALEMENT)

A. Employez *C'est* (*Ce sont*) ou *Il/Elle est* (*Ils/Elles sont*):

1. _____ une calculatrice; _____ très utile.
2. _____ Marc Bellac; _____ un jeune architecte; _____ à Montréal.
3. _____ une institutrice; _____ amusante.
4. _____ des outils; _____ dans le studio.
5. _____ les Duval; _____ sympathiques; _____ à coté des Marchand.
6. _____ des psychologues compétents; _____ à l'université.

EXERCICES ECRITS

➤➤➤➤➤➤➤

A. Remplacez les tirets par la forme correcte du verbe entre parenthèses:

1. (Sentir) _____ -vous cette bonne odeur?
2. Marcel et Hélène (sortir) _____ ce soir?
3. Je ne (mentir) _____ pas à mes amis.
4. Nous (partir) _____ pour New York demain.
5. Elle (dormir) _____ dix heures par nuit.

B. Répondez aux questions:

1. A quelle heure sors-tu de chez toi le matin?
2. A quelle heure sortons-nous de la classe?
3. A quelle heure pars-tu de chez toi le matin?
4. Est-ce que tu mens parfois à tes employeurs?
5. Est-ce que les criminels mentent à la police?
6. Qu'est-ce qui sent bon? mauvais?
7. Qu'est-ce qu'on sent quand on entre dans la cuisine de ta mère?
8. Est-ce que tu sers du vin à tes invités?

C. Complétez les phrases en employant une expression appropriée avec *faire*: *faire des affaires, faire la cuisine, faire la guerre, faire l'amour, faire des mathématiques*.

1. Les soldats _____ .
2. Cet étudiant _____ .
3. Les banquiers _____ .
4. Les amoureux _____ .
5. C'est un gourmet et il _____ .

D. Répondez aux questions.

1. Faites-vous du sport? Quels sports?
2. Aimes-tu faire la cuisine?
3. Que fais-tu à l'académie de danse?
4. Qu'est-ce que tu aimes faire le dimanche?
5. Combien de kilomètres fais-tu en auto par semaine?

E. Répondez aux questions avec *deux* expressions sur le temps pour chaque réponse:

1. Quel temps fait-il en été?
2. Quel temps fait-il aujourd'hui?
3. Quel temps fait-il en hiver?

F. Posez la question qui correspond à la réponse donnée:

1. Nous avons besoin d'amour.
2. Je sors avec Hugo.
3. Elle a envie de vacances.
4. Yvette pense à sa mère.
5. Ils jouent aux échecs.

G. Répondez aux questions par des phrases complètes. Employez *Il y a* ou *Il n'y a pas*:

1. Y a-t-il des acteurs dans un film?
2. Est-ce qu'il y a du bruit dans une discothèque?
3. Est-ce qu'il y a de la bière dans un cocktail?
4. Y a-t-il des gens sur la planète Mars?
5. Y a-t-il des arbres dans la classe?

H. Choisissez une des expressions de la liste suivante pour compléter les phrases: *travailler, manger des fruits, écouter avec attention, mentir, dormir.*

1. Dans la classe, il faut _____ .
2. Quand on est fatigué, il faut _____ .
3. Quand on est très riche, il n'est pas nécessaire de _____ .
4. Quand on veut être honnête, il ne faut pas _____ .
5. Pour avoir assez de vitamines, il faut _____ .

I. Répondez aux questions:

1. Pourquoi faut-il faire du sport?
2. Quand faut-il porter un manteau?
3. Quelles qualités faut-il avoir pour être heureux?
4. A quelle heure faut-il venir en classe?
5. Où faut-il aller quand on veut rencontrer des gens?
6. Que faut-il porter quand on va à la plage?
7. Où faut-il aller quand on est très malade?
8. Où faut-il aller quand on a mal aux dents?

J. Remplacez les mots soulignés par des pronoms:

1. L'étudiant fait <u>son devoir</u>.
2. Elle espère rencontrer <u>le Prince Charmant</u>.
3. Nous comptons avoir <u>nos vacances</u> en juillet.
4. Je n'ai pas envie de manger <u>cette salade</u>.
5. Ils n'ont pas besoin de faire <u>ces exercices</u>.
6. Elle admire <u>Soeur Theresa</u>.
7. Nous allons attendre <u>Marcelle</u> à la gare.
8. Trouvez-vous <u>ce livre</u> intéressant?
9. Regardes-tu <u>ce documentaire</u>?
10. Il fait <u>sa composition</u>.
11. Ils mangent <u>mon gâteau</u>.
12. Elle achète <u>notre voiture</u>.
13. Je finis <u>ce travail</u>.
14. Elle attend <u>Pierre</u>.
15. Je n'entends pas <u>ta voix</u>.
16. Je n'aime pas <u>ce professeur</u>.
17. Il aime <u>Sonja</u>.

K. Répondez d'après le modèle.

Modèle: Est-ce que tu m'écoutes?
Oui, je t'écoute.

1. Est-ce que je te regarde?
2. Ecoutons-nous le discours d'Alain?
3. Est-ce que vous voulez m'inviter?
4. Irma veut-elle cette robe?
5. Est-ce que je dois t'écouter?
6. Espères-tu vendre ta vieille machine à écrire?
7. Comptez-vous nous rencontrer demain?
8. Allons-nous finir nos études?
9. Est-ce qu'il faut faire cet exercice?
10. Peux-tu me donner ce pamphlet?

L. Remplacez les tirets par une expression de quantité appropriée: *beaucoup de, trop de, tant de, un peu de, quelques, peu de.*

1. Tu vas être malade: tu manges _____ chocolat.
2. C'est merveilleux: tu as _____ chance!
3. Les gens pauvres ont _peu d'_ argent.
4. Les gens riches ont _____ argent.

5. Il faut avoir au moins _____ patience.
6. Je ne désire pas des choses extra-ordinaires: je veux seulement avoir _____ amis.

M. Employez *C'est (Ce sont)* ou *Il/Elle est (Ils/Elles sont)*:

1. _C'est_ un vieux médecin; _il est_ à l'hôpital Saint-Vincent; _il est_ fatigué.
2. _C'est_ Olivier; _c'est_ un nouvel étudiant; _il est_ dans ma classe.
3. _C'est_ la mère de Jean; _elle est_ infirmière.

4. _C'est_ mon copain; _il est_ gentil.
5. _C'est_ une excellente insitutrice; _elle est_ efficace.
6. _Ils sont_ électriciens; _ils sont_ dans la maison.

la LECTURE

La science a-t-elle un sexe?

En plein été, afin de promouvoir l'enseignement des sciences, l'Université Laval de Québec promène à travers la province une vingtaine de kiosques thématiques pour l'exposition *Sciences et Compte.*

Louise Pearson, étudiante en génie électrique, s'affaire à animer le pavillon "Les Femmes et les Sciences" sauf que, quelque chose cloche ... De jeunes garçons, des hommes mûrs s'arrêtent un moment et posent des questions; le public masculin est multiple et intéressé mais des femmes, point ... nenni ... Pas l'ombre d'une. Isolée au milieu de ses dépliants et de ses panneaux, Louise se retrouve la seule représentante de l'espèce.

Elle finit par demander aux fuyardes: "Mais enfin, pourquoi est-ce que vous ne vous arrêtez pas une minute? On n'aime pas les sciences et on n'est pas intéressée à les connaître." Louise revient de la tournée complètement sonnée. "L'année prochaine, on va modifier l'exposition pour tenir compte des intérêts des femmes. Par exemple, on peut expliquer la composition chimique d'un rouge à lèvres." Elle s'arrête: "Vous trouvez que c'est sexiste? Eh bien tant pis!"

On remarque qu'après vingt ans de cégep et quinze ans de féminisme, les femmes sont encore sous-représentées dans les disciplines scientifiques. Elles se cantonnent encore dans certains fiefs; les technologies biologiques au collégial, la médecine, les sciences de la santé et l'administration à l'université.

Une chose est certaine, inutile de chercher un motif biologique à ce désintérêt. De fait, au secondaire les filles surpassant les garçons; c'est sur les bancs du cégep que les choses se gâtent! Pourquoi? Selon les spécialistes il existe encore certains mythes accolés aux sciences et aux mathématiques en particulier qui maintiennent les femmes loin du monde des chiffres, des mesures et des volumes. Par exemple: les filles n'ont pas la bosse des maths. Les disciplines scientifiques "dures", "pointues" sont traditionnellement masculines. Les filles sont incapables de déchiffrer des notions abstraites, etc.

L'ex-présidente du Conseil du Statut de la Femme Claire Bonnenfant déclare: "Nous devons montrer à nos jeunes filles ce qui existe en dehors des ghettos d'emplois féminins parce qu'ils sont moins rémunérés que leurs équivalents masculins." Madeleine Berthiaume, coordonnatrice des programmes de formation à Travail non-traditionnel, n'entrevoit qu'une solution; envahir les bastions masculins. Cet organisme peut trouver des emplois qui offrent des salaires alléchants pour une scolarité minimale mais peu de filles se présentent. Pourtant, une étude gouvernementale révèle que neuf travailleuses non-traditionnelles sur dix se disent très satisfaites de leur choix de carrière.

Est-ce une simple question de temps et d'évolution naturelle le réveil scientifique et technologique des filles? L'avenir seul peut le dire.

(Article d'Odile Tremblay, publié dans le magazine *Châtelaine*, avril 1989)

accoler	to add	**encore**	still
(s')affairer	to occupy oneself	**enfin**	at last
alléchant, ante	tempting	**enseignement** (m.)	teaching
animer	to lead	**entrevoir**	to foresee
(s')arrêter	to stop	**envahir**	to invade
avenir	future	**espèce** (f.)	specie
(se) cantonner	to station	**fief** (m.)	stronghold
cégep	Collège d'enseigne-	**fuyard(e)**	runaway
	ment général	**garçon** (m.)	boy
	et professionel	**(se) gâter**	to go wrong
chercher	to look for	**génie** (m.)	engineering
clocher	to be wrong	**inutile**	useless
	(of something)	**kiosque** (m.)	booth
compter	to count	**montrer**	to show
déchiffrer	to decipher	**mûr(e)**	middleaged
dire	to say	**nenni**	nay

ombre (f.)	shadow	**satisfait, aite**	satisfied
panneau (m.)	notice board	**sauf**	except
peu	few	**seul(e)**	only
plein, pleine	full	**sonné(e)**	groggy
pointu(e)	leading	**tant pis**	too bad
promener	to carry	**tenir compte**	to take into
promouvoir	to promote		account
quelque chose	something	**travailleur, euse**	worker
rémunérer	to pay	**à travers**	across
réveil (m.)	wakening	**trouver**	to find
rouge à lèvres (m.)	lipstick		

QUESTIONS

1. Que fait l'Université Laval pour promouvoir les sciences?
2. Quel pavillon Louise Pearson anime-t-elle? Qu'est-ce qui cloche à son pavillon?
3. Que demande-t-elle aux femmes et qu'est-ce qu'elles répondent?
4. Quelle solution trouve-t-elle pour attirer les femmes?
5. Dans quels fiefs les femmes se cantonnent-elles?
6. Quels sont les motifs du désinterêt des femmes pour les sciences?
7. Que conseille Claire Bonnenfant? Louise Berthiaume?
8. Que révèle une étude gouvernementale?
9. Est-ce qu'il va y avoir un réveil chez les femmes pour les sciences? Quelle est votre opinion?

SITUATIONS / CONVERSATIONS

➤➤➤➤➤➤➤

1. Vous voulez passer une année dans une université québécoise. Vous parlez de vos projets à un(e) ami(e) qui étudie à cette université. Posez des questions, demandez des renseignements à votre ami(e).

   — Comment sont les professeurs? les cours? les étudiants?
   — Pouvez-vous trouver des cours dans votre domaine de spécialisation? Y a-t-il beaucoup d'examens?
   — Les classes sont-elles petites ou grandes? Les contacts entre les étudiants et les professeurs sont-ils faciles?
   — Pourquoi votre ami(e) est-il/elle à cette université?

2. Qu'est-ce que vous étudiez? Pourquoi? Quelle est votre matière préférée? Que pensez-vous du système universitaire en général? Comment trouvez-vous les méthodes d'enseignement? Partagez-vous la mentalité des autres étudiants?

3. Exposez vos projets d'avenir. Quelle profession allez-vous choisir? Quelles études devez-vous faire? Quels cours devez-vous suivre?

> Je veux devenir vendeur/vendeuse, directeur/directrice de banque, instituteur/institutrice, médecin, dentiste, psychiatre, psychologue, travailleur/travailleuse social(e), professeur, architecte, notaire, avocat/avocate, infirmier/infirmière, ingénieur, pilote d'avion.

> Je dois faire un baccalauréat, une maîtrise, un doctorat, un diplôme spécialisé, un stage (avocat, expert-comptable), un internat (médecin, psychiatre).

> Je dois suivre des cours de français, anglais, allemand, espagnol, littérature, philosophie, psychologie, sociologie, économie, sciences politiques, histoire, géographie, chimie, physique, biologie, mathématiques, informatique, administration, comptabilité, finance, droit.

COMPOSITIONS
➤➤➤➤➤➤➤

1. Vous faites des études: parlez de vos joies et de vos frustrations, des avantages et des inconvénients, de vos rapports avec les professeurs et les autres étudiants.

2. Comment organisez-vous votre programme d'études? Quelles sont les matières que vous étudiez? Quels sont vos cours? Comment travaillez-vous et où? Qu'est-ce que vous préférez étudier et pourquoi?

3. Quand on est étudiant, qu'est-ce qu'il faut faire? Qu'est-ce qu'il ne faut pas faire? Qu'est-ce qu'il n'est pas nécessaire de faire?

4. Qu'est-ce que vous voulez devenir? Qu'est-ce que vous devez étudier pour entrer dans cette profession?

PRONONCIATION
(This exercise is at the end of Leçon 7 on the tape.)
➤➤➤➤➤➤➤

I. Comment reconnaître les voyelles nasales?

A vowel *is nasal* when followed by **n** or **m** in three instances:

1) vowel + **n** or **m** at the end of a word:

> maison, main, paysan, brun

2) vowel + **n** or **m** + final consonant (unpronounced):

> chantons, devant, saint

3) vowel + **n** or **m** + pronounced consonant:

> manche, lundi, ombre, imparfait

A vowel *is not nasal* when followed by **n** (**nn**) or **m** (**mm**) + vowel (pronounced or silent):

> femme, pardonner, aimer, plume, inutile, imaginer
> Exception: At the beginning of a word, **en** and **em** are always nasal:
> emporter, emmener, entendre, enfant

Répétez:

1. fin / fine   son / sonne
   bon / bonne   nain / naine
   don / donne   pan / panne

2. inutile / indien   anis / année
   amener / amputer   inné / indiscret
   image / impropre   amour / ampoule

3. marchand / marchande   maint / mainte
   blond / blonde   long / longue
   adolescent / adolescente parent / parente
   atteint / atteinte   étudiant / étudiante

II. Le son /r/ — r + voyelle — consonne + r

(Back of the tongue raised towards the soft palate; tip of the tongue against the lower front teeth.)

Répétez d'après le modèle:

1. le gant / le rang / le grand   le goût / le roux / grouiller
   le gond / le rond / gronder   le gave / la rave / grave
   le gain / le rein / grincer

2. rincer   rage   rive   robe   réfléchir   retirer   ronce   rang
   rein   radis   riz   rot   rébus   redire   ronge   ranci
   éreinté rave   rideau   rôder   récif   repu   rond   ramper

3. gras / gris / gros / grue / gré / grand / gronder / grincer
   cri / cru / croûte / crasse / craie / cran / crin
   pré / pris / proue / prends / produit / pratique
   bras / briser / brouter / bru / brandir / brin
   drap / drôle / dru
   très / trou / tronc / train

Chapitre huit

Les sports d'hiver

VOCABULAIRE UTILE

alpinisme (m.)	mountain climbing	**co-équipier, ière**	team member
arbitre (m.)	referee	**conseil** (m.)	advice
ballon (m.)	ball	**course** (f.)	race
bateau (m.)	boat	**coureur, euse**	runner
but (m.)	goal	**élève** (m./f.)	schoolboy (girl)
camarade (m./f.)	pal	**entraînement**	training
casque (m.)	helmet	**entraîneur** (m.)	coach
casquette (f.)	cap	**escrime** (f.)	fencing
chapeau (m.)	hat	**espadrille** (f.)	running shoe

études secondaires (f.)	high school	**patin** (m.)	skate
maillot (m.)	swimsuit	**patinoire** (f.)	skating rink
manteau (m.)	coat	**perdant, ante**	loser
marquer	to score	**piste** (f.)	track
médaille (f.)	medal	**pratique** (f.)	practice
musée (m.)	museum	**règle** (f.)	rule
or (m.)	gold	**règlement** (m.)	regulation
partenaire (m./f.)	partner	**rondelle** (f.)	puck
partie (f.)	game	**tout le monde**	everybody

GRAMMAIRE ET EXERCICES ORAUX

Les verbes irréguliers *prendre* et *mettre*

Présent de l'indicatif

prendre (to take)		**mettre** (to put / to put on / to set)	
je	prends	je	mets
tu	prends	tu	mets
il/elle/on	prend	il/elle/on	met
nous	prenons	nous	mettons
vous	prenez	vous	mettez
ils/elles	prennent	ils/elles	mettent

j'ai mis
je mettais

The imperative forms of **prendre** and **mettre** are regular.

Apprendre (to learn) and **comprendre** (to understand) are conjugated like **prendre**.

Permettre (to allow/to permit), **promettre** (to promise) and **soumettre** (to submit) are conjugated like **mettre**.

Exemples:		
	Je prends le canot.	I am taking the canoe.
	Prenez votre temps.	Take your time.
	Nous apprenons le judo.	We are learning judo.
	Je ne comprends pas pourquoi.	I do not understand why.
	Elle met un maillot.	She puts on a swimsuit.
	Mets les balles sur la table.	Put the balls on the table.
	Je vais mettre la table.	I am going to set the table.

Note the following constructions with **permettre**, **promettre** and **soumettre**:

1) **Ils permettent <u>à</u> leurs enfants <u>de</u> faire de l'alpinisme.**
   They allow their children to go mountain-climbing.

   Elle promet <u>à</u> son père <u>de</u> remporter la médaille d'or.
   She promises her father that she is going to win the gold medal.

2) **Je viens <u>de</u> soumettre un travail <u>au</u> professeur.**
   I have just submitted an assignment to the professor.

   Ils promettent une récompense <u>à</u> Paul.
   They are promising Paul a reward.

EXERCICES (ORALEMENT)

A. Mettez les verbes au présent:

prendre

1. Je _prends_ l'autobus.
2. Tu _prends_ tes skis.
3. Il _prend_ sa raquette.
4. Elle _prend_ ses patins.

5. Nous _prenons_ nos gants.
6. Vous _prenez_ vos balles.
7. Ils _prennent_ leur équipement.
8. Elles _prennent_ leur voilier.

mettre

9. Je _mets_ mon chapeau.
10. Tu _mets_ ton chandail.
11. Il _met_ sa casquette
12. Elle _mat_ son maillot.

13. Nous _mettons_ nos souliers.
14. Vous _mottez_ vos gants.
15. Ils _mottent_ leurs lunettes.
16. Elles _mettent_ leurs patins.

B. Répondez affirmativement et négativement selon le modèle.

> *Modèle:* Est-ce que tu prends tes skis?
> *Oui, je prends mes skis. Non, je ne prends*
> *pas mes skis.*

1. Est-ce que tu comprends le français?
2. Est-ce que vous apprenez à jouer au hockey?
3. Est-ce que vous comprenez vos moniteurs?
4. Est-ce que tu mets un manteau pour jouer au hockey?
5. Est-ce qu'on met des patins pour faire du ski?
6. Est-ce que les enfants apprennent à jouer au hockey?
7. Est-ce que tu promets à tes parents de gagner la partie?
8. Est-ce que vous soumettez des compositions à vos professeurs?
9. Est-ce que tu permets à tes amis de prendre ta raquette?
10. Est-ce qu'on permet aux chiens d'entrer dans les arénas?

C. Dites à un(e) autre étudiant(e) . . .

> *Modèle:* de prendre ses skis.
> *Prends tes skis.*

1. de ne pas mettre de tuque. *Ne mets pas de tuque*
2. d'apprendre les règles du jeu. *Apprends les règles*
3. de promettre une récompense aux gagnants. *promets*
4. de prendre du repos. *Prends du repos*
5. de ne pas mettre la table.
6. de ne pas mettre ses doigts sales sur tes espadrilles.

D. Posez la question à un(e) autre étudiant(e):

1. Quels vêtements mets-tu en hiver? en été?
2. Prends-tu un gant pour jouer au baseball?
3. Combien de langues apprends-tu?
4. Comprends-tu l'espagnol? l'allemand? le russe? le japonais?
5. Vas-tu prendre des vacances cet été?
6. Quand devons-nous soumettre une composition au professeur?
7. Est-ce que tu promets à tes co-équipiers de marquer des points?

Les pronoms objets indirects

Subject Pronouns	*Indirect Object Pronouns*
je	me
tu	te
il	lui
elle	lui
nous	nous
vous	vous
ils	leur
elles	leur

1) The indirect object pronouns **lui** and **leur** stand for a noun indicating a person preceded by the preposition **à**:

> Vas-tu parler <u>au professeur</u>? — Oui, je vais <u>lui</u> parler.
> Est-ce qu'il répond <u>aux étudiants</u>? — Il <u>leur</u> répond.
> Téléphones-tu <u>à Sylvie</u>? — Je <u>lui</u> téléphone.

2) Like direct object pronouns, indirect object pronouns precede the verb, even when the verb is in the infinitive and follows another conjugated verb:

Affirmative	*Negative*	*Interrogative (inversion)*
Il <u>nous</u> parle.	Il ne <u>nous</u> parle pas.	<u>Nous</u> parle-t-il?
Tu <u>lui</u> téléphones.	Tu ne <u>lui</u> téléphones pas.	<u>Lui</u> téléphones-tu?
Elle doit <u>leur</u> obéir.	Elle ne doit pas <u>leur</u> obéir.	Doit-elle <u>leur</u> obéir?

EXERCICES (ORALEMENT)

A. Remplacez les mots soulignés par un pronom object indirect:

1. Je téléphone <u>à Jacques</u>.
2. Ils parlent <u>aux joueurs</u>.
3. Nous obéissons <u>à l'arbitre</u>.
4. J'explique la leçon <u>à mon camarade</u>.
5. Tu adresses la lettre <u>à la monitrice</u>.
6. Il parle <u>à ces athlètes</u>.
7. Tu vas donner ton numéro <u>à l'instructrice</u>.
8. Vous répondez <u>au professeur</u>.
9. Pierre demande un renseignement <u>à Jeanne</u>.
10. Il va répéter les règles <u>aux joueurs</u>.
11. Paul achète des fleurs <u>à la gagnante</u>.
12. Je donne un examen <u>à mes élèves</u>.
13. Il achète des fruits <u>aux enfants</u>.
14. Daniel va donner le livre <u>à Louise</u>.
15. Il va téléphoner <u>à l'inspecteur</u>.
16. Philippe aime donner des conseils <u>à ses amis</u>.
17. Je veux acheter une raquette <u>à mon partenaire</u>.
18. Il espère passer le ballon <u>à son co-équipier</u>.

B. Répondez aux questions.

Est-ce que . . .

1. tu me parles? *je te parle*
2. je te parle? *tu me parles*
3. tu lui parles? *je lui parle*
4. il te parle? *il me parle*
5. tu me téléphones? *je te téléphone*
6. je te téléphone? *tu me*
7. elle te téléphone? *elle me*
8. tu lui téléphones? *je lui*
9. je te réponds? *tu me*
10. tu me réponds? *je te*
11. vous nous répondez? *nous vous répondons*
12. nous vous répondons? *vous nous*
13. vous nous téléphonez? *nous vous*
14. nous vous téléphonons? *vous nous*
15. vous nous promettez? *nous vous*
16. nous vous promettons? *vous nous*
17. je vous permets? *nous vous*
18. vous lui permettez? *nous lui*
19. tu veux me parler? *je veux te*
20. je veux te parler? *je veux te*
21. vous voulez me parler? *je veux vous*
22. nous voulons vous parler? *vous voulez nous*
23. vous devez m'obéir?
24. nous devons lui obéir?
25. ils doivent t'obéir?
26. je peux te téléphoner?
27. tu peux me téléphoner?
28. nous pouvons vous téléphoner?
29. vous pouvez nous téléphoner?

C. Posez la question selon le modèle.

Modèle: Je leur téléphone.
  Est-ce que tu leur téléphones? / Leur téléphones-tu?

1. Il me téléphone.
2. Ils m'obéissent.
3. Elle nous parle.
4. Je lui obéis.
5. Elle me donne un chèque.
6. Il nous permet de sortir.
7. Je vais lui téléphoner ce soir.
8. Nous préférons leur téléphoner.
9. Elle veut m'acheter une cravate.
10. Il doit nous répondre demain.

Les verbes irréguliers *savoir* et *connaître*

Présent de l'indicatif

	savoir	**connaître**
je	sais	connais
tu	sais	connais
il/elle/on	sait	connaît
nous	savons	connaissons
vous	savez	connaissez
ils/elles	savent	connaissent

The imperative of **connaître** is regular; the imperative forms of **savoir** are: **sache, sachons, sachez**. Both **savoir** and **connaître** mean "to know"; however, they are used differently and are not interchangeable:

1) **Connaître** means to know (to be acquainted with or to be familiar with) a person or a place:

> Je connais Claire Dubé.
> Il connaît bien Winnipeg.
> Connais-tu ce restaurant?

2) **Savoir** means to know facts, to be informed about something:

> Je sais la conjugaison du verbe être.
> Elle ne sait pas mon nom.

3) **Savoir** may be followed by an infinitive or a subordinate clause introduced by **que** (that), but not **connaître**:

> Je sais patiner.
> Nous savons qu'il est malade.

➤ **Note:** "Can" in English is sometimes used as an equivalent for "to know how to", in which case it corresponds to **savoir** in French. Compare:

Elle <u>sait</u> nager.   She can swim. (She knows how to swim.)
Elle <u>peut</u> nager longtemps.   She can swim a long time. (She is able to . . . .)

EXERCICES (ORALEMENT)

A. Répondez aux questions:

1. Savez-vous la date du match de boxe?
2. Savez-vous l'adresse du professeur?
3. Sais-tu le numéro de téléphone du centre sportif?
4. Sais-tu jouer au hockey?
5. Sais-tu jouer du piano?
6. Savez-vous parler français?
7. Sais-tu faire la cuisine?

B. Répondez aux questions:

1. Connais-tu la Nouvelle-Ecosse?
2. Connais-tu la Floride?
3. Connaissez-vous le forum à Montréal?
4. Est-ce que tes parents me connaissent?

5. Connaissez-vous la musique de Mozart?
6. Connais-tu bien Detroit?
7. Connais-tu tous les joueurs de l'équipe?

C. Demandez à un(e) autre étudiant(e) s'il/si elle . . .

1. sait nager.
2. sait faire du ski.
3. sait jouer aux échecs.
4. sait faire la cuisine.

5. connaît Québec.
6. connaît New York.
7. connaît les livres de Margaret Laurence.
8. connaît un bon médecin.

D. Employez *savoir* ou *pouvoir*, selon le contexte.

1. Une mécanicienne _____ réparer une voiture.
2. Nous _____ faire des compétitions en ski.
3. Un bon athlète _____ nager pendant trois heures.
4. Ce bébé a dix mois et il _____ déjà marcher.
5. Ce joueur blessé ne _____ pas marcher très vite.

Le passé composé

1) The **passé composé** is used to indicate that an action or situation occurred in the past. It corresponds to both the simple past (I ate) and the present perfect (I have eaten) in English. + 9 did eat

2) The **passé composé** is formed by using the present tense of an auxiliary verb (**avoir** or **être**) followed by the past participle of the verb. For most verbs, the auxiliary verb which is used is **avoir**.

3) The past participle of regular verbs consists of the stem plus an ending. The endings for the three regular verb groups are as follows:

Group	Infinitive	Stem	Ending
1. -er	manger	mang-	-é
2. -ir	finir	fin-	-i
3. -re	attendre	attend-	-u

Passé composé

j'	ai mangé	ai fini	ai attendu
tu	as mangé	as fini	as attendu
il/elle/on	a mangé	a fini	a attendu
nous	avons mangé	avons fini	avons attendu
vous	avez mangé	avez fini	avez attendu
ils/elles	ont mangé	ont fini	ont attendu

4) In the negative, **ne** precedes **avoir** and **pas** follows it:

> Il n̲'a pas̲ répondu à ma question.

5) In a question with inversion, the pronoun follows the form of **avoir**:

> As-tu parlé à l'instructeur?
> Le joueur de tennis a-t-il téléphoné?

6) The direct and indirect object pronouns precede **avoir**:

> Il m'a regardé.
> Elle ne lui a pas téléphoné.
> Leur ont-ils répondu?

7) Here are the past participles of the irregular verbs which were presented in previous chapters and which take **avoir** as an auxiliary verb:

avoir	j'ai e̲u̲	pouvoir	j'ai p̲u̲
connaître	j'ai c̲o̲n̲n̲u̲	prendre†	j'ai p̲r̲i̲s̲
devoir	j'ai d̲û̲	savoir	j'ai s̲u̲
être	j'ai é̲t̲é̲	vouloir	j'ai v̲o̲u̲l̲u̲
faire	j'ai f̲a̲i̲t̲	falloir (il faut)	il a f̲a̲l̲l̲u̲
mettre*	j'ai m̲i̲s̲	pleuvoir (il pleut)	il a p̲l̲u̲

For verbs conjugated like **dormir (mentir, sentir, servir)**, add the ending **-i** to the stem: **j'ai dormi, j'ai menti, j'ai senti, j'ai servi.**

rest of passé composé on p. 163

---

* promettre: p̲r̲o̲m̲i̲s̲; permettre: p̲e̲r̲m̲i̲s̲; soumettre: s̲o̲u̲m̲i̲s̲

† apprendre: a̲p̲p̲r̲i̲s̲; comprendre: c̲o̲m̲p̲r̲i̲s̲

EXERCICES (ORALEMENT)

A. Mettez au passé composé:

-er	-ir	-re

1. Je demande.
2. Il écoute.
3. Nous regardons.
4. Vous donnez.
5. Ils mangent.
6. Tu parles.
7. Il invite.
8. Elles acceptent.
9. Vous refusez.
10. Nous expliquons.

11. Elle réfléchit.
12. Vous obéissez.
13. Ils démolissent.
14. Elles fleurissent.
15. Nous réussissons.
16. Il grossit.
17. Ils vieillissent.
18. J'avertis.
19. Tu choisis.
20. Vous établissez.

21. Il attend.
22. Tu perds.
23. Nous entendons.
24. Vous vendez.
25. Ils rendent.
26. Nous répondons.
27. Ils vendent.
28. Elle rend.
29. Nous attendons.
30. Ils perdent.

B. Mettez à la forme négative.

Modèle: J'ai joué au soccer.
Je n'ai pas joué au soccer.

1. Il a invité des camarades.
2. Ils ont regardé le match à la télé.
3. J'ai puni les joueurs.
4. Nous avons obéi à la monitrice.
5. Elle a fini son entraînement.

6. Tu as rougi.
7. Vous avez attendu le signal.
8. Il a vendu sa motoneige.
9. J'ai répondu à la question.
10. Nous avons vendu nos skis.

C. Mettez à la forme interrogative. Employez l'inversion.

Modèle: Vous avez mangé.
Avez-vous mangé?

1. Il a fini sa pratique.
2. Vous avez attendu l'autobus.
3. Cet étudiant a réussi à son examen.
4. Ils ont perdu la partie.
5. Marie a parlé à son entraîneur.

6. Ils ont choisi un autre skieur.
7. Tu as répondu à la lettre de ton entraîneur?
8. Le médecin a examiné les blessés.

D. Mettez les verbes au passé composé:

1. Je ne comprends pas cette partie.
2. Il apprend le patinage.
3. Nous prenons le train.
4. Elle dort huit heures.
5. Tu sers du jus aux athlètes.
6. Il ment à ses partenaires.

7. Il pleut.
8. Il faut réparer la motoneige.
9. Elles font de la course.
10. Il fait du sport.
11. Vous faites de la gymnastique.
12. Il a des difficultés.

13. Nous avons un ballon. *Nous avons eu*
14. Ils sont malades. *Ils ont été*
15. Elle est cycliste. *Elle a été*
16. Je connais des cavaliers. *J'ai connu*

17. Nous mettons la table. *Nous avons mis*
18. Il promet une moto à son fils. *Il a promis*
19. Elle permet à ses enfants de *Elle a permis* regarder le match de hockey.

E. Répondez aux questions:

1. As-tu eu un accident récemment?
2. Le coureur a-t-il eu un rhume?
3. Avez-vous eu des compétitions la semaine dernière?
4. As-tu été malade récemment?
5. As-tu fait des progrès au tennis?
6. As-tu fait du ski l'hiver dernier?
7. Avons-nous fait beaucoup d'exercices dans ce cours?

8. As-tu mis un casque ce matin?
9. Avez-vous compris les règlements?
10. As-tu dormi douze heures?
11. Avez-vous dormi pendant la classe?
12. Est-ce qu'il a plu hier?
13. As-tu connu des boxeurs intéressants dans ta vie?
14. As-tu su répondre à mes questions?

F. Répondez négativement selon le modèle.

Modèle: As-tu dormi? (pouvoir)
   Non, je n'ai pas pu dormir.

1. As-tu mangé? (pouvoir)
2. As-tu fini ton test? (pouvoir)
3. As-tu regardé ce film? (pouvoir)
4. As-tu acheté un nouveau bateau? (pouvoir)
5. As-tu attendu l'autobus? (devoir)
6. As-tu démoli le garage? (devoir)
7. As-tu vendu tes palmes? (devoir)

8. As-tu écouté ce disque? (vouloir)
9. As-tu joué au tennis? (vouloir)
10. As-tu averti la monitrice? (vouloir)
11. As-tu apprécié son travail? (savoir)
12. As-tu répondu aux questions? (savoir)
13. As-tu fait cet exercice? (savoir)

Il y a + une expression de temps

Il y a followed by an expression of time has the meaning "ago." It may be used with a verb in the **passé composé**.

Il a quitté le Canada il y a un mois.
He left Canada a month ago.

La partie de tennis a commencé il y a cinq minutes.
The tennis game started five minutes ago.

Quand as-tu fait du ski? — Il y a deux jours.
When did you go skiing? — Two days ago.

Il y a
Il y a eu
Il y avait
Il va y avoir
Il doit y avoir

EXERCICE (ORALEMENT)

Répondez aux questions selon le modèle.

> *Modèle:* Quand avez-vous joué au baseball? (cinq ans)
> *Nous avons joué au baseball il y a cinq ans.*

1. Quand a-t-il visité l'Europe? (dix ans)
2. Quand as-tu parlé à Victor? (dix minutes)
3. Quand ont-ils appris la nouvelle? (deux jours)
4. Quand as-tu acheté ces beaux skis? (deux semaines)
   Je les ai achetés il y a deux semaines
5. Quand ont-ils pris le train? (trois jours)
6. Quand la partie a-t-elle commencé? (un quart d'heure)
7. Quand as-tu rencontré Lucie? (longtemps)

Le pronom relatif *où*

1) **Où** is a relative pronoun which means "where" when its antecedent is a noun indicating a place:

> **C'est le restaurant <u>où</u> j'ai dîné hier.**
> This is the restaurant where I had dinner yesterday.
> **Québec est une ville <u>où</u> j'aime marcher.**

2) **Où** as a relative pronoun may also mean "when" if its antecedent is a noun indicating a time period:

> **1980 est l'année <u>où</u> j'ai quitté Montréal.**
> 1980 is the year when I left Montreal.
> **Mes parents m'ont donné une moto le jour <u>où</u> j'ai eu dix-huit ans.**

EXERCICES (ORALEMENT)

A. Transformez les phrases selon le modèle.

> *Modèle:* Je connais la rue. Tu habites <u>dans cette rue</u>.
> *Je connais la rue où tu habites.*

1. Je connais un restaurant. On sert des repas japonais <u>dans ce restaurant</u>.
2. Il aime les discothèques. Il y a beaucoup de gens <u>dans ces discothèques</u>.
3. Le Yukon est une région. Il fait très froid <u>dans cette région</u>.
4. Je vais t'amener dans un musée. On peut voir des poteries anciennes <u>dans ce musée</u>.
5. Il fait du ski de fond dans un bois. Il y a de belles pistes <u>dans ce bois</u>.

B. Transformez les phrases selon le modèle.

> *Modèle:* J'ai été malade <u>cette semaine-là</u>.
> *C'est la semaine où j'ai été malade.*

1. Nous avons joué au tennis <u>ce matin-là</u>.
2. J'ai fini mes études secondaires <u>cette année-là</u>.

4. Il a beaucoup neigé <u>ce mois-là</u>.
3. Il a eu un accident de ski <u>ce jour-là</u>.
5. Nous avons gagné le match <u>ce soir-là</u>.

L'adjectif *tout*

The adjective **tout** (**toute/tous/toutes**) agrees with the noun it modifies and precedes the determiner (article or possessive adjective or demonstrative adjective). It corresponds to "all" or "whole" in English:

> **J'ai écouté <u>tout</u> l'opéra.**
> **Il a fait du ski <u>toute</u> la journée.**
> **<u>Tous</u> ces joueurs sont excellents.**
> **Elle a acheté <u>toutes</u> mes vieilles robes.**

> I listened to the whole opera.
> He skied the whole day.
> All those players are excellent.
> She bought all my old dresses.

Note the expressions **tout le monde** (everybody) and **tous les jours** (every day):

> **Il connaît <u>tout</u> le monde.**
> **Il joue au football <u>tous</u> les jours.**

> He knows everybody
> He plays football every day.

EXERCICES (ORALEMENT)

A. Refaites les phrases selon le modèle.

> *Modèle:* <u>Ces joueurs</u> sont compétents.
> *Tous ces joueurs sont compétents.*

1. <u>La partie</u> a été intéressante.
2. Il a compris <u>la leçon</u>.
3. J'ai donné <u>mes disques</u> à Guy.
4. <u>Les étudiants</u> sont fatigués après les examens.

5. <u>Mes vêtements</u> sont sales.
6. Il a mangé <u>le gâteau</u>.
7. Elle a fait <u>la vaisselle</u>.
8. Tu as menti à <u>tes amis</u>.
9. J'ai besoin de <u>ces livres</u>.

B. Répondez aux questions selon le modèle.

> *Modèle:* Veux-tu écouter <u>mes disques</u>?
> *Oui, je veux écouter tous tes disques.*

1. As-tu peur de <u>ces animaux</u>?
2. Peux-tu faire <u>ces exercices</u>?
3. Dois-tu faire <u>le ménage</u>?

4. Est-ce que tu connais <u>mes amies</u>?
5. Est-ce que tu comptes réussir à <u>tes examens</u>?

EXERCICES ECRITS

A. Mettez les phrases au passé composé.

> *Modèle:* Je regarde les Jeux olympiques.
> *J'ai regardé les Jeux olympiques.*

1. Il met ses skis.
2. Nous prenons la bicyclette.
3. Ils apprennent le golf.
4. Je ne comprends pas cette leçon.
5. Il connaît l'entraîneur de l'équipe.
6. Je téléphone à mon instructeur.
7. Elle brunit au soleil.
8. Nous rendons l'argent à Jean.
9. Ils choisissent une nouvelle piscine.
10. Je réponds à sa lettre.
11. Vous attendez un taxi.
12. Il veut venir avec moi.
13. Ils doivent partir.
14. Nous avons quelques rondelles.
15. Elles ne savent pas réparer le filet.
16. Ils sont perdants.
17. Je fais du ski de fond.
18. Vous choisissez un nouveau club.
19. Il avertit l'arbitre.
20. Valérie pratique l'escrime.

B. Employez *savoir* ou *connaître* au présent selon le contexte:

1. Babette _____ jouer aux échecs.
2. Nous _____ l'entraîneur de Jean.
3. Ils _____ Mme Raymond.
4. Je _____ faire la cuisine.
5. Tu _____ l'aréna Maurice Richard.
6. Vous _____ mon nom.
7. Il _____ mon père.

C. Complétez les phrases avec un des verbes suivants au présent: *apprendre, mettre, permettre, comprendre, promettre, prendre, soumettre.*

1. Luc _____ l'autobus pour Montréal.
2. Ils _____ une récompense aux gagnants.
3. Nous _____ les règles du tennis.
4. Mme Dufy _____ à ses enfants d'aller aux olympiques.
5. Vous _____ la raison de mon absence.
6. Tu _____ un chandail.
7. Je _____ un projet à l'instructrice.

D. Répondez affirmativement selon le modèle. Employez les pronoms objets indirects.

> *Modèle:* Téléphones-tu à ta mère?
> *Oui, je lui téléphone.*
> Vas-tu me téléphoner?
> *Oui, je vais te téléphoner.*

1. Est-ce que vous me parlez?
2. Est-ce que tu me téléphones?
3. Est-ce que je vous réponds?
4. Est-ce que je vous promets de bonnes notes?
5. Est-ce que tu veux me parler?

6. Est-ce que je peux te téléphoner?
7. Peux-tu me donner tes vieux skis?
8. Est-ce que ton père va t'acheter une voiture?
9. Obéis-tu à tes moniteurs?
10. Est-ce que tu me promets d'être à l'heure?
11. A-t-il promis une médaille aux gagnants?
12. As-tu parlé au médecin?
13. Est-ce qu'on doit obéir aux arbitres?
14. Est-ce que tu nous permets de fumer?

E. Complétez les phrases suivantes avec imagination:

1. 1980 est l'année où . . . .
2. New York est une ville où . . . .
3. Je connais une discothèque où . . . .

4. Septembre est le mois où . . . .
5. Ste-Anne est la station de ski où . . . .

F. Refaites les phrases selon le modèle en employant la forme correcte de *tout*.

> *Modèle:* Je comprends <u>la leçon</u>.
> *Je comprends toute la leçon.*

1. Sylvie admire <u>les joueurs de football</u>.
2. Je connais <u>les livres de Marie-Claire Blais</u>.
3. Elle a aimé <u>le film</u>.

4. J'ai jeté <u>mes vieux vêtements</u>.
5. <u>Cette leçon</u> est difficile.
6. Il a répondu <u>aux questions</u>.

G. Répondez aux questions selon le modèle en employant *il y a* plus l'expression entre parenthèses.

> *Modèle:* Vas-tu manger un sandwich? (une heure)
> *Non, j'ai mangé un sandwich il y a une heure.*

1. Vas-tu faire du ski de fond? (deux jours)
2. Vas-tu prendre un café? (dix minutes)
3. Vas-tu vendre tes patins? (un mois)

4. Vas-tu mettre la table? (une demi-heure)
5. Va-t-il pleuvoir? (une heure)

LECTURE

Les sports d'hiver

L'hiver au Québec est synonyme de froid, de vent et de neige; c'est aussi l'occasion de s'adonner aux sports d'hiver comme le ski alpin, le ski de fond, la raquette, la motoneige, le patinage et le hockey sur glace. Parmi toutes ces activités sportives, le ski gagne de plus en plus en popularité.

Il existe dans l'est de nombreuses stations de ski telles que le Mont-Tremblant, Saint-Sauveur, Ste-Anne, Orford, et Sutton qui offrent des pistes bordées de beaux boisés où les skieurs débutants, intermédiaires et experts peuvent se laisser aller au plaisir de skier. Elles sont équipées de remontées mécaniques ultra-rapides, de systèmes d'éclairage pour du ski de soirée, et de chalets dispersés dans la montagne où des restaurants et des cafétérias reçoivent les skieurs à l'heure du repas ou de la détente.

Pour les adeptes du ski de fond, on trouve des centaines de kilomètres de sentiers qui traversent des paysages magnifiques. Des relais chauffés, le long du parcours, permettent aux skieurs et aux skieuses de se réchauffer et de casser la croûte. Que désirent les jeunes? Des émotions fortes, de nouveaux défis, des descentes paisibles, le calme de la nature enneigée — le ski offre tout cela et même davantage. On peut skier six mois par année dans des conditions optimales; les autres six mois sont dédiés aux amateurs de plein air pour des randonnées pédestres, des pique-niques au sommet des montagnes ou des parties de sucre.

adepte (m./f.)	follower, enthusiast	**montagne** (f.)	mountain
(s')adonner(à)	to devote oneself (to)	**motoneige** (f.)	snowmobile
boisé (m.)	woodland	**neige** (f.)	snow
border	to border	**nombreux, euse**	numerous
casser la croûte	to have a bite	**occasion** (f.)	opportunity
centaine (f.)	a hundred	**paisible**	peaceful
chalet (m.)	cottage	**patinage** (m.)	skating
chauffer	to heat	**parcours** (m.)	course, trail
davantage	even more	**parmi**	among
débutant, ante	beginner	**partie de sucre** (f.)	sugaring off
défi (m.)	challenge	**paysage** (m.)	scenery
dédier	to devote	**piste** (f.)	run
détente (f.)	relaxation	**plaisir** (m.)	pleasure
éclairage (m.)	lighting	**permettre**	to allow
enneigé(e)	snowy	**plein air** (m.)	open air
fort, forte	strong	**pouvoir**	to be able to
gagner (en)	to gain	**randonnée** (f.)	walk
(se) laisser	to let oneself	**relais** (m.)	relay
le long de	along	**recevoir**	to receive

repas (m.)	meal	**synonyme**	synonymous
(se) réchauffer	to warm up	**tel, telle que**	such as
remontée (f.)	ski lift	**traverser**	to cross
ski de fond (m.)	cross-country skiing	**trouver**	to find
ski de soirée (m.)	night skiing	**vent** (m.)	wind
sentier (m.)	trail		

QUESTIONS

1. A quels sports s'adonne-t-on l'hiver au Québec?
2. Quelle activité sportive gagne en popularité?
3. Qu'est-ce qui borde les pistes de ski?
4. Que trouve-t-on dans les stations de ski?
5. De quoi les adeptes du ski de fond disposent-ils?
6. Que désirent les jeunes?
7. Combien de temps skie-t-on au Québec?
8. A quoi sont réservés les autres six mois de l'année?

SITUATIONS / CONVERSATIONS

1. A quels sports t'adonnes-tu? Où, et quand?

   Je fais — du football, du baseball, du golf, du tennis, du soccer, du hockey, du hockey sur gazon, du ballon-balai, du basketball, du judo, du karaté, du ski alpin, du ski de randonnée (de fond), du canotage, du patinage, du cyclisme, du squash, du jogging, etc.

   — de la natation, de la boxe, de la lutte, de la plongée sous-marine, de la voile, de la planche à voile, de la gymnastique, de la course à pied, de l'équitation, de l'alpinisme, etc.

2. Faites-vous partie d'une équipe sportive? De quel sport s'agit-il? Combien y a-t-il de membres dans l'équipe? Qui est votre entraîneur? Comment est-il/elle? Quelle position jouez-vous dans l'équipe? (à la défense/à l'offensive/à l'aile gauche ou droite/à l'avant ou à l'arrière/gardien de but, etc.) Pratiquez-vous souvent ce sport? Quand? A quel endroit? Quelle sorte de joueur/joueuse êtes-vous? (agressif/ive, détendu(e), brutal(e), indépendant/ante, etc.) Quelles sont vos plus graves erreurs au jeu? vos meilleurs moments?

3. Pour pratiquer votre sport favori, de quoi avez-vous besoin?

SPORT	ENDROIT	EQUIPEMENT
a) D'EQUIPE		
extérieur		
le football, le baseball, etc.	terrain ou stade	un ballon, des gants, des souliers cloutés, un bâton, etc.
intérieur		
le basketball, le curling le ballon-balai, etc.	un gymnase, un terrain	des balles, des balais, des rondelles, etc.
b) INDIVIDUELS		
extérieur		
le ski, la course à pied, l'équitation, la natation, le cyclisme, le jogging, le canotage, le patinage, etc.	une piste, des pentes, une piscine, une patinoire, une rivière/un lac, etc.	des skis, un cheval, un maillot, une bicyclette, des patins, un canot et des rames, etc.
intérieur		
la natation, le patinage, la plongée, la gymnastique	une piscine, une patinoire, un gymnase, etc.	un costume, une bombe d'oxygène, des palmes, des appareils, des barres, etc.
c) AVEC PARTENAIRE		
extérieur		
le golf, le tennis, le canotage, etc.	un terrain, un court, une rivière/un lac, etc.	des bâtons, des balles, des raquettes, un canot, etc.
intérieur		
le squash, le raquetball, etc.	un court	des balles et des raquettes
d) DE COMBAT		
la boxe, la lutte, le judo, le karaté, etc.	un matelas, une arène, etc.	un costume, des gants, un maillot, etc.

4. Pourquoi aimez-vous les sports? Quelle place ont-ils dans votre vie? (Réponses possibles: pour la détente, pour les loisirs, pour rencontrer des amis, par habitude, pour développer mes muscles, pour évaluer mes aptitudes, par goût de la compétition, pour rester en bonne santé, par obligation envers l'équipe, pour plaire à mes parents/à mes amis, etc.)

5. Préparez pour les amateurs de sports un bulletin de nouvelles sportives.

6. Racontez le match le plus excitant que vous avez vu.

   Exemple: Une partie de hockey — Les Canadiens ont gagné 5 à 4 contre les Oilers —
   Wayne Gretzky a compté 3 buts et a obtenu 2 punitions, etc.

7. Donnez des indices sur votre athlète favori(te): nous allons deviner de qui il s'agit.

   Exemples: Indice: C'est le plus grand joueur de hockey à l'heure actuelle.
   Réponse: Wayne Gretzky

   Indice: Il a été champion poids lourd à deux reprises.
   Réponse: Muhammad Ali

8. Connaissez-vous les sports? Comment joue-t-on au tennis? au hockey? au baseball?
   (Décrivez l'équipement nécessaire, le nombre de joueurs, les règles du jeu.)

9. Comment devient-on champion?

COMPOSITIONS

1. Est-ce que vous pensez que l'importance accordée aux sports à la télévision est justifiée?
   Expliquez.

2. Est-il bon d'obliger les enfants à pratiquer des sports dès leur plus jeune âge?

3. Préparez une interview d'une personnalité sportive. Quelles questions allez-vous poser?
   Un(e) autre étudiant(e) joue le rôle de l'athlète que vous avez choisi.

4. Est-ce que généralement vous préférez la compagnie d'un sportif ou d'un intellectuel?
   Expliquez pourquoi.

5. Quel est le sport idéal à votre avis et pour quelles raisons?

PRONONCIATION (This exercise is at the end of Leçon 8 on the tape.)

Les voyelles nasales /ã/ et /õ/

I. Le son /ã/

The nasal vowel /ã/ is associated with the spellings **an, am, en** and **em** (when **n** or **m** is
not pronounced).

Répétez:

1. bas / ban   chat / chant   ça / sang
   pas / pan   tas / tant   là / lent
   ras / rang   va / vent

2. chant / chante   lent / lente   rend / rendu
   rang / range   pend / pendu   tend / tendu

3. ampoule   endormir   jument
   entier   parent   hareng
   embrasser   marchand   devant

II. Le son /õ/

The nasal vowel /õ/ is associated with the spellings **on** and **om** (when **n** or **m** is not pronounced).

Répétez

1. tôt / ton   pot / pont   dos / don
   rot / rond   sot / son   vos / vont
   mot / mon   faux / font   lot / long

2. son / songe   bon / bonté   plomb / plombier
   rond / ronde   mon / montez   front / frontière
   pont / ponte   long / longueur   blond / blondir

3. ombre   plafond   répondre
   ongle   canon   dénombrer
   bison   prison   démontrer

III. Contraste /ã/ – /õ/

For /õ/, round the lips. For /ã/, bring the tongue forward.

Répétez

on / an   tremper / tromper
bon / banc   ranger / ronger
don / dans   bandit / bondit
rond / rang   angle / ongle
mont / ment   ambre / ombre

Chapitre neuf

Les voyages

VOCABULAIRE UTILE

agence (f.)	agency	**célibataire**	single
an (m.)	year	**cuisine** (f.)	kitchen
avant hier	the day before yesterday	**demande** (f.)	request
ascenseur (m.)	elevator	**départ** (m.)	departure
auteur(e)	author	**dépliant** (m.)	prospectus
bébé (m.)	baby	**étage** (m.)	floor
billet (m.)	ticket	**glace** (f.)	ice
cadeau (m.)	gift	**horaire** (m.)	timetable
carte postale (f.)	postcard	**itinéraire** (m.)	itinerary

journal (m.)	newspaper	**mort, morte**	dead
langue (f.)	language	**naître**	to be born
lentement	slowly	**pétrole** (m.)	petroleum
liberté (f.)	freedom	**pomme de terre** (f.)	potato
longtemps	a long time	**prochain, aine**	next
maïs (m.)	corn	**promettre**	to promise
mal (m.)	bad, pain	**renseignement** (m.)	information
ménage (m.)	cleaning	**roman** (m.)	novel
mensonge (f.)	lie	**siège** (m.)	seat
montagne (f.)	mountain	**souvent**	often

GRAMMAIRE ET EXERCICES ORAUX

>>>>>>>

Le passé composé avec *être*

1) A few verbs, which usually indicate motion or transition, use **être** instead of **avoir** as an auxiliary verb in the **passé composé** and other compound tenses. Some of these verbs are regular **-er** verbs and their past participle ends in **é**:

arriv_**er**_	(to arrive)	arriv**é**
entr_**er**_	(to enter)	entr**é**
mont_**er**_	(to go up)	mont**é**
pass_**er**_	(to pass by)	pass**é**
rentr_**er**_	(to go home/to come back in)	rentr**é**
retourn_**er**_	(to go back/to return)	retourn**é**
rest_**er**_	(to stay/to remain)	rest**é**
tomb_**er**_	(to fall)	tomb**é**

One verb is a regular **-re** verb; its past participle ends in **-u**:

descend_re_ (to go down)   descend**u**

Other verbs conjugated with **être** are irregular:

all_**er**_	(to go)	all**é**
ven_**ir**_	(to come)	ven**u**
deven_**ir**_	(to become)	deven**u**
reven_**ir**_	(to come back)	reven**u**
part_**ir**_	(to leave)	part**i**
sort_**ir**_	(to go out)	sort**i**
mour_**ir**_	(to die)	m**ort**
naît_**re**_	(to be born)	n**é**

 *not used in imparfait*

2) When **être** is used as the auxiliary verb, the past participle agrees in gender and number with the subject.

	Masculine Subject	*Feminine Subject*
Singular	Je suis entré.	Je suis entrée.
	Tu es sorti.	Tu es sortie.
	Il est descendu.	Elle est descendue.
Plural	Nous sommes partis.	Nous sommes parties.
	Vous êtes arrivés.	Vous êtes arrivées.
	Ils sont tombés.	Elles sont tombées.

➤ **Note:** If the formal **vous** is used to address one person, the past participle is singular (masculine or feminine). When **nous**, **vous** or **ils** refer to a mixed group, the past participle is masculine plural.

EXERCICES (ORALEMENT)

A. Mettez les verbes au passé composé:

1. Il monte dans l'autobus. *monté*
2. Le chien monte sur le siège. *monté*
3. Nous montons au premier étage. *montés*
4. Je descends du train. *descendue*
5. Le chat descend de l'auto. *descendu*
6. Vous descendez en ascenseur. *descendues*
7. Il passe par Drummondville pour aller à Montréal. *passé*
8. Je passe devant le complexe sportif. *passée*
9. Nous passons par la rue Queen. *passés*
10. L'ouvrier tombe du toit. *tombé*
11. La vieille dame tombe dans sa cuisine. *tombée*
12. Je tombe sur la glace. *tombée*
13. Nous restons à la maison. *restés*
14. Elle reste chez elle samedi. *restée*
15. Il reste sportif. *resté*
16. Elles restent célibataires. *restées*
17. Jean retourne à Toronto. *retourné*
18. Vous revenez de voyage. *revenus*
19. Il part en Afrique. *parti*
20. Nous allons en vacances. *allés*

B. Répondez aux questions:

1. A quelle heure êtes-vous arrivé(e)s en classe?
2. A quelle heure sommes-nous entré(e)s dans la classe?
3. Es-tu sorti(e) hier soir?
4. Es-tu rentré(e) tard hier soir?
5. A quelle heure es-tu rentré(e) hier soir?
6. Es-tu resté(e) dans ta chambre hier soir? *J'y suis resté*
7. Etes-vous venu(e)s en classe hier soir?
8. Quand es-tu devenu(e) canadien(ne)?
9. Sommes-nous allé(e)s en voyage ensemble?
10. Es-tu passé(e) par le parc ce matin?
11. Es-tu allé(e) au centre sportif aujourd'hui?
12. En quelle année es-tu né(e)?
13. En quelle année est mort le président Kennedy?
14. Es-tu tombé(e) sur la glace cet hiver?
15. Es-tu monté(e) dans un autobus ce matin?

C. Posez la question à un(e) autre étudiant(e) selon le modèle.

Modèle: Quand / arriver / en classe
Question: *Quand es-tu arrivé(e) en classe?*
Réponse: *Je suis arrivé(e) en classe à dix heures.*

1. En quelle année / naître
2. A quelle heure / sortir / hier soir
3. A quelle heure / rentrer / hier soir
4. Quand / aller / en voyage
5. Avec qui / sortir
6. Rester / dans ta chambre hier soir *Est-ce que tu es resté*
7. Quand / devenir / sportif(-ive)

D. Répondez aux questions selon le modèle en employant *il y a.*

Modèle: Quand est-il mort? (six mois)
Il est mort il y a six mois.

1. Quand es-tu arrivé(e)? (une demi-heure)
2. Quand es-tu rentré(e) de voyage? (dix minutes)
3. Quand est-elle retournée aux Etats-Unis? (six mois)
4. Quand êtes-vous entré(e)s en classe? (vingt minutes)
5. Quand es-tu allé(e) en excursion? (deux jours)
6. Quand êtes-vous venu(e)s à mon bureau? (deux semaines)
7. Quand sont-ils revenus de vacances? (trois jours)
8. Quand est-elle devenue cycliste? (cinq ans)
9. Quand est-il sorti de la maison? (deux heures)
10. Quand sont-elles parties pour Chicago? (une semaine)
11. Quand est-il mort? (trois mois)

E. Demandez à votre voisin(e) où il/elle est allé(e) hier soir? avant-hier? il y a trois jours? la semaine dernière? le mois dernier? l'été / l'hiver dernier?

L'accord du participe passé des verbes conjugués avec *avoir*

When **avoir** is used as an auxiliary verb in compound tenses, the past participle is invariable. However, if the direct object *precedes* the verb, then the past participle must agree in gender and number with the direct object. Here are the main cases when the direct object may precede the verb:

1) When the direct object is a pronoun:

> J'ai acheté cette voiture. ———➤ Je l'ai achet<u>ée</u>.
> Ils ont attendu les enfants. ———➤ Ils <u>les</u> ont attend<u>us</u>.

2) When the direct object is the relative pronoun **que** (the past participle agrees with its antecedent):

> La leçon <u>qu</u>'il a appris<u>e</u>
> Les fruits <u>que</u> j'ai achet<u>és</u>

3) In an interrogative sentence with the adjective **quel**:

> <u>Quelle voiture</u> as-tu achet<u>ée</u>?
> <u>Quels disques</u> as-tu chois<u>is</u>?

Though the agreement of the past participle is of concern mainly in written French, it affects pronunciation whenever the feminine ending **-e** (or **-es**) is added to a past participle ending in a consonant, since the consonant must then be pronounced. Compare:

Le chandail qu'il a mi<u>s</u>	/	La robe qu'elle a mi<u>se</u>
Les exercices que j'ai fai<u>ts</u>	/	Les erreurs que j'ai fai<u>tes</u>
Le cadeau qu'il m'a promi<u>s</u>	/	La récompense qu'il m'a promi<u>se</u>

EXERCICE (ORALEMENT)

A. Répondez affirmativement aux questions selon le modèle.

> *Modèle:* As-tu fait la vaisselle?
> > *Oui, je l'ai faite.*

1. As-tu compris la leçon?
2. As-tu compris ce livre?
3. Avez-vous compris les exercices?
4. Avez-vous compris les questions?
5. As-tu appris la leçon?
6. As-tu appris les règles du jeu?
7. As-tu fait le ménage?
8. As-tu fait la vaisselle?
9. Avez-vous fait la composition?
10. As-tu mis le livre sur la table?
11. As-tu mis ta serviette sur la table?
12. As-tu soumis ta demande au directeur?

B. Transformez les phrases selon le modèle.

> *Modèle:* Elle a mis une jolie robe.
>> *La robe qu'elle a mise est jolie.*

1. Il a appris une leçon difficile.
2. J'ai fait une longue composition.
3. Elle a soumis une demande intéressante.

4. Il a promis une récompense généreuse.
5. Ils ont pris une voiture neuve.

C. Posez la question selon le modèle.

> *Modèle:* Il a soumis une demande.
>> *Quelle demande a-t-il soumise?*

1. Il a mis une chemise.
2. Elle a mis une jupe.
3. Il lui a promis une récompense.
   Quelle réc. a-t-il lui promise

4. Il a appris des règles.
5. Elle a compris une question.
6. Ils ont pris des fleurs.

Les pronoms *en et y*

En

En replaces:

1) **de** as a preposition of place (from) plus its object:

> Est-il revenu <u>de Trois-Rivières</u>? — Oui, il <u>en</u> est revenu hier.

2) the partitive article (**du**, **de la**, **de l'**, **des**, **de**) plus a noun:

> Il a <u>de l'argent</u>. ⟶ Il <u>en</u> a.
> Elle n'a pas <u>d'argent.</u> ⟶ Elle n'<u>en</u> a pas.
> Je mange <u>des fruits</u>. ⟶ J'<u>en</u> mange.

3) a noun preceded by a number or an expression of quantity. The number or expression is retained and placed after the verb:

> As-tu <u>une voiture</u>? — Oui, j'<u>en</u> ai une.
> Combien <u>de cours</u> as-tu? — J'<u>en</u> ai cinq.
> J'ai trop <u>de travail</u>. ⟶ J'<u>en</u> ai trop.
> Il a beaucoup <u>d'amis</u>. ⟶ Il <u>en</u> a beaucoup.

Y

Y replaces:

1) a preposition of place (**à**, **dans**, **devant**, **sur**, etc.) plus its object: *except "de"*

> Il va <u>à Montréal</u>. ⟶ Il <u>y</u> va.
> Elle reste <u>dans sa chambre</u>. ⟶ Elle <u>y</u> reste.

2) **à** as a preposition required by a verb plus the noun following it if the noun represents a thing:

Je réfléchis <u>à mes problèmes</u>. ⟶ J'<u>y</u> réfléchis.
Il répond <u>aux questions</u>. ⟶ Il <u>y</u> répond.

If the noun refers to a person, the indirect object pronoun is used:

Il répond <u>au professeur</u>. ⟶ Il <u>lui</u> répond.

➤ **Note:** 1) Both **en** and **y** precede the verb. They precede the auxiliary verb in compound tenses. They precede the infinitive when it is preceded by another conjugated verb:

Vas-tu à la banque? ⟶ <u>Y</u> vas-tu?
Je suis allé(e) à la banque. ⟶ J'<u>y</u> suis allé(e).
Je n'ai pas de stylo. ⟶ Je n'<u>en</u> ai pas.
Elle veut acheter une robe. ⟶ Elle veut <u>en</u> acheter une.

2) **En** may be used with the expression **il y a**:

Y a-t-il des absents? — Oui, il y <u>en</u> a. / Non, il n'y <u>en</u> a pas.
Y a-t-il un film à la télé? — Oui, il y <u>en</u> a un. / Non, il n'y <u>en</u> a pas.

N.B. · ➤ 3) With **en**, there is no agreement of the past participle of verbs using **avoir** in compound tenses:

As-tu acheté des chemises? — Oui, j'en ai ach<u>eté</u>.
Compare with:
As-tu jeté tes chemises — Oui, je les ai jet<u>ées</u>.

EXERCICES (ORALEMENT)

A. Remplacez les mots soulignés par *en*:

1 Je veux <u>des skis</u>.
2. Nous avons demandé <u>des renseignements</u>.
3. Nous arrivons <u>d'Ottawa</u>.
4. Il a mangé <u>des fruits</u>.
5. Elle n'a pas <u>de voiture</u>.

6. Elle ne veut pas prendre <u>de taxi</u>.
7. As-tu acheté <u>des billets</u>?
8. Ont-ils vendu <u>des disques</u>?
9. Ils sont revenus <u>du Brésil</u>.
10. Elle n'a pas réservé <u>de chambre</u>.

B. Répondez aux questions selon le modèle.

Modèle: As-tu beaucoup de livres? (plusieurs)
Non, je n'en ai pas beaucoup mais j'en ai plusieurs.

1. As-tu trop d'argent (assez)
2. As-tu trois voitures? (une)
3. As-tu assez de temps libre? (un peu)

4. Apprends-tu plusieurs langues? (une)
5. As-tu un ticket? (deux)

C. Répondez aux questions en employant *en*:

1. Est-ce que tu fumes des cigares?
2. As-tu mangé de la salade ce matin?
3. Viens-tu de Kuala Lumpur?
4. As-tu trop d'argent?
5. Est-ce que tu fais du ski?
6. As-tu fait des exercices physiques?
7. Descendez-vous du bateau?
8. Avez-vous eu un passeport?
9. Prends-tu un billet aller-retour?
10. Est-ce que tu as un visa?

D. Remplacez les mots soulignés par *y*:

1. Luc est entré dans le jardin.
2. Nous sommes allés à la gare.
3. Il est resté longtemps en Colombie-Britannique.
4. Il n'a pas répondu à la question.
5. Ils n'ont pas réfléchi aux conséquences.
6. Elle veut aller au cinéma.
7. Je dois rester dans la classe.
8. Il doit descendre au terminus.
9. Je vais chercher Jean à l'aéroport.
10. Nous pensons à une croisière.

E. Répondez affirmativement en employant *y*, *lui* ou *leur* selon le cas:

1. As-tu réfléchi à ce problème?
2. Est-ce que tu réponds aux questions?
3. As-tu répondu au professeur?
4. As-tu répondu à la lettre de l'agence de voyages?
5. As-tu parlé aux autres passagers?

F. Répondez affirmativement et négativement aux questions selon le modèle.

Modèle: Y a-t-il beaucoup de voitures dans la rue?
Oui, il y en a beaucoup. Non, il n'y en a pas beaucoup.

1. Y a-t-il un aéroport à Toronto?
2. Y a-t-il assez de sièges dans l'autobus?
3. Y a-t-il une télévision dans ta chambre d'hôtel?
4. Y a-t-il un départ ce soir? *il n'y en a pas*
5. Y a-t-il un taxi devant la porte?

Les verbes irréguliers *dire, écrire, lire, rire et sourire*

Présent de l'indicatif

	dire (to say)	**écrire** (to write)	**lire** (to read)
je, j'	dis	écris	lis
tu	dis	écris	lis
il/elle/on	dit	écrit	lit
nous	disons	écrivons	lisons
vous	dites	écrivez	lisez
ils/elles	disent	écrivent	lisent

imperative
s
sons
es

➤ **Note:** These verbs follow a similar pattern of conjugation except for the form **vous dites** (compare with **vous faites**).

Présent de l'indicatif
rire (to laugh)

je	ris	nous	rions
tu	ris	vous	riez
il/elle/on	rit	ils/elles	rient

imparfait
riions
riiez

Sourire (to smile) is conjugated like **rire**.

Participes passés:

dire	dit
écrire	écrit
lire	lu
rire	ri
sourire	souri

EXERCICES (ORALEMENT)

A. Répétez et faites les changements nécessaires:

1. Vous écrivez très mal.
2. Je _____ .
3. Bruno _____ une lettre.
4. Nous _____ .
5. Les garçons _____ .
6. Alain rit souvent.
7. Tu _____ .
8. Ils _____ .
9. Annick sourit au bébé.
10. Nous _____ .
11. Pourquoi _____ -tu?
12. Nous lisons lentement.
13. Alfrede _____ .
14. Je _____ un roman.
15. Les autres _____ .
16. Vous _____ .
17. Elle dit toujours la vérité.
18. Je _____ .
19. Nous _____ bonjour.
20. Tu _____ .
21. Pourquoi dis-tu un mensonge?
22. _____ -vous _____ ?

B. Mettez les phrases suivantes au passé composé:

1. Tu lui dis de téléphoner.
2. Il écrit une carte postale.
3. Nous lisons le journal.
4. Elles disent la vérité.
5. Vous lisez beaucoup.
6. Pourquoi rit-il?
7. Pourquoi souriez-vous?
8. Nous n'écrivons pas de lettres.

C. Répondez aux questions:

1. A qui dis-tu bonjour le matin?
2. Dis-tu toujours la vérité?
3. A qui écris-tu régulièrement?
4. As-tu écrit une composition cette semaine?
5. Qui a écrit cet article?
6. Est-ce que tu lis beaucoup?
7. Est-ce que tu lis les journaux? Quels journaux?
8. Qu'est-ce que vous lisez en vacances?
9. Qu'est-ce que tu aimes lire?
10. A qui souris-tu généralement?
11. Est-ce qu'on rit quand on va au cirque?

Les prépositions avec les noms géographiques

Here is a list of types of geographical names with the prepositions which must be used 1) when someone is going there or someone or something is located there; (2) when someone or something is coming from there.

Names of Cities

1) going to/being there: use **à**.

> Je vais à Victoria.   Le parlement est à Ottawa.

2) coming from/place of origin: use **de/d'**.

> Elle vient de Kingston.   Je reviens d'Halifax.

Names of Countries and Continents

1) going to/being there:

   a) before feminine names (ending: silent e): use **en**.
   en Afrique, en Amérique, en Asie, en Australie, en Europe, en Angleterre, en Chine, en France, en Russie
   → (one exception: **le** Mexique — **au** Mexique) +le Zaïre *also for masc. names beginning with a vowel en Iran, en Iraq en Israël*
   b) before masculine names: use **au/aux**. *beginning with consonant*
   au Brésil, au Canada, au Japon, aux Etats-Unis

2) coming from/place of origin:

   a) before feminine names: use **de/d'**.
   d'Allemagne, d'Australie, d'Espagne, d'Italie, de France
   b) before masculine names: use **du/des**. *beginning with consonant*
   du Guatemala, du Japon, des Etats-Unis

Names of Canadian Provinces

1) l'Alberta, la Colombie-Britannique, l'Ontario, la Nouvelle-Ecosse, la Saskatchewan

   a) going to/being there: use **en**.
      en Ontario, en Saskatchewan

   b) place of origin: use **de la** or **de l'** (before a vowel).
      de l'Alberta, de la Colombie-Britannique

2) le Manitoba, le Nouveau-Brunswick, le Québec

   a) going to/being there: use **au**.
      au Manitoba, au Québec

   b) place of origin: use **du**.
      du Nouveau-Brunswick

3) Terre-Neuve, l'Ile-du-Prince-Edouard

   a) going to/being there: use **à**.
      à Terre-Neuve, à l'Ile-du-Prince-Edouard

   b) place of origin: use **de**.
      de Terre-Neuve, de l'Ile-du-Prince-Edouard

[handwritten note: keep article with de for provinces]

Names of States (U.S.)

1) names which have a French version:

   a) going to/being there: use **en**.
      en Californie, en Caroline du Nord, en Floride, en Louisiane

   b) place of origin: use **de** or **de la** (with compound names).
      de Californie, de Pennsylvanie, de la Caroline du Sud, de la Virginie de l'Ouest

2) other names:

   a) going to/being there: use **dans le** (except **au** Texas).
      dans le Maine, dans le Missouri

   b) place of origin: use **du** or **de l'** (before a vowel).
      du Minnesota, de l'Ohio

[handwritten note: Vermont of Fr. origin, so use "au"]

EXERCICES (ORALEMENT)

A. Répondez selon le modèle.

   Modèle: Où est l'Université de Montréal?
   A Montréal, au Québec, au Canada, en Amérique du Nord.

1. le Château Frontenac? (Québec)
2. le Mont Royal? (Montréal)
3. la Tour du CN? (Toronto)
4. Terre des Hommes? (Montréal)
5. Marineland? (Niagara Falls)
6. la Statue de la liberté? (New York)
7. la Maison Blanche? (Washington)

8. le Kremlin? (Moscou)
9. le Forum? (Rome)
10. l'Assemblée Nationale? (Québec)
11. le Parlement canadien? (Ottawa)
12. le Palais de Buckingham? (Londres)
13. la Tour Eiffel? (Paris)
14. le Stampede? (Calgary)

B. Répondez selon le modèle.

> *Modèle:* D'où vient le cognac? (France)
> *Le cognac vient de France.*

D'où vient/viennent . . .
1. le Dixieland? (Louisiane)
2. le pétrole? (Alberta)
3. l'électricité? (Québec)
4. les cigares? (Cuba)
5. les ordinateurs? (Etats-Unis)
6. le gruyère? (Suisse)
7. le café? (Brésil)
8. le caviar? (Russie)
9. le baseball? (Etats-Unis)
10. le golf? (Ecosse)
11. le tango? (Argentine)
12. le champagne? (France)
13. les pêches? (Ontario)
14. les pommes de terre? (l'Ile-du-Prince Edouard)
15. le maïs? (Mexique)
16. le flamenco? (Espagne)
17. la Toyota? (Japon)
18. la Volkswagen? (Allemagne)
19. la Rolls-Royce? (Angleterre)
20. l'Alfa-Roméo? (Italie)

C. Substituez au nom souligné les noms entre parenthèses en employant la préposition appropriée:

1. Je vais aller en <u>Angleterre</u> l'an prochain. (Australie, Japon, Mexique, Espagne, Pérou)
2. Nous sommes allés aux <u>Etats-Unis</u> l'été dernier. (Portugal, Chine, Suisse, Chili, Afrique)
3. Je veux aller en <u>Alberta</u> pour les vacances. (Québec, Terre-Neuve, Colombie-Britannique)
4. Est-ce que ton cousin est au <u>Texas</u>? (Vermont, Virginie, Louisiane, Missouri, Floride)
5. Elle vient de <u>Chine</u>. (Japon, Suède, Brésil, Etats-Unis)
6. Je reviens de <u>Terre-Neuve</u>. (Québec, Saskatchewan, Manitoba, Colombie-Britannique, Nouveau Brunswick)

Les noms de nationalité

Countries	Names of Nationalities	
	Masculine	*Feminine*
l'Angleterre	un Anglais	une Anglaise
l'Allemagne	un Allemand	une Allemande
le Canada	un Canadien	une Canadienne
la Chine	un Chinois	une Chinoise
l'Espagne	un Espagnol	une Espagnole
les Etats-Unis	un Américain	une Américaine
la France	un Français	une Française
la Grèce	un Grec	une Grecque
l'Irlande	un Irlandais	une Irlandaise
l'Italie	un Italien	une Italienne
le Mexique	un Mexicain	une Mexicaine
la Russie	un Russe	une Russe
la Suisse	un Suisse	une Suisse
la Suède	un Suédois	une Suédoise

Names of nationalities are capitalized when they are used as nouns to refer to people. Otherwise they are not capitalized:

C'est un Japonais.	He is a Japanese (citizen).
Il est japonais.	He is Japanese.
J'ai une voiture japonaise.	I have a Japanese car.
Il apprend le japonais.	He is learning Japanese.

EXERCICES (ORALEMENT)

A. Répondez aux questions selon le modèle.

> *Modèle:* Est-ce que Pierre est né en France?
> *Oui, c'est un Français.* or il est français

1. Est-ce que Debby est née aux Etats-Unis?
2. Est-ce qu'Elizabeth est née au Canada?
3. Est-ce que Dimitri est né en Russie?
4. Est-ce que Spiros est né en Grèce?
5. Est-ce que Maria est née au Mexique?
6. Est-ce que Heidi est née en Suisse?
7. Est-ce qu'Erin est née en Irlande?
8. Est-ce que Klaus est né en Allemagne?

B. Répondez aux questions:

1. Es-tu canadien(ne)?
2. Est-ce que la Rolls-Royce est une voiture allemande?
3. Est-ce que la Volkswagen est une voiture suisse?
4. Est-ce que l'Ohio est une province canadienne?

un état américain des états-Unis

le flamand (flemish)

5. Est-ce que Dickens est un auteur américain?
6. Est-ce que Madrid est une ville grecque?

7. Quelles sont les langues officielles au Canada? en Belgique? en Suisse?
8. Quelle est la langue officielle du Brésil? du Pérou? de la Suède?

Les moyens de transport

L'avion (**un avion** = a plane)

un aéroport	airport	**un steward**	steward
la douane	customs	**une hôtesse de l'air**	flight attendant
un passeport	passport	**décoller**	to take off *reg "er" verb*
un visa	visa	**atterrir**	to land *reg "ir" verb*
une **un pilote**	pilot		

Le train

une gare	train station	**un aller-retour**	round trip (ticket)
un billet	ticket	**un wagon**	car
un aller simple	one-way (ticket)	**un wagon-restaurant**	diner *un wagon-lit* *une couchette*

Le bateau

un port	harbor	**une cabine**	cabin *not for cabin in woods use le châlet*
une réservation	reservation	**une couchette**	bunk bed
une croisière	cruise	**un pont**	deck

Le métro

une station	station	**un jeton**	token
descendre à une station	to get off at a station	*un ticket (in Montréal)*	

L'autobus *une gare routière (CN station)*

un terminus	bus station	**un conducteur/ une conductrice**	driver
un arrêt	bus stop	**un express**	express bus

Le taxi

un chauffeur	driver	**un pourboire**	tip
un client/ une cliente	customer	**payer la course**	to pay the fare

L'automobile

un/une auto-mobiliste	car driver	**un chauffeur**	driver
un conducteur/ une conductrice	driver	**un passager/ une passagère**	passenger
monter en voiture	to get in a car		
descendre de voiture	to get out of a car		

A pied (on foot)

aller (à l'université)   to go (to the university)
  à pied   on foot
marcher   to walk
faire une promenade   to take a walk
traverser la rue   to cross the street
le trottoir   the sidewalk

[handwritten: with marcher you don't give a destination]

[handwritten: Je vais à l'école à pied.]

Note the following contrasts:

1) — **aller à** . . . **en** avion, **en** train, etc.   *[handwritten: by train]*
    — **prendre** l'avion (le train, etc.) **jusqu'à** . . .

       Je vais à Montréal en train.
       Je prends le train jusqu'à Montréal.

2) — **dans** l'avion, **dans** le train, **dans** l'autobus (on a plane, a train or a bus); *[handwritten: in a train]*
    — **sur le bateau** (on a boat).

3) — **les passagers** is used for plane or boat passengers;
    — **les voyageurs** is used for train or bus passengers.

EXERCICES (ORALEMENT)

A. Répondez par une phrase complète selon le modèle.

> *Modèle:* Comment es-tu allé(e) à New York?
>   *J'y suis allé(e) en avion/en train/en voiture.*

Comment es-tu allé(e) à Londres? à Paris? à la bibliothèque?
    à Cuba? au magasin? à l'Ile-du-Prince-Edouard?
    à Montréal? à Vancouver? en Chine? aux Etats-Unis?
    à Toronto? à Terre-Neuve? à la station Henri-Bourassa? *[handwritten: en métro]*
    au cinéma? au zoo?

[handwritten: à bicyclette en bateau]

B. Répondez aux questions:

1. A quel aéroport prenez-vous généralement l'avion?
2. As-tu peur quand l'avion décolle? quand il atterrit?
3. Que fait une hôtesse de l'air? un steward?
4. Où est-ce qu'on prend le train?
5. Faut-il faire une réservation pour
    prendre le bateau?
6. As-tu déjà fait une croisière en bateau?
7. Où peut-on acheter des jetons de métro?
8. Est-ce qu'un autobus express fait beaucoup d'arrêts?
9. Est-ce que tu donnes des pourboires aux chauffeurs de taxi?

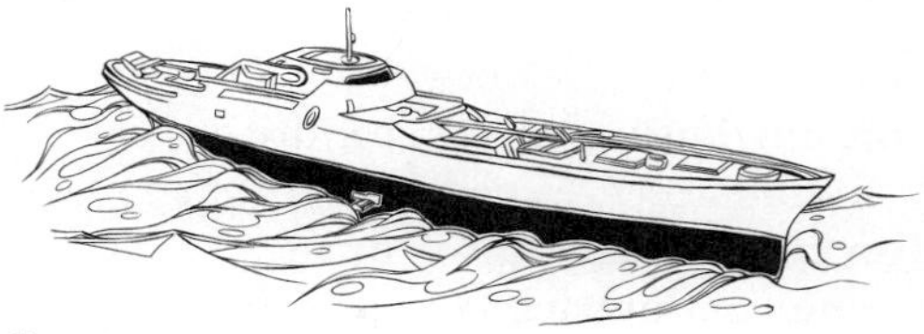

C. Rendez-vous d'un endroit à un autre et utilisez le plus grand nombre de moyens de transport.

> *Exemple:* J'ai pris l'avion jusqu'à Paris, ensuite j'ai pris le train jusqu'à Marseilles, ensuite . . .

EXERCICES ECRITS
>>>>>>>>

A. Mettez les verbes au passé composé. Faites attention à l'accord du participe passé:

1. Hier soir, Ariane (sortir) _____ avec Frédéric. Ils (aller) _____ à une agence de voyages.
2. Lise (venir) _____ m'apporter un itinéraire de vacances.
3. Les enfants (arriver) _____ de l'école à quatre heures et ils (monter) _____ à leur chambre pour changer de vêtements.
4. Après les cours, Rose (rester) _____ à la bibliothèque pour faire sa _____ composition.
5. Mes parents (partir) _____ en vacances.
6. La grand-mère de Simon (mourir) _____ il y a deux jours.
7. Marguerite (naître) _____ au Canada mais elle (aller) _____ habiter les Etats-Unis.
8. Il (tomber) _____ quand il (descendre) _____ du toit.
9. Nos amis (retourner) _____ au Manitoba.
10. Après leurs études, elles (devenir) _____ hôtesses de l'air.

B. Répondez aux questions affirmativement. Employez *y* ou *en*.

> *Modèles:* Vas-tu <u>à Montréal</u>?
> *J'y vais.*
> As-tu <u>un ticket d'autobus</u>?
> *J'en ai un.*

1. Sont-ils allés <u>au cinéma</u> hier soir?
2. Est-il retourné <u>au Québec</u>?
3. Est-elle partie <u>de Vancouver</u>?
4. Est-ce qu'elles font <u>du ski</u>?
5. Est-il revenu <u>de voyage</u>?
6. Est-ce que René est <u>dans le jardin</u>?
7. A-t-elle répondu <u>aux questions</u>?
8. Est-ce qu'ils veulent réfléchir <u>à notre proposition</u>?
9. Est ce-qu'il a acheté <u>un vélo</u>?
10. As-tu beaucoup <u>de travail</u>?
11. Ont-elles apporté <u>des brochures</u>?
12. Est-ce qu'il pense acheter <u>deux bicyclettes</u>?
13. Est-ce qu'elle prend <u>des vitamines</u>?
14. Descends-tu <u>du train</u>?
15. Achètes-tu <u>des billets</u>?
16. Vont-ils <u>aux Etats-Unis</u>?
17. Etes-vous resté(e)s longtemps <u>au Manitoba</u>?
18. Réfléchis-tu <u>à ce projet</u>?
19. Avez-vous <u>des réservations</u>?
20. Pensez-vous prendre <u>une couchette</u>?

C. Répondez aux questions par des phrases complètes:

1. Combien de compositions françaises as-tu écrites?
2. Quel livre lis-tu en ce moment?
3. A qui écris-tu des lettres? *J'en écris à mes amis.*
4. Quel journal as-tu lu récemment?
5. Avec qui est-ce que tu ris?
6. A qui souris-tu généralement?

D. Répondez aux questions affirmativement selon le modèle. Employez un pronom personnel objet direct ou le pronom *en*. Faites attention à l'accord du participe passé.

Modèle: As-tu acheté cette voiture?
Oui, je l'ai achetée.

1. A-t-elle compris cette leçon?
2. As-tu écouté ce disque?
3. A-t-il fini sa croisière?
4. As-tu réservé la chambre?
5. A-t-il acheté des jetons de métro?
6. As-tu regardé des photos?
7. Ont-ils rapporté des souvenirs?
8. As-tu regardé le tableau de l'horaire?
9. As-tu appris la leçon? *apprise*
10. As-tu lu ces dépliants publicitaires? *Je les ai lus*
11. A-t-elle fait des voyages?
12. As-tu pris ma valise? *Je l'ai prise*
13. As-tu lu mes cartes postales? *Je les ai lus*

E. Employez la préposition correcte:

1. Terre des Hommes est _____ Montréal mais la Tour du CN est _____ Toronto.
2. L'Assemblée Nationale est _____ Québec mais _____ Ontario, _____ Ottawa, il y a la colline parlementaire.
3. La Maison Blanche est _____ Washington, Etats-Unis, mais _____ Moscou, Russie, il y a le Kremlin.
4. Le stade olympique est _____ Montréal mais le Stampede est _____ Calgary, _____ Alberta.

F. Transformez les phrases en mettant les verbes soulignés au passé composé. (Attention à l'accord du participe passé.)

Modèle: Quelle revue lis-tu?
Quelle revue as-tu lue?

1. Quel cours choisit-il?
2. La voiture qu'il achète coûte cher.
3. Quels films regardes-tu?
4. Quel livre écrit-il? *a-t-il écrit?*
5. C'est la chemise que j'achète.

G. Répondez affirmativement selon le modèle.

Modèle: Est-ce qu'elle est née en Angleterre?
Oui, elle est anglaise.

1. Est-ce qu'il est né au Canada?
2. Est-ce qu'il est né au Japon?
3. Est-ce qu'elle est née en Irlande?
4. Est-ce qu'il est né aux Etats-Unis?

5. Est-ce qu'elle est née en Italie?

6. Est-ce qu'elle est née en Espagne?

7. Est-ce qu'il est né au Mexique?

8. Est-ce qu'il est né en Allemagne?

9. Est-ce qu'elle est née en Russie?

10. Est-ce qu'il est né au Québec?

H. Indiquez les moyens de transport appropriés.

> *Modèle:* Comment peut-on aller à New York?
>> *On peut aller à New York en avion, en train, en autobus et en automobile.* *à pied*

Comment peut-on aller . . .

1. à Vancouver?

2. à l'université?

3. en Alaska?

4. en Angleterre?

5. à Montréal

6. à Terre-Neuve?

7. au centre-ville?

8. en Louisiane?

LECTURE

Le Yukon et l'Alaska, deux trajets époustouflants.

Vous avez l'intention de venir en vélo, en autobus, en voiture, en avion ou alors en bateau? Le Yukon et l'Alaska vont vite vous enchanter et ça naturellement, tout comme quand quelqu'un vous est instantanément sympathique.

Je vous propose deux intinéraires, un au Yukon et l'autre en Alaska et j'espère que vous allez prendre la peine d'examiner vos options avant de suivre mes suggestions. J'ai pédalé sur presque toutes les routes de la région, je peux vous assurer qu'elles ont toutes un cachet bien spécial. Rappelez-vous simplement que les routes principales sont pour la plupart pavées en Alaska et partiellement pavées au Yukon, et comptez sur les chaînes de

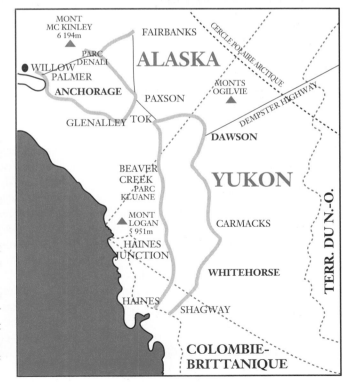

montagnes à traverser pour vous donner une idée des côtes à monter (et à descendre!). Règle générale, les côtes sont longues et douces, certaines sont courtes et à pic. Ailleurs le terrain est normalement vallonné ou plat.

    Situé à 384 km au nord d'Anchorage et à 192 km de Fairbanks, le Parc National Denali s'étand sur une superficie de plus de 24 millions de km². La seule route existante fait 136 km avec seulement les 20 premiers accessibles aux véhicules motorisés privés. Le reste ne peut être visité qu'en autobus ou ... en vélo! Tout comme le Dempster Highway au Yukon, cette route vous offre des panoramas sans précédent. En plus du Mont McKinley (6194 m — le plus haut sommet en Amérique du Nord), vous pouvez y voir plusieurs des 157 espèces d'oiseaux, des 37 espèces de mammifères et des 500 sortes de fleurs sauvages. De quoi perdre le souffle!

    Les étés dans le parc sont généralement frais, pluvieux et venteux car le Mont McKinley crée ses propres conditions atmosphériques. Il y fait en moyenne de 2° à 20°C et il peut neiger à tous les mois de l'année. Donc apportez des vêtements chauds, en plus d'un insecticide, votre caméra et enfin vous jumelles, si vous avez de la place.

    Il y a en tout 225 sites de camping dans le parc et il faut obtenir un permis de 14 jours. La demande est forte pour les permis et il est suggéré de faire la queue le matin pour avoir une chance. Finalement le monde inouï du parc Denali devient vôtre, surtout si vous avez choisi de vous y aventurer en vélo. La route est de terre battue avec montées et descentes spectaculaires à tous points de vue. Gardez les yeux ouverts, spécialement pour les caribous et les ours gris. Ces derniers n'aiment pas les photographes surtout quand il sont trop près et ils détestent les cyclistes qui ont tendance à les surprendre.

Tout cela fait partie de l'aventure incroyable que vous réservent l'Alaska et le Yukon.

(Article de Louis Julien, publié dans le magazine Vélo Mag, Mai 1990)

(s')aventurer	to venture	**ouvert, erte**	open
ailleurs	elsewhere	**pavé(e)**	paved
battu(e)	beaten	**pédaler**	to pedal
cachet (m.)	character	**peine** (f.)	trouble
côte (f.)	slope	**perdre**	to lose
court, courte	short	**(à) pic**	straight down
disponible	available	**plat, plate**	flat
donc	so	**(la) plupart**	most people
doux, douce	soft	**plusieurs**	many
encore moins	even less	**pluvieux, ēuse**	rainy
époustouflant, ante	staggering	**près**	near
espérer	to hope	**presque**	almost
(s')étendre	to stretch out	**propre**	own
fort, forte	heavy	**quelqu'un**	someone
garder	to keep	**sauvage**	wild
gris, grise	gray	**simplement**	simply
inouï(e)	incredible	**sommet** (m.)	summit
incroyable	unbelievable	**souffle** (m.)	breath
jumelles (f.)	binoculars	**suivre**	to follow
lecteur, trice	reader	**surtout**	above all
mammifère (m.)	mammal	**terre** (f.)	land
mettre	to put	**traverser**	to cross
montée (f.)	climb	**vallonné(e)**	undulating
moyenne (f.)	average	**venteux, euse**	windy
obtenir	to obtain	**vôtre**	yours
ours (m.)	bear		

QUESTIONS

1. Nommez les deux itinéraires que propose l'auteur?
2. Où a-t-il pédalé?
3. Comment sont les routes principales? Et ailleurs?
4. Parlez du Parc Denali. Ou est-il situé? Sa superficie? Quels véhicules peuvent y accéder? Qu'est-ce qu'on y trouve? Comment est la température?
5. Que suggère-t-il d'apporter?
6. Combien de sites de camping y a-t-il?
7. Que faut-il obtenir d'abord? Pour combien de temps?
8. Comment sont les routes du parc?
9. Pourquoi garder les yeux ouverts?

SITUATIONS / CONVERSATIONS
>>>>>>>>

1. Racontez un voyage que vous avez fait.

    Pourquoi êtes-vous allé(e) à cet endroit? Avec qui? Y êtes-vous allé(e) en avion, en train, en auto? Qu'est-ce que vous avez emporté? Qu'est-ce que vous avez visité? Quand êtes-vous parti(e) et revenu(e)? Qui avez-vous rencontré? etc.

2. Qu'avez-vous fait pendant vos vacances l'été dernier? L'hiver dernier?

    Réponses possibles: visiter un endroit, voir mes parents, faire des sports, aller à la mer, prendre du repos, faire du ski, faire un voyage, etc.

3. Quels pays ou quelles villes désirez-vous visiter et pour quelles raisons?

    Raisons: la montagne, la mer, la plage, le climat, la nature, les sites, les monuments, les restaurants, les sports, les vestiges des différentes civilisations, l'héritage national, la langue, les coutumes, le paysage, etc.

4. Racontez un incident désagréable qui vous est arrivé en voyage.

    Quand est-ce arrivé? A quel endroit? A quel moment? Qu'est-ce que vous avez fait ou dit? etc.

5. Avez-vous déjà voyagé en avion, en bateau, en train? Racontez votre premier voyage.

6. De tous les moyens de transport, lequel préférez-vous et pour quelles raisons?

7. Qu'est-ce qu'une automobile représente pour vous?

    Est-elle une nécessité? A quoi sert-elle? Est-elle à l'image de votre personnalité?

8. Présentez-vous au comptoir d'Air Canada, du Canadien, de l'Autobus Voyageur, ou de la Compagnie transatlantique et achetez des billets pour un voyage. Un(e) étudiant(e) joue le rôle du/de la client(e); un(e) autre étudiant(e) le rôle de l'employé(e).

COMPOSITIONS
>>>>>>>

1. Racontez un voyage exceptionnel que vous avez fait. Comment avez-vous voyagé? Avec qui? Qu'est-ce que vous avez visité?

2. Existe-t-il un pays où vous souhaitez vivre? Pour quelles raisons?

3. Imaginez une conversation entre deux passagers d'un vol aérien.

4. Racontez un accident que vous avez eu dans le passé.

PRONONCIATION
(This exercise is at the end of Leçon 9 on the tape.)

I. La voyelle nasale /ɛ̃/

The nasal vowel /ɛ̃/ is associated with the spellings **aim, ain, ein, eim, in, im, yn** and **ym**.

Répétez:

pain	mince	symbole
rein	impur	syndicat
daim	saint	indécis
vin	ceinture	plainte

It is also associated with the spelling **-en** after **é, i** or **y** and with the spelling **in** after **o**:

Répétez:

Européen	loin	mien
bien	coin	tien
rien	soin	sien
moyen	foin	citoyen

II. Contraste /ɛ̃/ — /ɛn/

Répétez:

plein/pleine	canadien/canadienne
vain/vaine	américain/américaine
chien/chienne	musicien/musicienne
mien/mienne	européen/européenne

Chapitre dix

Arts et spectacles

VOCABULAIRE UTILE

alto (m.)	viola	**commencement** (m.)	beginning
amoureux, euse	in love	**(se) costumer**	to put on fancy dress
aquarelle (f.)	watercolor	**craie** (f.)	chalk
bois (m.)	wood	**écouteur** (m.)	earphone
calculatrice (f.)	calculator	**éloge** (m.)	praise
chanteur, euse	singer	**émission** (f.)	programme
chaudement	warmly	**emprunter**	to borrow
chevalet (m.)	easel	**endroit** (m.)	place
cheveux (m.)	hair	**facile**	easy

faux, fausse	false	**pénible**	hard
feu rouge (m.)	red light	**personnage** (m.)	character
folie (f.)	madness	**pièce de théâtre** (f.)	play
four (m.)	flop	**pinceau** (m.)	brush
goût (m.)	taste	**prix** (m.)	price
heureux, euse	happy	**réduit(e)**	reduced
histoire (f.)	story	**réel(le)**	real
huile (f.)	oil	**représentation** (f.)	performance
jeu (m.)	acting	**salle** (f.)	theater
jumeaux, elles	twins	**salle de bain** (f.)	bathroom
loin	far	**siècle** (m.)	century
maître (m.)	master	**spectacle** (m.)	show
méchant, ante	nasty	**succès** (m.)	success
mémoire (m.)	memory	**tâche** (f.)	task
metteur en scène (m.)	producer	**tambour** (m.)	drum
merveilleux, euse	marvelous	**tournée** (f.)	tour
mise en scène	production	**trac** (m.)	stage fright
oeuvre (f.)	work	**troupe** (f.)	company
orgue (m.)	organ	**tutu** (m.)	ballet skirt
partition (f.)	score	**véritable**	genuine
peindre	to paint	**violoncelle** (m.)	cello
peinture (f.)	paint	**vrai(e)**	true

GRAMMAIRE ET EXERCICES ORAUX

➤➤➤➤➤➤➤➤

Les verbes pronominaux

Pronominal Verbs

Pronominal verbs are used with a reflexive pronoun which represents the same person or thing as the subject. The reflexive pronoun is placed before the verb and must agree with the subject: **me, te, se, nous, vous** are reflexive pronouns.

Here are the present indicative forms of **se laver** (to wash). Note the correspondences between subject pronouns and reflexive pronouns:

je me lave	I wash (myself)
tu te laves	you wash (yourself)
il se lave	he washes (himself)
elle se lave	she washes (herself)
on se lave	one washes (oneself)
nous nous lavons	we wash (ourselves)

je me lavais

je ne me lave pas

nous ne nous lavons

> **vous vous lavez**   you wash (yourself/yourselves)
> **ils se lavent**   they wash (themselves)
> **elles se lavent**   they wash (themselves)

The reflexive pronouns **me, te** and **se** become **m', t'** and **s'** before a vowel sound: **je m'habille** (I get dressed). The reflexive pronoun is placed immediately before the verb in the negative and interrogative constructions as well:

> Elle ne s'habille pas.
> Se lave-t-elle?

The reflexive pronoun may be either the direct object or the indirect object of the verb. Compare:

	Nonreflexive Construction	*Reflexive Construction*
Direct Object	Elle regarde la fleur.	Elle se regarde.
Indirect Object	Il parle à Jean.	Il se parle.

Meaning of Pronominal Verbs

Pronominal verbs indicate that the action of the verb is reflected back upon the subject. With a singular or plural subject, the verb usually indicates a *reflexive* action:

Je me regarde.	I look at myself.
Il se parle.	He is talking to himself.

With a plural or compound subject, the verb may indicate a *reciprocal* action:

Alain et Suzanne se regardent.	Alain and Suzanne are looking at each other.
Nous nous parlons.	We talk to each other (one another).

Some Regular -er Pronominal Verbs

s'arrêter	(to stop)	Il s'arrête au feu rouge.
se brosser	(to brush)	Elle se brosse les dents.
se coucher	(to go to bed)	Ils se couchent tôt.
s'habiller	(to dress)	Pierre s'habille bien.
s'inquiéter	(to worry)	Je m'inquiète parce qu'il est en retard.
se lever	(to get up)	Les enfants se lèvent tard le samedi.
se maquiller	(to put on make up)	Ma soeur se maquille beaucoup.
se peigner	(to comb)	Je me peigne les cheveux.
se préparer	(to get ready)	Je me prépare pour le concert.
se promener	(to take a walk)	Nous nous promenons dans la Place des Arts.
se rencontrer	(to meet)	Vous vous rencontrez en face du cinéma.
se reposer	(to rest)	Il se repose après son spectacle.
se ressembler	(to resemble)	Les jumeaux se ressemblent.
se téléphoner	(to phone)	Ils se téléphonent souvent.

add →

➤ **Note:** All of these verbs are used in nonflexive constructions as well. Similarly, many other verbs which have been presented so far may also be used pronominally.

EXERCICES (ORALEMENT)

A. Remplacez les tirets par la forme correcte du verbe.

1. se réveiller tôt
   Je _____ .
   Elle _____ .
   Vous _____ .
   Ils _____ .

2. se coucher tard
   Nous _____ .
   Elles _____ .
   Vous _____ .
   Tu _____ .

3. s'habiller rapidement
   Je _____ .
   Tu _____ .
   Ils _____ .
   Nous _____ .

4. se peigner les cheveux
   Vous _____ .
   Tu _____ .
   Il _____ .
   Elle _____ .

5. se brosser les dents
   Il _____ .
   Tu _____ .
   Nous _____ .
   Vous _____ .

6. s'endormir doucement
   Je _____ . *m'endors*
   Ils _____ . *s'endorment*
   Tu _____ . *t'endors*
   Vous _____ .

B. Répondez aux questions affirmativement et négativement:

1. Est-ce que tu te laves le matin?
2. Est-ce que nous nous reposons en vacances?
3. Vous préparez-vous pour l'examen?
4. Est-ce que les chats et les chiens s'aiment bien?
5. Est-ce que je me promène dans la classe?
6. Les étudiants se rencontrent-ils au cinéma?
7. Est-ce que nous nous téléphonons?
8. Est-ce que vous vous inquiétez à cause du spectacle? *nous nous inquiétons.*
9. Est-ce que Roméo et Juliette s'aiment?
10. Est-ce que tu te regardes souvent dans le miroir?
11. Est-ce que vous vous parlez quand vous avez le trac? *stage fright*
12. T'habilles-tu avec élégance?

C. Demandez à un(e) autre étudiant(e) s'il/si elle . . .

1. se lave.
2. se promène dans les bois.
3. s'habille chaudement.
4. se repose à midi.
5. s'arrête au feu rouge.
6. se prépare pour l'examen.
7. se promène avec vous.
8. se lève tôt.
9. s'inquiète à cause de son audition.
10. se maquille.

D. Répondez aux questions:

1. Où les étudiants se rencontrent-ils? *à la cafeteria*
2. Pourquoi s'habille-t-on élégamment pour le concert? *c'est une soirée formelle*

Pour ne pas être banni (handwritten)

dans mon quartier ou mon voisinage (neighborhood) (handwritten)

3. Pourquoi se lave-t-on?
4. Quand est-ce que tu te laves?
5. Pourquoi t'inquiètes-tu?
6. Où te promènes-tu?
7. Quand est-ce que vous vous téléphonez, tes parents et toi?

8. Est-ce que tes parents s'inquiètent à cause de toi?
9. Est-ce que vous vous ressemblez, ton père et toi? ta mère et toi?
10. Est-ce que tu t'habilles à la mode?
11. Quand est-ce que tu te reposes?

Verbes pronominaux à sens idiomatique

A number of pronominal verbs do not indicate a reflexive or reciprocal action but have an idiomatic meaning. Some of these verbs only exist in the pronominal form, like **se méfier de** (to mistrust/to distrust) or **se souvenir de** (to remember). They may also be verbs whose pronominal form has a meaning which is different from their nonpronominal form:

je m'en suis allé (handwritten)
je m'en allais (handwritten)

aller	to go	**s'en aller**	to go away/to leave =partir
appeler	to call	**s'appeler***	to be named
attendre	to wait	**s'attendre à**	to expect
entendre	to hear	**s'entendre avec**	to get along with
rendre	to give back	**se rendre à**	to go to = aller à
servir	to serve	**se servir de**	to use = employer, utiliser
trouver	to find	**se trouver**	to be located

EXERCICES (ORALEMENT)

A. Répondez aux questions affirmativement et négativement:

1. Est-ce que tu t'en vas après la classe?
2. Est-ce que tu t'appelles Marc?
3. Est-ce que tu t'appelles Sylvie?
4. Est-ce que je m'appelle Gaston?
5. Est-ce que tu t'entends avec tes parents?
6. Le chef d'orchestre s'entend-il bien avec les musiciens?
7. Les artistes s'entendent-il bien ensemble?
8. Est-ce que vous vous rendez au théâtre après la classe?
9. Est-ce que tu te rends souvent à Montréal en train?
10. Est-ce que le metteur en scène s'attend à des miracles?
11. Est-ce que vous vous attendez à un four?
12. Est-ce que tu te sers d'un pinceau?
13. Est-ce que je me sers de gouache?
14. Est-ce qu'on se sert de peinture pour une aquarelle?
15. Est-ce que l'acteur se sert de sa mémoire?

* **S'appeler** may also have a reciprocal meaning, i.e., "Ils s'appellent au téléphone." (They call each other on the phone.)

16. Est-ce que tu te souviens du chapitre un?
17. Est-ce que les vieux acteurs se souviennent de leur rôle?
18. Vous souvenez-vous de la première heure de cours?
19. Est-ce que tu te méfies de tout le monde?
20. Est-ce que les artistes se méfient des critiques?
21. Est-ce que le théâtre se trouve au centre-ville?

B. Demandez à un(e) autre étudiant(e) s'il/si elle . . .

1. s'entend bien avec les artistes.
2. se sert d'un ordinateur.
3. se souvient de sa première pièce de théâtre.
4. se rend chez lui/elle après la classe.
5. s'attend à un succès.
6. s'attend à avoir de bonnes notes en interprétation.
7. s'appelle Honoré.
8. s'en va après la classe.
9. se met au travail.
10. se sert de peinture à l'huile.
11. se méfie des critiques.
12. s'attend à des éloges.
13. se souvient de la date de l'exposition.

C. Répondez aux questions:

1. De quoi te sers-tu pour peindre?
2. Où se trouve le studio?
3. Dans quelle ville se trouve la Place des Arts?
4. A quel genre de film est-ce que tu t'attends?
5. Avec qui t'entends-tu bien?
6. Avec qui est-ce que tu ne t'entends pas bien?
7. Est-ce que je me souviens de tous vos noms?
8. Comment s'appelle ton actrice favorite?
9. Comment est-ce que je m'appelle?
10. Comment t'appelles-tu?
11. De quoi nous servons-nous pour faire une aquarelle?
12. Où est-ce que tu te rends après la classe?

Place et forme du pronom réfléchi (suite)

When the pronominal verb is used in the affirmative imperative, the reflexive pronoun is placed after the verb. The reflexive pronoun **te** becomes **toi**. Compare:

Declarative	*Imperative*
Tu t'habilles.	Habille-toi.
Nous nous habillons.	Habillons-nous.
Vous vous habillez.	Habillez-vous.

When the verb is in the negative imperative, the reflexive pronoun remains before the verb:

Ne t'habille pas.   Ne nous habillons pas.   Ne vous habillez pas.

When the pronominal verb is used in the infinitive form after another conjugated verb, the reflexive pronoun must agree with the subject of that verb:

Je dois m'habiller.   Nous voulons nous promener.
Tu dois te laver.   Vous pouvez vous reposer.
Il aime se regarder.   Ils veulent se téléphoner.
Elle ne veut pas s'en aller.   Elles doivent s'arrêter.
On doit se préparer.

EXERCICES (ORALEMENT)

A. Dites à un(e) autre étudiant(e) de . . .

Modèles: s'en aller.
Va-t'en.
ne pas s'inquiéter.
Ne t'inquiète pas.

1. s'attendre à des difficultés.
2. se servir d'un microphone.
3. ne pas s'arrêter.
4. ne pas s'en aller.
5. se rendre au concert.
6. ne pas s'attendre à un four.
7. se mettre au travail.
8. se trouver au studio à six heures.
9. se préparer à une surprise.
10. ne pas se servir de votre chevalet.
11. se promener avec son chien.
12. se reposer.
13. ne pas se laver maintenant.

B. Demandez à un(e) autre étudiant(e) s'il/si elle . . .

Modèle: veut s'en aller.
Veux-tu t'en aller?

1. doit se rendre au musée.
2. aime se servir d'un ordinateur.
3. déteste se costumer.
4. espère pouvoir se reposer.
5. doit se préparer pour un concert.
6. sait se servir d'une craie.
7. peut se souvenir de la date du ballet.
8. compte se rendre à Montréal bientôt.
9. veut s'habiller à la mode.

Place des pronoms objets avant le verbe

Direct and indirect object pronouns along with **y** and **en** may be used in various combinations before a verb. The sequence in which they are placed is the following:

me	+	le	+	lui	+	y	+	en
te		la		leur				
se		les						
nous								
vous								

N.B. when i.o. and d.o. pronouns are in the ~~same~~ 3rd person in subject + verb construction, d.o. pronoun goes first. When person of pronouns mixed, subj. + i.o. + d.o.

Arts et spectacles 193

Exemples: Il <u>me</u> rend <u>mon</u> livre. ———→ Il <u>me le</u> rend.

Il <u>lui</u> rend <u>son</u> livre. ———→ Il <u>le lui</u> rend.

Il <u>y</u> a <u>des livres</u> ici. ———→ Il <u>y en</u> a ici.

Je <u>leur</u> donne <u>des livres</u>. ———→ Je <u>leur en</u> donne.

"en" is always in the 2nd position.

In the negative, **ne** precedes the pronouns which precede the verb:

Il <u>ne</u> nous le donne pas.

In a question using inversion, the pronouns also precede the verb:

<u>Vous les</u> donne-t-il?

When an infinitive follows another conjugated verb, the pronouns precede the infinitive:

Elle veut <u>me les</u> donner.

When the verb is in the **passé composé**, the pronouns precede the auxiliary verb:

Il ne <u>m'en</u> a pas donné.

Nous <u>le lui</u> avons prêté.

EXERCICES (ORALEMENT)

A. Répondez aux questions d'après le modèle.

Modèle: Est-ce que tu me rends <u>mon livre</u>?
Oui, je te le rends.

1. Est-ce que tu lui donnes <u>ton livre</u>?
2. Est-ce que tu lui donnes <u>le tableau</u>?
3. Est-ce que tu lui donnes <u>les billets de théâtre</u>?
4. Est-ce que tu leur prêtes <u>ton violon</u>?
5. Est-ce que tu leur prêtes <u>ton ordinateur</u>?
6. Est-ce que tu leur prêtes <u>tes costumes</u>?
7. Est-ce que tu me rends <u>ma cravate</u>?
8. Est-ce que tu me rends <u>mon pinceau</u>?
9. Est-ce que tu me rends <u>mes disques</u>?
10. Est-ce que tu nous rends <u>nos magazines</u>?
11. Est-ce que tu nous rends <u>notre chevalet</u>?
12. Est-ce que tu nous rends <u>nos photographies</u>?
13. Est-ce que tu le prêtes <u>à Serge</u>?
14. Est-ce que tu le donnes <u>à Monique</u>?
15. Est-ce que tu le vends <u>aux Archambault</u>?
16. Est-ce que tu la rends <u>aux danseurs</u>?
17. Est-ce que tu les donnes <u>aux musiciens</u>?

B. Même exercice.

Modèle: Est-ce que tu lui as prêté <u>la voiture</u>?
Oui, je la lui ai prêtée.

1. Est-ce que tu leur as prêté <u>le cahier</u>?
2. Est-ce que tu leur as prêté <u>la partition</u>?
3. Est-ce que tu leur as prêté <u>tes tambours</u>?
4. Est-ce que tu lui as donné <u>les tutus</u>? m.

Je la leur ai prêtée

5. Est-ce que tu lui as donné le film?
6. Est-ce que tu lui as donné ta flûte?
7. Est-ce que tu m'as prêté ta caméra?
8. Est-ce que tu m'as prêté tes disques?
9. Est-ce que je t'ai emprunté ton livre?
10. Est-ce que je t'ai emprunté tes jumelles?
te me les as empruntées

11. Est-ce que tu les as prêtés à Jean?
12. Est-ce que tu les as donnés aux chanteurs?
13. Est-ce que tu les as empruntés aux Brault?
14. Est-ce que tu les as vendus à Réjeanne?

C. Même exercice.

> *Modèle:* Est-ce que tu leur donnes beaucoup d'argent?
> *Oui, je leur en donne beaucoup.*

1. Est-ce que tu lui empruntes de l'argent?
2. Est-ce que tu lui empruntes beaucoup d'argent?
3. Est-ce que tu lui donnes assez d'argent?
4. Est-ce que tu lui donnes de l'argent?
5. Est-ce que tu lui sers du vin?
6. Est-ce que tu lui sers de la bière?
7. Est-ce que tu lui donnes des disques?
8. Est-ce que tu leur prêtes des photographies?
9. Est-ce que tu lui empruntes un livre?
10. Est-ce que tu lui vends une sculpture?
11. Est-ce que tu lui prépares deux sandwiches?
12. Est-ce que tu leur donnes trois chèques?
13. Est-ce que tu lui parles de tes problèmes?
14. Est-ce que tu leur parles de tes projets?

15. Est-ce que tu lui as donné des conseils?
16. Est-ce que tu leur as servi du champagne?
17. Est-ce que tu lui as emprunté de la peinture?
18. Est-ce que tu lui as prêté un peu d'argent?
19. Est-ce que tu leur as acheté un piano?
20. Est-ce que tu leur as acheté un orgue?
21. Est-ce que tu leur as vendu des tableaux?
22. Est-ce qu'il y a de l'eau?
23. Est-ce qu'il y a du vin?
24. Est-ce qu'il y a des comédiens?
25. Est-ce qu'il y a beaucoup de comédiennes?
26. Est-ce qu'il y a trois représentations?

D. Même exercice.

> *Modèle:* Veux-tu m'emprunter de l'argent?
> *Oui, je veux t'en emprunter.*

1. Vas-tu me vendre des disques?
2. Vas-tu me servir du café?
3. Veux-tu me prêter de l'argent?
4. Veux-tu lui donner un tableau?

5. Dois-tu leur donner des livres?
6. Dois-tu leur donner de l'argent?
7. Peux-tu me prêter un chevalet?

E. Même exercice.

> *Modèle:* Veux-tu me donner ta bicyclette?
> *Oui, je veux te la donner.*

1. Peux-tu me passer <u>le microphone</u>?
2. Veux-tu me prêter <u>tes écouteurs</u>?
3. Vas-tui lui acheter <u>cette radio</u>?
4. Est-ce que je vais vous rendre <u>vos partitions</u>?
5. Est-ce que tu peux me prêter <u>tes notations musicales</u>?
6. Est-ce que vous devez me donner <u>vos compositions</u>?
7. Est-ce que tu dois leur rendre <u>ces costumes</u>?
8. Est-ce que tu veux me vendre <u>la sculpture</u>?
9. Est-ce que tu vas nous vendre <u>tes figurines</u>?
10. Est-ce que tu vas leur vendre <u>cette statue</u>?

Depuis + présent de l'indicatif

The present tense is used in conjunction with the preposition **depuis** to indicate that an action or condition began in the past and is still going on in the present. This corresponds to the use of the present perfect with "since" and "for" in English.

1) **Depuis quand?** (Since when/How long)
   The preposition **depuis** may be followed by an expression which indicates the point in time when the action or condition began: it then has the meaning of "since". **Depuis quand** is used in a question which would elicit such an answer:

   > **Depuis quand est-il malade? — Depuis mardi.**
   > Since when has he been sick? — Since Tuesday.

   > **Nous étudions le français depuis le mois de septembre.**
   > We have been studying French since September.

2) **Depuis combien de temps?** (How long/For how long)
   Depuis may also be followed by an expression indicating the length of time during which the action or condition has been going on. In this instance, its meaning corresponds to "for". **Depuis combien de temps** is used in the corresponding question:

   > **Depuis combien de temps travaille-t-il?**
   > **— Depuis deux ans.**
   > How long has he been working?
   > — For two years.

   > **Il est malade depuis une semaine.**
   > He has been sick for a week.

EXERCICES (ORALEMENT)

A. Répondez aux questions d'après le modèle.

   Modèle: Depuis quand es-tu ici? (hier)
   > *Je suis ici depuis hier.*

nous y sommes depuis

je le joue

1. Depuis quand sommes-nous dans la salle de théâtre? (10h30)
2. Depuis quand étudies-tu la musique? (septembre) *j'étudie depuis*
3. Depuis quand fais-tu du piano? (1980) *j'en fais depuis*

4. Depuis quand est-ce que tu joues ce personnage? (l'an dernier)
5. Depuis quand est-il malade? (dimanche)
6. Depuis quand sortent-ils ensemble? (le commencement des cours)

B. Répondez aux questions d'après le modèle.

> *Modèle:* Depuis combien de temps sommes-nous dans la classe? (une demi-heure)
> *Nous sommes dans la classe depuis une demi-heure.*

1. Depuis combien de temps fait-il froid? (deux semaines)
2. Depuis combien de temps pleut-il? (trois jours)
3. Depuis combien de temps as-tu mal à la tête? (10 minutes)
4. Depuis combien de temps est-ce que je parle? (une heure)
5. Depuis combien de temps vas-tu à l'académie de danse? (six mois) *il y vais depuis*

6. Depuis combien de temps est-ce qu'elle s'habille? (une demi-heure)
7. Depuis combien de temps est-il dans la salle de bain? (20 minutes) *il y est depuis*
8. Depuis combien de temps est-ce qu'il est pianiste? (3 mois)
9. Depuis combien de temps sont-ils là? (5 jours)

remember inversion

C. Voilà la réponse. Posez la question appropriée, soit avec *depuis quand*, soit avec *depuis combien de temps*:

1. Il a le rôle depuis trois jours.
2. Nous nous promenons depuis ce matin.
3. Elle se repose depuis dix minutes.
4. Ils s'aiment depuis dix ans. *s'aiment-t-il*
5. Je fais de la fièvre depuis samedi.
6. Elle regarde la télé depuis cet après-midi.
7. Il fait de la danse depuis un mois.
8. Elle se prépare depuis deux heures.
9. Il est en tournée depuis l'an dernier.

10. Nous travaillons dans cette troupe depuis 1975.
11. Ils se promènent depuis dix heures du matin.
12. Il dort depuis hier soir.
13. Elle pratique depuis une demi-heure.
14. Je joue aux échecs depuis six mois.
15. Nous étudions la comédie depuis septembre.

answers both questions

Les adverbes

Formation

1) Many adverbs are formed by adding **-ment** to adjectives according to the following rules:

Add **-ment** to the *feminine* form of the adjective if its masculine form ends in a consonant:

fier	fière	fièrement
général	générale	généralement

habituel	habituelle	habituellement
heureux	heureuse	heureusement
long	longue	longuement
réel	réelle	réellement

Add **-ment** to the *masculine* form of the adjective if it ends in a vowel:

facile	facilement	pratique	pratiquement
ordinaire	ordinairement	vrai	vraiment

If the masculine form of the adjective ends in **-ant** or **-ent**, replace those endings with **-amment** and **-emment**:

constant	constamment	récent	récemment

2) A number of frequently used adverbs are not formed from adjectives:

assez	ici (here)	quelquefois (sometimes)
beaucoup	là (there)	souvent (often)
bien (well)	mal (badly)	toujours (always)
déjà (already)	même (even)	très (very)
encore (still/yet)	peu	trop
enfin (finally)	presque (almost)	vite (quickly)

Position in the Sentence

1) When adverbs modify a verb in a simple tense, such as the present, the adverb immediately follows the verb (or **pas** in the negative):

> Il ne va pas souvent au cinéma.
> Il va quelquefois au théâtre.
> Elle parle constamment en classe.

When the verb is in a compound tense, such as the **passé composé**, short adverbs are placed between the auxiliary verb and the past participle, but adverbs in **-ment** are often placed after the past participle:

> Il a presque terminé.
> Nous sommes déjà allés chez eux.
> Elle a répondu poliment.

2) Adverbs modifying an adjective or another adverb are placed immediately before the word they modify:

> Il est très fatigué.

3) Adverbs modifying a whole sentence are placed at the beginning or at the end of the sentence:

> Heureusement, il ne nous a pas vus.

EXERCICES (ORALEMENT)

A. Voici le masculin de l'adjectif. Formez l'adverbe correspondant. *former*

actif; nouveau; malheureux; doux; rationnel; pénible; certain; énergique; grand; ancien; généreux; joli; sérieux; exceptionnel; fréquent; méchant; attentif
fréquemment, méchamment

B. Formez les adverbes et insérez-les dans les phrases.

1. Jean-Louis joue au Grand Théâtre. (habituel)
2. Charlotte aime le jazz. (réel)
3. Elle parle de son spectacle. (abondant) *abondamment*
4. Vous jouez du piano. (merveilleux)
5. Ils ont oublié leur texte. (complet) *complètement*
6. Il a choisi de nouveaux acteurs. (final)
7. L'orchestre a acheté de nouveaux instruments. (heureux)
8. Elle joue le même rôle. (constant)
9. Nous comprenons votre position. (absolu)
10. Nous apprécions votre critique. (véritable)

C. Insérez l'adverbe entre parenthèses dans la phrase, à la place appropriée:

1. Elle se lave le matin. (toujours)
2. Nous avons fini nos exercices. (presque)
3. Ils s'entendent avec leurs camarades. (bien)
4. Je suis allé(e) à la montagne. (souvent)
5. Est-ce que tu joues aux échecs? (encore)
6. J'ai dormi la nuit dernière. (trop)
7. Il compose une nouvelle pièce. (encore)
8. Je vais au théâtre (souvent)
9. Il vient à l'opéra. (quelquefois)
10. Il joue ce rôle. (mal)

Les articles et la négation — rappel

When a verb is in the negative, remember to apply the following rules concerning the articles which precede the direct object:

1) The definite articles **le, la, les** do not change:

> Prends <u>la</u> serviette.
> Il écoute <u>les</u> oiseaux.
> Ne prends pas <u>la</u> serviette.
> Il n'écoute pas <u>les</u> oiseaux.

2) The indefinite articles **un, une, des** and the partitive articles **du, de la, de l', des** all become **de**:

> Il mange <u>un</u> sandwich.
> Il ne mange pas <u>de</u> sandwich.

Elles vendent <u>des</u> livres.
Il a apporté <u>du</u> vin.
Il y a <u>de</u> l'eau ici.

Elles ne vendent pas <u>de</u> livres.
Il n'a pas apporté <u>de</u> vin.
Il n'y a pas <u>d</u>'eau ici.

This change does not occur after **être**:

C'est <u>un</u> homme remarquable.
C'est <u>de la</u> folie.

Ce n'est pas <u>un</u> homme remarquable.
Ce n'est pas <u>de la</u> folie.

EXERCICE (ORALEMENT)

Mettez à la forme négative:

1. Elle m'a emprunté de l'argent.
2. Je pense trouver des violons chinois.
3. Tu vas nous apporter un tableau.
4. Mon père veut me payer un orgue.
5. Elle fait du théâtre depuis un an.
6. Je connais une pièce moderne.
7. C'est un comédien dévoué.
8. Allons écouter un concert.
9. Elle admire l'ami de Pierre.
10. Marc m'a prêté un disque de jazz.
11. Il faut manger de la viande.
12. Ce sont des artistes bizarres.
13. Elle porte un costume du 17e siècle.
14. J'aime faire des cadeaux à mes amis.

EXERCICES ECRITS
> > > > > > >

A. Insérez le pronom réfléchi qui convient:

1. Nous _____ reposons pendant la fin de semaine.
2. Servez- _____ d'un ordinateur.
3. Nous _____ rencontrons à cinq heures.
4. Ne _____*t'*_____ inquiète pas!
5. Souviens-_____*toi*_____ de notre rendez-vous.
6. Elle _____ promène avec son chien.
7. Alain et Suzanne _____ entendent bien ensemble.

B. Répondez aux questions par des phrases complètes: *je ne me sers pas de calc.*

1. Est-ce qu'on s'arrête à un feu rouge?
2. Est-ce que tu t'inquiètes pour ton avenir?
3. Où est-ce que tu te promènes?
4. Comment t'appelles-tu?
5. Est-ce que tu te rends souvent à Sherbrooke?
6. Où se trouve le cinéma?
7. Te sers-tu d'une calculatrice pour faire une addition?
8. Est-ce que tu t'attends à réussir à l'audition?
9. Est-ce que le violoncelle et l'alto se ressemblent? *Ils se ressemblent*
10. Est-ce que tu te laves le matin?

C. Remplacez les tirets par le verbe pronominal approprié. Laissez le verbe à l'infinitif mais mettez le pronom à la forme qui convient.

> *Verbes*:   se servir, se promener, se reposer, s'attendre, s'en aller, s'aimer, se rencontrer, s'habiller, s'entendre.

1. Quand on est fatigué, on doit _____ .
2. Pour peindre, j'aime _____ d'une spatule.
3. Nous allons _____ demain pour en parler ensemble.
4. Elle veut _____ à la dernière mode.
5. As-tu envie de _____ dans le bois?
6. Si tu ne pratiques pas, tu dois _____ à de fausses notes.
7. Je préfère _____ avec tout le monde, même avec des gens difficiles.
8. Comme tous les amoureux, vous espérez _____ toute votre vie.
9. Il est tard: je dois *m'en aller*

D. Remplacez les mots soulignés par des pronoms.

> *Modèle:* Il n'a pas prêté <u>sa voiture à Pierre</u>.
> *Il ne la lui a pas prêtée.*

1. Mon ami m'a rendu <u>deux livres</u>.
2. Il offre <u>un cadeau à ses parents</u>. *Il leur en offre un*
3. Elle achète <u>ses costumes à Montréal</u>. *Elle les y achète*
4. Je vous ai prêté <u>ma caméra</u>. *Je vous l'ai prêtée*
5. Lui as-tu emprunté <u>de l'argent</u>?
6. Il n'a pas répondu <u>à son maître</u>. *Il ne lui a pas répondu*
7. Elles doivent me rendre <u>ma partition</u>.
8. Tu dois la rendre <u>à Jean</u> demain. *lui*
9. Mon père va m'acheter <u>une flûte</u>. *m'en acheter une*
10. Donne-moi <u>le film</u>. *Donne le moi*
11. Prête le tutu <u>à Sylvie</u>. *lui*
12. Vends tes disques <u>à tes amis</u>. *Vends leur*
13. Ne m'emprunte pas <u>d'argent</u>! *Ne m'en emprunte pas*

E. Répondez aux questions par des phrases complètes:

1. Depuis quand étudiez-vous le cor?
2. Depuis combien de temps allez-vous au Conservatoire?
3. Depuis combien de temps habitez-vous dans cette ville?
4. Depuis quand le jazz existe-t-il? *le début du siècle*

F. Complétez les phrases:

1. Depuis un an, je . . .
2. Je danse le ballet depuis. . . .
3. Nous n'avons pas vu de bon film depuis. . . . *longtemps*
4. Depuis une heure, la chanteuse. . . *chante*
5. Depuis six mois, je. . . .

G. Formez un adverbe et mettez-le dans la phrase.

> *Modèle:* Nous avons fini notre travail. (entier).
> *Nous avons entièrement fini notre travail.*

1. Elle a oublié l'heure. (complet) *complètement*
2. Nous nous sommes mis à la tâche. *task* (rapide)
3. Il nous a parlé de son rôle. (fréquent) *fréquemment*
4. Les émissions de télévision sont intéressantes. (exceptionnel)
5. Elle exécute une pièce. (pénible)

6. Nous travaillons tous les soirs. (trop)
7. Je pratique le piano le matin. (toujours) **?**
8. Ils écoutent des disques de jazz. (souvent) **?**
9. Vous allez au théâtre. (quelquefois)
10. Est-ce que tu as joué de la flûte? (encore)

H. Mettez à la forme négative:

1. Il a pris la clarinette. *pas* *don't change with jouer*
2. Le chat joue du piano.
3. Ce sont des émissions intéressantes.
4. Il y a des flûtistes dans l'orchestre symphonique.

5. Ma voisine a acheté un tourne-disque.
6. L'enfant a du talent.
7. Il fait du soleil depuis trois jours.
8. C'est un tableau fascinant.

LECTURE

▶▶▶▶▶▶▶

Arts et spectacles

se divertir   se trouver   se rafraîchir

Vous en avez assez de la routine. Vous voulez sortir, vous divertir, vous trouver parmi d'autres gens, vous rafraîchir l'esprit. Ouvrez le journal à la rubrique "Arts et spectacles". A Montréal, vous avez le choix: il y en a pour tous les goûts.

Pour les amateurs d'art, il y a d'abord *firstly* les expositions du Musée des Beaux-Arts et du Musée d'Art Contemporain. Profitez-en pour faire le tour des collections permanentes. Ensuite, allez flâner d'une galerie à une autre le long des rues Sherbrooke et Saint-Denis. Vous allez y trouver des tableaux, des aquarelles et des photographies. On y expose les oeuvres d'artistes québécois, canadiens et étrangers. *There are on display*

Vous adorez le cinéma, vous allez regarder tous les nouveaux films, vous connaissez tous les metteurs en scène; une seule difficulté: qu'est-ce que vous allez choisir? Il y a au moins cent trente cinémas à Montréal. On y passe tous les films récents: canadiens, américains, québécois, anglais, français. On trouve également des films d'autres pays, soit en version originale avec sous-titres, soit doublés. Certains cinémas se spécialisent dans les films anciens, les classiques du cinéma, les rétrospectives. En août, il y a le festival international du film: vous pouvez regarder trois ou quatre films différents chaque jour pendant une dizaine de jours.

Les théâtres vous ouvrent leurs portes ainsi que les cafés-théâtres où vous pouvez assister à une pièce et prendre une consommation ou même un repas. Mais vous préférez peut-être le ballet ou le concert? La Place des Arts en présente régulièrement; des solistes, des quatuors ou même des orchestres symphoniques se produisent dans certaines églises.

Vous êtes plutôt porté vers les variétés? Allez dans un des clubs du Vieux-Montréal écouter des chanteurs-compositeurs. Pour le jazz et le rock, il existe de multiples bars, clubs et cafés. Les groupes de rock qui attirent les foules se produisent à l'amphithéâtre du stade olympique.

Vous ne voulez pas seulement écouter, mais aussi danser et rencontrer de nouvelles personnes: vous avez le choix entre le quartier Saint-Denis où on parle français et le quartier de l'Ouest où on parle anglais. Les clubs et les discothèques abondent. La soirée va être longue . . . .

abonder	to be plentiful	**foule** (f.)	crowd
amateur d'art (m.)	art lover	**galerie** (f.)	art gallery
ancien, ienne	old	**journal** (m.)	newspaper
assister à	to attend/ to see (a show)	**nouveau, nouvelle**	new
		ouvrir	to open
attirer	to attract	**parmi**	among
chaque	each	**passer un film**	to show a film
choix (m.)	choice	**pendant**	during
connaître	to know	**porte** (f.)	door
détendu(e)	relaxed	**porté(e): être —**	to be inclined
(se) divertir	to have fun	**(se) produire**	to perform
dizaine (f.)	ten or so	**profiter de**	to take advantage of
doublé	dubbed		
en avoir assez de	to have had enough of, to be bored with	**quartier** (m.)	area, neighborhood
		(se) rafraîchir	to refresh
esprit (m.)	mind	**rubrique** (f.)	column
étranger, ère	foreign	**seul(e)**	alone, only
exposer	to exhibit	**seulement**	only
exposition (f.)	exhibition	**soit**	either
flâner	to stroll	**sous-titre** (m.)	subtitle

QUESTIONS

La vie de tous les jours les événements quotidiens c'est le train-train

1. Qu'est-ce que c'est, la routine?
2. Quand on veut sortir, comment s'informe-t-on?
3. Qu'est-ce qu'il y a dans un musée d'art?
4. Quels genres d'expositions y a-t-il dans les galeries? Quels artistes y sont représentés?
5. Quels genres de films peut-on regarder à Montréal? *qu'on peut de tous les genres*

6. Préférez-vous les films doublés ou les films sous-titrés? Pourquoi?
7. Que peut-on faire dans un café-théâtre?
8. Où peut-on aller entendre de la musique classique?
9. Où va-t-on pour écouter du jazz et du rock?
10. Dans quels quartiers y a-t-il des discothèques?

à remplir

SITUATIONS / CONVERSATIONS

▶▶▶▶▶▶▶

Quand on veut sortir, on regarde la rubrique "arts et spectacles" dans le journal

1. Vous voulez sortir en groupe. L'un(e) de vous veut aller au cinéma, un(e) autre veut aller à un concert de musique classique, un(e) autre encore veut aller au théâtre ou dans un club de jazz ou dans un discothèque, etc. Présentez des arguments pour justifier votre choix (les qualités uniques du spectacle que vous choisissez, la médiocrité des autres, etc.).

2. Parlez d'un film récent que vous avez aimé: la mise en scène; le jeu des acteurs; la photographie; l'histoire; les qualités comiques, dramatiques, sentimentales; l'imagination; la valeur psychologique, sociologique ou simplement humaine.

3. Décrivez votre tableau préféré. Qui est le peintre? Parlez de la composition, des couleurs, du sujet.

4. *Dans un bar, un café, une discothèque.* Vous faites la connaissance d'une jeune femme ou d'un jeune homme qui vous intéresse. Faites la conversation.

5. Vous êtes à Montréal en visite. Vous ne connaissez pas la ville, mais vous y avez un(e) ami(e). Demandez-lui des conseils: où aller pour visiter des expositions, écouter de la musique, danser?

Exemple:

| TON AMI(E): | Qu'est-ce que tu veux faire? |
| TOI: | Je veux écouter de la musique. |

| TON AMI(E): | Quel genre de musique? |
| TOI: | Du jazz. Tu connais un bon club où il y en a? |

| TON AMI(E): | Oui, j'en connais certains. |
| TOI: | Je cherche un endroit, où il n'y a pas trop de monde et où ce n'est pas trop cher. |

TON AMI(E):	Alors, va à ce petit bar qui se trouve dans la rue Saint-Denis.
TOI:	Est-ce que c'est loin?
TON AMI(E):	Non, tu peux y aller à pied.

COMPOSITIONS
➤➤➤➤➤➤

1. Vous avez visité un musée d'art. Racontez votre visite et parlez des oeuvres que vous avez admirées et qui vous ont impressionné(e).

2. Etes-vous amateur de théâtre? de ballet? de cinéma? de musique? Exposez vos goûts, vos préférences. Allez-vous souvent au spectacle?

3. Décrivez un bar, un café ou une discothèque que vous aimez: le décor, la clientèle, l'ambiance.

PRONONCIATION (This exercise is at the end of Leçon 10 on the tape.)
➤➤➤➤➤➤

I. Le son a (/a/)

Répétez d'après le modèle:

amour	arme	patte	voyage	banal
ami	appeler	rate	visage	final
adolescent	amener	date	arabe	terminal
agacer	année	chatte	salade	rural
abri	assis	latte	macabre	festival

II. Le r final

Répétez d'après le modèle:

1. | bar | fard | marc | retard |
   | car | part | gare | départ |
   | dard | lard | rare | hasard |

2. | partir | finir | choisir | ouvrir |
   | sortir | réfléchir | offrir | jaunir |

3. | mort | dors | port | encore |
   | bord | sors | tort | adore |

4. | mur | dur | bure | parure |
   | pur | sur | cure | hachure |

5. | pour | jour | amour | détour |
   | tour | sourd | toujours | rebours |

6. | peur | soeur | laideur | rameur |
   | coeur | beurre | horreur | chanteur |

Chapitre onze

Les jeunes et la vie

VOCABULAIRE UTILE

aborder	to reach	**coûter**	to cost
amoureux (m.)	lovers	**dauphin** (m.)	dolphin
bâtiment (m.)	building	**déjà**	already
bonheur (m.)	happiness	**depuis**	since
cassé(e)	broken	**dieu** (m.)	god
ciel (m.)	sky	**douche** (f.)	shower
campagne (f.)	countryside	**enfance** (f.)	childhood
conquête (f.)	conquest	**être humain** (m.)	human being
coup de foudre (m.)	love at first sight	**fatigant, ante**	tiring

fidèle	faithful	nourriture (f.)	food
guerre (f.)	war	parfois	sometimes
haut(e)	high	pays (m.)	country
homme (m.)	man	pêche (f.)	fishing
homme d'affaires	businessman	perdrix (m.)	partridge
impressionnant, ante	impressive	pièce (f.)	room
lune (f.)	moon	(se) plaire	to please (each other)
lac (m.)	lake	pollué(e)	polluted
malchanceux, euse	unlucky	préparatif (m.)	preparations
mari (m.)	husband	remède (m.)	medication
meilleur(e)	better	rose	pink
mondial(e)	world-wide	sage	wise
musclé(e)	muscular	singe (m.)	monkey
myope	short-sighted	sorcière (f.)	witch
natation (f.)	swimming	soucoupe (f.)	saucer
nombreux, euse	numerous	Tiers-Monde (m.)	Third World
nourrissant, ante	nutritious	troisième	third

GRAMMAIRE ET EXERCICES ORAUX

$$\blacktriangleright \blacktriangleright \blacktriangleright \blacktriangleright \blacktriangleright \blacktriangleright \blacktriangleright$$

Le comparatif de l'adjectif

Comparative of Superiority

The comparative of superiority in English is formed by using "more" before the adjective or by adding the suffix **-er** to the adjective (warmer). In French, only one structure is used: the adverb **plus** is placed before the adjective and **que** follows it:

>Paul est un garçon <u>plus</u> gentil <u>que</u> René.
>Un chimpanzé est <u>plus</u> intelligent <u>qu'</u>un chien.

Bon (good) has an irregular comparative form which is the equivalent of "better": **meilleur, meilleure, meilleurs, meilleures**.

"meilleur" variable

>Le champagne est <u>meilleur que</u> la bière.
>Suzanne est une <u>meilleure</u> pilote <u>que</u> Lucie.

Bon marché (inexpensive) also has an irregular comparative form which is invariable: **meilleur marché**.

bon marché invariable

>Cette robe est <u>meilleur marché que</u> ton pantalon.

Comparative of Equality: *aussi . . . que* (as . . . as)

Il est devenu <u>aussi</u> grand <u>que</u> son père.
La politique est-elle <u>aussi</u> importante <u>que</u> l'économie?

Comparative of Inferiority: *moins . . . que* (less . . . than)

Les enfants sont <u>moins</u> inhibés <u>que</u> les adultes.
Le français est <u>moins</u> difficile <u>que</u> le chinois. *comparative complement*

➤ **Note:** The comparative occupies the same position as the adjective normally would, either before or after the noun modified:

Jean est un <u>bel</u> homme.	C'est un garçon <u>sympathique</u>.
Jean est un <u>plus bel</u> homme que René.	C'est un garçon <u>plus sympathique</u> que son frère.

Stress pronouns may be used in comparisons after **que**:

Hélène est meilleure que <u>moi</u> au tennis. Elle est plus intelligente que <u>lui</u>.

EXERCICES (ORALEMENT)

A. Faites des comparaisons (supériorité et infériorité) d'après le modèle.

Modèle: Je suis aimable. Henri est plus aimable.
   Henri est plus aimable que moi.
   Je suis moins aimable qu'Henri.

1. Il est sportif. Elle est plus sportive.
2. Le train est rapide. L'avion est plus rapide.
3. Arthur est sympathique. Lucie est plus sympathique.
4. Tu es timide. Elle est plus timide.
5. Nous sommes dynamiques. Nos parents sont plus dynamiques. *qu'eux*
6. Le lilas est joli. Les roses sont plus jolies.
7. Je suis jeune. Tu es plus jeune.
8. Vous êtes actives. Elles sont plus actives. *moins actives*
9. Juillet est chaud. Août est plus chaud.

B. Faites des comparaisons. Employez *meilleur* et *moins bon* d'après le modèle. *Le veau est une meilleure viande*

Modèle: Une bonne voiture: la Lada — la Mercédès.
   La Mercédès est une meilleure voiture que la Lada.
   La Lada est une moins bonne voiture que la Mercédès.

 adjectives accord with

1. Une bonne viande: le boeuf — le veau.
2. Un bon sport: la natation — le golf.
3. Un bon investissement: une maison — une voiture de sport.
4. Une bonne solution: un compromis — une dispute.
5. Un vêtement bon marché: un pantalon — une robe de soirée.

Une robe de soirée est un vêtement moins bon marché qu'un robe de soirée.

C. Faites la comparaison appropriée (supériorité, infériorité ou égalité) avec un des adjectifs suivants: *jeune, long, bon marché, intellectuel, grand, riche, ambitieux, sentimental, malchanceux.*

> *Modèle:* Elle a douze ans. Tu as douze ans.
> *Elle est aussi jeune que toi.*
> *Tu es aussi jeune qu'elle.*

1. Alain lit dix livres par mois. Catherine en lit deux par année.
2. Henri mesure 1 mètre 75. Gilbert mesure 1 mètre 75.
3. Février a 28 jours. Janvier a 31 jours.
4. Une radio coûte 50 dollars. Une télévision coûte 500 dollars. *plus cher que*
5. M. Brault a un million. Mme Proulx a un million.
6. Jean veut devenir maçon. Sylvie veut devenir premier ministre.
7. Hélène a une jambe cassée. Lucien est dans le coma. *qu' Hélène*
8. Arthur attend la femme de sa vie. Marcel veut faire beaucoup de conquêtes.

D. Répondez aux questions:

1. Es-tu moins grand(e) que ton père?
2. Es-tu plus petit(e) que ta mère?
3. Le singe est-il aussi intelligent que l'être humain?
4. Sommes-nous aussi intelligents qu'Einstein?
5. Les chats sont-ils plus affectueux que les chiens?
6. Es-tu meilleur(e) en maths que moi?
7. Est-ce que le professeur est plus terrifiant que Dracula?
8. Sommes-nous plus sages que nos ancêtres?
9. Le jazz est-il moins dynamique que le rock?
10. Un être humain est-il moins intelligent que l'ordinateur?
11. Le Tiers-Monde est-il aussi riche que les pays industrialisés?
12. Est-ce que l'avion est plus dangereux que la voiture?
13. Les Adirondacks sont-ils aussi impressionnants que les Rocheuses?
14. Les dauphins sont-ils plus intelligents que les chimpanzés?

musclé

15. Es-tu aussi musclé(e) qu'un gorille?
16. La campagne est-elle aussi polluée que la ville?
17. Les Montagnes Rocheuses sont-elles plus hautes que l'Himalaya?
18. La viande est-elle meilleur marché que les fruits?
19. Est-ce que le vin est plus cher que la bière?
20. Est-ce que les Canadiens sont aussi nombreux que les Américains?

Le superlatif de l'adjectif

1) Adjectives are made superlative by using the following constructions:

le/la/les plus . . . de   { the most . . . in
                                  { the . . . -est . . . in

le/la/les moins . . . de   the least . . . in

2) If the adjective precedes the noun, the construction is:

le/la/les + **plus/moins** + adjective + noun + **de**

C'est la plus grande pièce de la maison.
It is the largest room in the house.
Ce sont les plus belles fleurs du jardin.
Those are the most beautiful flowers in the garden.

3) If the adjective follows the noun, the construction is:

le/la/les + noun + **le/la/les** + **plus/moins** + adjective+ **de**

Paul est l'étudiant le plus intelligent de la classe.
Paul is the most intelligent student in the class.
C'est le chapitre le moins difficile du livre.
It is the least difficult chapter in the book.

4) The superlative form of superiority of **bon** is **le meilleur/la meilleure/les meilleurs/les meilleures**:

Agathe est la meilleure étudiante de la classe.
Agatha is the best student in the class.

The superlative form of **bon marché** is **le/la/les meilleur marché** (invariable):

J'ai acheté la cravate la meilleur marché du magasin.
I bought the cheapest tie in the store.

EXERCICES (ORALEMENT)

A. Répondez aux questions:

1. Qui est le plus grand étudiant de la classe?
2. Quelle est la voiture la plus chère du monde?
3. Quelle est la plus grande ville du Canada?
4. Qui est l'homme le plus important du pays?
5. Qui est la femme la plus importante du pays?
6. Quelle est l'émission de télévision la plus stupide de toutes?

[handwritten note: watch position of adj.]

[handwritten: c'est le golf]

7. Qui est le meilleur boxeur du monde?

8. Qui est le meilleur acteur du cinéma américain?

9. Quel est ton cours le moins difficile?

10. Comment s'appelle ta meilleure amie? ton meilleur ami?

11. Quel est le sport le moins fatigant?

12. Qui est la personne la plus importante de ta vie?

13. Qui est le politicien le moins intéressant?

14. Quel est le plus haut bâtiment du campus?

B. Faites une phrase avec un superlatif d'après le modèle.

> *Modèle:* le chien — fidèle — tous les animaux
> *Le chien est le plus fidèle de tous les animaux.*

1. la rose — élégant — toutes les fleurs

2. Muhammad Ali — connu — tous les boxeurs.

3. février — froid — tous les mois

4. la bombe atomique — terrifiant — toutes les armes *[handwritten: La bombe atomique est la plus terrifiante de toutes les armes]*

5. le bonheur — bon — tous les remèdes

6. Gandhi — pacifique — tous les hommes *[handwritten: était]*

Le verbe irrégulier *voir*

Présent de l'indicatif

je	vois	nous	voyons
tu	vois	vous	voyez
il/elle/on	voit	ils/elles	voient

Participe passé:

vu

[handwritten: je voyais]

Voir means "to see":

> Il porte des lunettes parce qu'il ne <u>voit</u> pas bien.
> Nous avons <u>vu</u> Nicole la semaine dernière.
> Venez me <u>voir</u> la semaine prochaine.

EXERCICES (ORALEMENT)

A. Répondez aux questions:

1. Est-ce que tu vois des arbres par la fenêtre?

2. Est-ce que tu vois un *[handwritten: de]* médecin régulièrement?

3. Est-ce que vous me voyez parfois à la bibliothèque?

4. Est-ce que vous voyez vos amis à la cafétéria?

5. Est-ce que nous voyons des films dans la classe de français? *[handwritten: Non, vous ne voyez pas de films]*

6. Est-ce que nous voyons la lune le soir? *[handwritten: vous]*

7. Est-ce qu'on voit l'ultra-violet?

8. Est-ce que je vois dans l'avenir?

9. Est-ce qu'une sorcière voit dans l'avenir?

B. Répondez aux questions:

1. Quand as-tu vu un film pour la dernière fois?
2. Où peut-on voir des tableaux d'Emily Carr?
3. Est-ce que les amoureux voient la vie en rose?
4. Où est-ce qu'on voit des animaux exotiques? *dans un zoo*
5. Qu'est-ce qu'on voit dans un musée d'art?

6. Voit-on souvent le premier ministre à la télévision?
7. Est-ce que vous me voyez quelquefois faire du sport?
8. Est-ce que vous m'avez vu(e) arriver à l'université?
9. As-tu déjà vu une girafe? *Je n'ai pas encore vu de girafe*
10. Avons-nous déjà vu dix chapitres du livre?

Le verbe irrégulier *croire*

Présent de l'indicatif

je	crois		nous	croyons
tu	crois		vous	croyez
il/elle/on	croit		ils/elles	croient

Participe passé:

cru   *je croyais*

Croire means "to believe":

Tu ne me dis pas la vérité: je ne te <u>crois</u> pas.

It is used with the preposition **en** before a noun which refers to a deity, a person or a thing when it means "to have faith in", "to believe in":

Elle <u>croit en</u> Dieu.
Elle <u>croit en</u> son mari.
Les jeunes <u>croient en</u> l'avenir.

en

It is used with the preposition **à** before an abstract noun when it means "to believe in the reality or validity of something":

Je ne <u>crois</u> pas <u>à</u> la parapsychologie.
Il <u>croit à</u> l'existence de Dieu.
Il <u>croit à</u> l'amour.

à

EXERCICES (ORALEMENT)

A. Répondez aux questions d'après le modèle.

Modèle: Je te crois. Et lui?
   Il te croit aussi.

1. Je la crois. Et toi? Et lui? Et eux?
2. Elle me croit. Et toi? Et lui?

3. Vous me croyez. Et eux? Et elles? Et toi?

4. Nous te croyons. Et lui? Et toi?

5. Ils nous croient? Et elles? Et lui? Et vous?

B. Répondez aux questions:

1. Est-ce que tu crois les politiciens?
2. Est-ce que tu crois à la théorie de l'évolution?

3. Est-ce que tu crois en l'avenir?
4. Est-ce que tu crois au progrès?
5. Est-ce que les athées croient en Dieu?

Le passé composé des verbes pronominaux

Être is the auxiliary verb used in the formation of the **passé composé** of all pronominal verbs. The past participle of a pronominal verb having a *reflexive* or *reciprocal* meaning agrees in gender and number with the direct object if this object precedes the verb.

1) If the reflexive pronoun is the direct object of the verb, the past participle agrees with the reflexive pronoun.

se laver

je me suis	lav**é(e)**	nous nous	sommes lav**é(e)s**
tu t'es	lav**é(e)**	vous vous	êtes lav**é(e)(s)**
il s'est	lav**é**	ils se	sont lav**és**
elle s'est	lav**ée**	elles se	sont lav**ées**
on s'est	lav**é**		

2) If the reflexive pronoun is not the direct object of the verb, three situations may occur:

a) The verb has no direct object, hence the past participle does not agree:

Ils se sont parlé.
Elles se sont téléphoné.

Note that in these examples the reflexive pronoun is the indirect object of the verb.

b) The verb has a direct object but this object follows the verb, hence there is still no agreement of the past participle:

Ils se sont dit des insultes.   Elle s'est lavé les mains.

In this last sentence **les mains** is the direct object and the reflexive pronoun is considered to be the indirect object.

c) The verb is preceded by a direct object, in which case the past participle agrees with that object:

Est-ce que tu t'es lavé <u>les mains</u>? — Oui, je me <u>les</u> suis <u>lavées</u>.
Les lettres <u>qu'</u>ils se sont <u>écrites</u> sont très belles.

The past participle of a pronominal verb having an idiomatic meaning normally agrees with the subject of the verb:

> Elles se sont bien entendues ensemble.
> Ils se sont rendus à New York.

EXERCICES (ORALEMENT)

A. Epelez la terminaison du participe passé:

1. Ils se sont (aimer).
2. Elles se sont (rencontrer).
3. Elle s'est beaucoup (reposer).
4. Il s'est (laver).
5. Elles se sont bien (amuser).
6. Ils se sont (promener).

B. Même exercice:

1. Elle s'est (brosser) les cheveux.
2. Elle s'est (laver) les mains.
3. Ils se sont (dire) des insultes.
4. Elles se sont (écrire).
5. Ils se sont (téléphoner).
6. Elles se sont (parler).

C. Même exercice:

1. Elle s'est (attendre) à un examen difficile.
2. Ils se sont (rendre) au bureau du directeur.
3. Il s'est (mettre) au travail.
4. Elles se sont (mettre) au travail.
5. Ils s'en sont (aller).
6. Elles se sont (servir) d'un ordinateur.

D. Racontez l'histoire d'amour de Paul et de Paulette.

L'année dernière, ils se rencontrent, se regardent, se parlent, se plaisent, se donnent rendez-vous, se téléphonent, s'aiment, se fiancent, se marient, s'achètent une maison, etc.

make P.P. agree with D.O. if before the verb / *passé composé avec être*

Quelques autres verbes pronominaux

Here is a list of some additional pronominal verbs:

ils s'ennuient

se baigner (to take a dip/to bathe)	Je me baigne dans le lac tous les matins.
se cacher (to hide)	Les perdrix se cachent dans les bois.
s'ennuyer (to be bored) *je m'ennuie*	On s'ennuie quand on est malade.
s'habituer à (to get used to)	Elle s'est habituée à son nouveau travail.
se marier (avec) (to marry/to get married)	Il s'est marié avec son amie d'enfance.
se raser (to shave)	Il se rase avec un rasoir électrique.
se rendre compte de (to realize)	Je me rends compte des erreurs que j'ai faites.

p.p. never changes

Je me rase la tête
Je me suis rasé la tête

EXERCICE (ORALEMENT)

Répondez aux questions:

1. Quand tu vas à la mer, est-ce que tu te baignes?
2. Aimes-tu te baigner dans l'eau très froide?
3. Est-ce que tu te peignes les cheveux?
4. Est-ce que les acteurs se maquillent?
5. Est-ce que je me maquille?
6. A quelle heure t'es-tu levé(e) ce matin?
7. Est-ce que je m'habille à la mode?
8. Est-ce que toi et tes amis, vous vous voyez régulièrement?
9. Est-ce que tu vas te marier bientôt?
10. Avec qui vas-tu te marier?
11. Où les enfants se cachent-ils après un film d'épouvante?
12. Est-ce que tu t'ennuies dans la classe de français?
13. Est-ce que les enfants s'ennuient à l'école?
14. Est-ce que tu t'habitues à la vie universitaire?
15. Est-ce qu'on peut s'habituer à tout?

EXERCICES ECRITS

A. Faites des comparaisons avec *plus . . . que, moins . . . que*, et *aussi . . . que*.
Faites l'accord de l'adjectif.

> *Modèle:* la lune — grand — la terre
> *La lune est moins grande que la terre.*

1. le soleil — chaud — la lune
2. les clowns — amusant — les hommes d'affaires
3. les femmes — agressif — les hommes
4. la natation — dangereux — l'alpinisme
5. le train — rapide — l'avion
6. l'eau — nécessaire — la nourriture
7. les banquiers — riche — les secrétaires

B. Répondez aux questions par des phrases complètes:

1. A votre avis, quelle est la meilleure actrice de cinéma?
2. A votre avis, qui est le meilleur boxeur du monde?
3. Quelle est la plus grande université au Canada?
4. Quelle est la voiture la moins chère?
5. Est-ce qu'une voiture est meilleur marché qu'une bicyclette?
6. Quelle est la plus grande planète du système solaire?
7. Est-ce que la France est aussi grande que le Canada?
8. Est-ce que New York est moins grand que Toronto?
9. Quel fruit est plus nourrissant, la banane ou la pêche?

C. Remplacez les tirets par la forme appropriée de *voir* ou de *croire*, au présent:

1. Je ne _____ pas de nuage dans le ciel.
2. Elle ne _____ pas au coup de foudre.
3. Vous _____ vos amis tous les jours.
4. Il _____ que je ne dis pas la vérité.
5. Nous _____ des films à la télévision.

6. _____ -tu qu'il va faire froid ce soir?
7. Les amoureux _____ la vie en rose.
8. _____ -vous à la télépathie?
9. Les myopes _____ mal sans lunettes.

D. Mettez les phrases au passé composé. Attention à l'accord du participe passé.

1. Pierre et Jean se regardent.
2. Elles se mettent au travail.
3. Elle se lève.
4. Brigitte se lave le visage.
5. Ils s'habituent à leur nouvelle vie.
6. Michel se brosse les cheveux.
7. Ils se marient.

8. Elles se téléphonent.
9. Elle se peigne les cheveux.
10. Quelle voiture s'achète-t-il?
11. Mes mains, je me les lave.
12. Elle s'ennuie.
13. Elles se maquillent.
14. Elles se brossent les dents.

à qui ? or change P.P. with qui

E. Répondez aux questions par des phrases complètes:

1. Avec quoi te rases-tu?
2. A quelle heure t'es-tu levé(e) ce matin?
3. Quand est-ce que tu t'ennuies?
4. Avec qui est-ce qu'on se dispute généralement?
5. Avec qui la reine Elisabeth II s'est-elle mariée?

6. Est-ce que tu t'habilles à la mode?
7. Est-ce que vous vous écrivez, tes amis et toi?
8. Est-ce que toutes les femmes se maquillent?

LECTURE

Les jeunes et la vie.

Que veulent les jeunes de la vie? Que pensent-ils des études, du travail, du mariage et des enfants, des relations entre garçons et filles, de l'amour? Quelle est leur attitude au sujet de leur avenir et de leur orientation professionnelle? A ces questions, voilà les réponses qu'ont fournies un groupe d'étudiants du Secondaire 3, 4 et 5.

La vie en général

Ils veulent être heureux. Ils souhaitent que la vie leur apporte la santé et le bonheur pour eux et leur prochain. Ils pensent que la vie a de bons et de mauvais moments et qu'il ne faut s'attendre à rien.

Leur orientation professionnelle

Ils visent des professions d'envergure; ils n'ont pas fini d'étudier pour avoir un bon métier. La profession numéro un est la médecine et les professions paramédicales et en second, les métiers d'avenir (génie, informatique, aéronautique, etc.) Un faible pourcentage est attiré par les arts.

L'éducation

Ils trouvent que le système d'éducation est bon en général (79%), excellent quelquefois (7%) ou mauvais (14%). Ils déplorent beaucoup de perte de temps et de cours inutiles.

L'amour

Ils veulent vivre l'amour avec maturité. Ils ont vu l'amour se détruire dans leur famille et leur entourage et ils refusent de vivre cette situation. Il y a aussi la sexualité qui côtoie l'amour, alors plusieurs jeunes exigent que l'amour ne soit pas vécu seulement pour la sexualité mais aussi pour les sentiments. 77% désirent l'amour libre, 23% sont contre.

Le mariage et les enfants

Les jeunes gens et les jeunes filles veulent se marier et avoir des enfants. 82% sont en faveur du mariage, 10% sont contre, 6% sont indécis et 2% désirent avoir des enfants sans se marier. Ils dénoncent le divorce de leurs parents.

Les relations entre garçons et filles

Certains adolescents se disent trop gênés lorsqu'ils parlent à un adolescent du sexe opposé. Les relations sont agréables mais le dialogue est difficile. D'autres, cependant, semblent très satisfaits de leurs relations et croient qu'elles sont nécessaires à l'épanouissement de la personnalité.

(Extrait et adapté d'un article de *L'Education*, vol. no. 3, d'I. Saint-Amand, N. Vachon, et al.)

agréable	pleasant	**garçon** (m.)	boy
(s') alarmer	to get alarmed	**gêné(e)**	shy
amour (m.)	love	**génie** (m.)	engineering
apporter	to bring	**heureux, euse**	happy
avenir (m.)	future	**indécis, ise**	undecided
bon, bonne	good	**informatique** (f.)	computer science
cependant	nevertheless	**(s')inquiéter**	to worry
conclure	conclude	**inutile**	useless
contre	against	**jeunes gens**	young people
côtoyer	to mix with	**libre**	free
dénoncer	to denounce	**mauvais, aise**	bad
déplorer	to deplore	**médecine** (f.)	medicine
détruire	to destroy	**métier** (m.)	trade
(se) dire	to say to oneself/ to claim	**pas du tout**	not at all
		perte (f.)	loss, waste
enfant (m./f.)	child	**plusieurs**	many
entourage (m.)	family circle	**prochain** (m.)	fellow human being
envergure: d'—	important, far-reaching		
		santé (f.)	health
épanouissement (m.)	blossoming	**satisfait, aite**	satisfied
étude (f.)	study	**sembler**	to seem
eux, elles	them	**sentiment** (m.)	feeling
faible	slight	**viser**	to aim at
fille (f.)	girl	**vivre**	to live
fournir	to furnish, to provide		

QUESTIONS

1. Que veulent les jeunes de la vie?
2. Quelles professions préfèrent-ils?
3. Les arts sont-ils populaires?
4. Que déplorent-ils du système d'éducation?
5. Quelle sorte d'amour veulent-ils vivre?
6. Est-ce que le mariage a la faveur des jeunes?
7. Que dénoncent-ils?
8. Que pensent-ils des relations avec le sexe opposé?
9. Quel est le plus grande problème entre eux?

SITUATIONS / CONVERSATIONS

▶▶▶▶▶▶▶

1. Racontez vos préparatifs du matin: se lever, s'habiller, se laver, se brosser les dents, se maquiller, etc. Employez le passé composé.

2. Racontez vos activités avec votre ami(e) préféré(e). Employez des expressions comme: se promener, se téléphoner, se rencontrer, se parler, se dire, se disputer, etc. Dites ce que vous faites et ce que vous ne faites pas ensemble.

3. Formez un groupe de 3 ou 4 personnes. Faites des comparaisons entre vous. Employez beaucoup d'adjectifs divers: grand(e), petit(e), timide, intellectuel(le), actif (-ive), sportif(-ive), élégant(e), agressif(-ive), etc.

4. Posez-vous des questions les uns aux autres. Employez des superlatifs:

> Qui est le meilleur acteur de cinéma?
> Quelle est la plus grande ville du monde?
> Quels sont les animaux les plus doux? les plus féroces?
> Quel est le moyen de transport le plus pratique? etc.

5. A quoi croyez-vous? A quoi ne croyez-vous pas? Posez-vous ces questions les uns aux autres à propos des thèmes suivants et apportez des arguments:

> la télépathie, les soucoupes volantes, les fantômes, les maisons hantées, les extra-terrestres, la vie dans l'univers, la magie, le triangle des Bermudes, les miracles, le progrès de la science, le progrès de l'humanité, la Troisième guerre mondiale, l'intelligence des ordinateurs.

6. Répondez aux questions suivantes selon vos convictions:

> Que pensez-vous de vos études? Quelles sont vos ambitions? Que voulez-vous faire dans la vie? Etes-vous satisfait(e) de vos relations avec vos camarades? A qui confiez-vous vos problèmes? Pourquoi étudiez-vous? Quelle est votre attitude au sujet du mariage et des enfants?

COMPOSITIONS
➤➤➤➤➤➤➤

1. Racontez au passé composé vos activités du matin depuis le moment où vous vous êtes levé(e) jusqu'au moment où vous partez de chez vous. Employez, entre autres, des verbes pronominaux.

2. Faites des comparaisons entre vous et vos parents, du point de vue physique et du point de vue psychologique.

3. Donnez votre opinion sur les sujets abordés dans la lecture.

PRONONCIATION

(This exercise is at the end of Leçon 11 on the tape.)

Le son I (/l/)

Répétez d'après le modèle:

1. lit   loupe   l'oeuf   long   l'espoir   l'aide   lent   lin
   lutte   large   l'homme   lézard   l'heure   lime   laine   Luc

2. mal   tulle   bile   boule   molle   pèle   belle   seul   sale

3. un nouvel étudiant   une nouvelle auto   un nouvel arbre   un nouvel outil
   une nouvelle odeur   un nouvel incident   une nouvelle idée   une nouvelle encre

4. nous cherchons lø chien   nous voyons lø parc   nous trouvons lø pont
   nous mangeons lø gâteau   nous jouons lø jeu   nous finissons lø travail
   nous prenons lø train   nous regardons lø film

5. je lø crois   je lø dis   tu lø prends   tu lø finis
   je lø vois   je lø mange   tu lø gardes   tu lø prépares

6. c'est dø l'eau   c'est dø la monnaie   il y a dø la place   il a dø l'appétit
   c'est dø la bière   c'est dø la salade   il y a dø l'ombre   il a dø la chance
   il y a dø la lumière   il a dø l'ambition

Chapitre douze

Le temps des fêtes

VOCABULAIRE UTILE

bonhomme (m.)	old man	**fasciner**	to fascinate
chanter	to sing	**four** (m.)	oven
commander	to order	**fringale** (f.)	craving
cuit, cuite	cooked	**frit, frite**	fried
(se) déplacer	to move	**grossir**	to gain weight
détendu(e)	relaxed	**inconnu(e)**	unknown
devoir	homework	**Jour de l'An** (m.)	New Year's Day
disparaître	to disappear	**joyeux, euse**	merry
équilibré(e)	stable	**maigrir**	to lose weight

messe (f.)	mass	**prêt, prête**	ready
mets (m.)	dish	**ressembler**	to resemble
Noël (m.)	Christmas	**(se) réunir**	to gather
nuit (f.)	night	**réveillon** (m.)	Christmas Eve dinner
partout	everywhere	**saignant, ante**	rare
plat (m.)	dish	**soirée** (f.)	evening
poser	to ask	**traîneau** (m.)	sleigh
pousser	to grow		

GRAMMAIRE ET EXERCICES ORAUX

L'imparfait

The **imparfait** is a simple (one-word) past tense.

Formation

The **imparfait** is formed by dropping **-ons** from the **nous** form of the present tense and adding the endings **-ais, -ais, -ait, -ions, -iez, -aient**. All verbs, whether regular or irregular, follow this pattern, except **être**, whose stem in the **imparfait** is **ét-**.

	fini		**être**
je	finissais	j'	étais
tu	finissais	tu	étais
il/elle/on	finissait	il/elle/on	était
nous	finissions	nous	étions
vous	finissiez	vous	étiez
ils/elles/	finissaient	ils/elles/	étaient

Other examples:

chanter (nous <u>chant</u>ons) ⟶ je chantais
attendre (nous <u>attend</u>ons) ⟶ j'attendais
prendre (nous <u>pren</u>ons) ⟶ je prenais
lire (nous <u>lis</u>ons) ⟶ je lisais

With verbs in **-ger**, the letter **e** is inserted between **g** and the endings which begin with **a**:

je man<u>ge</u>ais *but* nous man<u>gi</u>ons

With verbs in **-cer**, the **cédille** is used with **c** before the endings which begin with **a**:

ils commen<u>ça</u>ient *but* vous commen<u>ci</u>ez

Uses of the *Imparfait*

The **imparfait** is used to express *continuous* past actions or states of affairs and *habitual* past actions.

Continuous Past Actions or States of Affairs
The **imparfait** indicates an action or state of affairs which was continuous or in progress in the past <u>without indicating whether that action or state has ended</u>:

Ce matin, il travaillait.	He was working this morning.
Il pleuvait hier.	It was raining yesterday.

The action and state in the above examples are presented as being in progress. This is often expressed in English by the continuous past, as in the translations above.

Since it expresses continuity, the **imparfait** is used to *describe* situations, persons or things:

Il faisait très froid.	It was very cold.
Il y avait du soleil.	It was sunny.
Elle avait l'air intelligente.	She looked intelligent.

Verbs expressing mental states or activities in the past most often appear in the **imparfait**:

Il aimait ses parents.	He loved his parents.
Elle avait peur des inconnus.	She was afraid of strangers.
Je voulais devenir avocat.	I wanted to become a lawyer.

Habitual Past Actions
The **imparfait** may express that a past action occurred on a regular basis or was repeated an unspecified number of times:

Le samedi, il allait au cinéma.	On Saturdays, he would go to the cinema.
Quand j'étais enfant, j'allais à l'église.	When I was a child, I used to go to church.

EXERCICES (ORALEMENT)

A. Mettez les verbes à l'imparfait.

faire
Je _____ mes devoirs.
Tu _____ du patinage.
Il _____ du ski.
Nous _____ la cuisine.

danser
Je _dansais_ avec mes camarades.
Vous _dansiez_ souvent la gigue.
Ils _dansaient_ ensemble.
Elle _dansait_ toutes les nuits.

vouloir
Il _____ me téléphoner.
Elles _____ le cadeau.
Nous _____ le regarder.

pouvoir
Je _____ y aller.
Elles _____ prendre le train.
Vous _____ vous reposer.
Elle _____ commencer à manger.

réfléchir *reflechissais*
Je _____ à mes problèmes.
Vous _____ à vos vacances.
Elle _____ aux conséquences.
Elles _____ à leur départ.

finir *finissions*
Nous _____ la soirée chez nos cousins.
Ils _____ leurs devoirs.
Tu _____ de préparer le réveillon.
Elles _____ leur danse.

aller
Je _____ à l'église.
Tu _____ chez tes parents.
Il _____ à l'opéra.
Ils *allaient* à la campagne.

mettre *mettais*
Je _____ des bonbons sur la table.
Vous _____ des fruits dans un sac.
Ils _____ leurs vêtements.
Elle _____ son bébé au lit.

attendre
J' _____ mon frère.
Tu _____ le train.
Vous _____ l'avion.
Ils _____ l'autobus.

prendre
Je _____ un taxi.
Nous _____ nos skis.
Elle _____ son temps.
Tu _____ le bateau.

B. Mettez à l'imparfait:

1. C'est dimanche.
2. Il y a de la neige.
3. C'est l'hiver.
4. J'ai mal à la tête.
5. Il est fatigué.
6. Tu as toujours faim.
7. Ils sont heureux.
8. Il y a des gens partout.
9. Nous sommes toujours en retard.
10. Vous n'avez pas l'adresse.
11. Ils ont soif après le repas.
12. Il y a du vin.
13. C'est le Jour de l'An.
14. Tu es joyeuse.
15. Il n'y a pas de bière.
16. C'est une fête religieuse.
17. Il n'a pas d'amis.
18. Ils ont envie d'un cognac.

C. Répondez aux questions:

1. Est-ce qu'il pleuvait <u>ce matin</u>?
2. Est-ce qu'il neigeait?
3. Est-ce qu'il y avait des nuages dans le ciel?
4. Est-ce qu'il faisait froid?
5. Etais-tu à l'université <u>hier</u>?
6. Est-ce qu'il y avait un cours de français?
7. Etudiais-tu à la bibliothèque?
8. Lisais-tu un livre?
9. Allais-tu à l'école <u>quand tu avais quinze ans</u>?
10. Sortais-tu avec des amis?
11. Faisais-tu du sport?
12. Quels livres lisais-tu?
13. Est-ce que tu étudiais le français?
14. Où habitais-tu <u>quand tu avais dix ans</u>?
15. Est-ce que tu aimais l'école?
16. Est-ce que tu regardais la télévision?
17. Est-ce que tu écoutais de la musique?
18. Quel genre de musique écoutais-tu?
19. Est-ce que tu obéissais à tes parents?

D. Répondez selon le modèle en mettant le verbe à l'imparfait.

> *Modèle:* Est-ce que tu vas encore chez tes grands-parents à Noël?
> *Non, mais autrefois j'allais chez mes grands-parents à Noël.*

1. Est-ce qu'on utilise encore des traîneaux pour se déplacer?
2. Est-ce que toute la famille se réunit encore régulièrement?
3. Est-ce que la majorité des gens habitent encore la campagne?
4. Est-ce que vous faites encore des bonhommes de neige en hiver?
5. Est-ce que vos grands-parents patinent encore sur la glace?
6. Est-ce que les femmes passent encore tout leur temps à faire la cuisine?
7. Est-ce que tu manges encore beaucoup de bonbons?
8. Est-ce qu'on se rend encore chez les voisins et les amis le Jour de l'An?

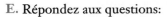

E. Répondez aux questions:

1. Qu'est-ce que tu faisais hier soir?
2. Quel chapitre est-ce que nous étudiions la semaine dernière?
3. Qui était le premier ministre du Canada il y a dix ans?
4. Avec qui sortais-tu quand tu avais quinze ans?
5. Quels films préférais-tu quand tu avais quinze ans?
6. Quel temps faisait-il hier? le mois dernier?
7. Quels vêtements portais-tu hier?

F. Demandez à un(e) autre étudiant(e) s'il/si elle . . .

1. était à l'université hier soir.
2. étudiait le français l'an dernier.
3. écrivait une composition la semaine dernière.
4. avait peur des vampires quand il/elle était enfant.
5. voulait sortir samedi soir.
6. apprenait une autre langue à l'école secondaire.
7. voulait devenir premier ministre quand il/elle avait dix ans.
8. pouvait emprunter la voiture de ses parents quand il/elle avait seize ans.
9. s'ennuyait à l'école secondaire.
10. s'entendait bien avec ses frères et soeurs.

La famille

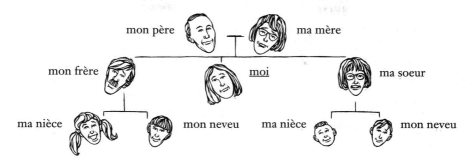

Mon père et ma mère sont **mes parents**.
Mon père est **le mari*** de ma mère.
Ma mère est **la femme*** de mon père.
Mon frère est **le fils** de mes parents.

Ma soeur est **la fille** de mes parents.
Le fils de mon frère / ma soeur est **mon neveu**.
La fille de ma soeur / mon frère est **ma nièce**.

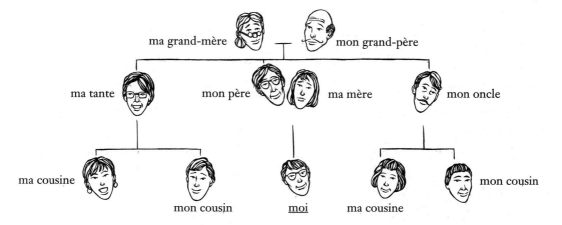

Mon grand-père et ma grand-mère sont **mes grands-parents**.
Le frère de mon père / ma mère est **mon oncle**. Sa soeur est **ma tante**.
Le fils de mon oncle / ma tante est **mon cousin**.
La fille de ma tante / mon oncle est **ma cousine**.
Je suis **le petit-fils / la petite-fille** de mes grands-parents.

* ou: l'ex-mari, l'ex-femme

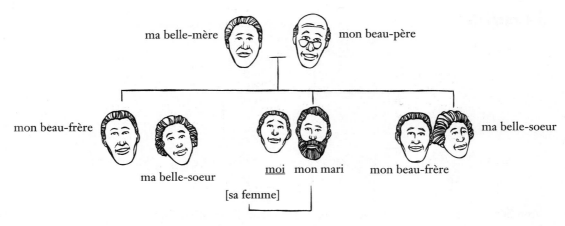

ma belle-mère — mon beau-père

mon beau-frère — ma belle-soeur — <u>moi</u> mon mari — mon beau-frère — ma belle-soeur

[sa femme]

Les parents de mon mari / ma femme sont **mes beaux-parents**.
Les frères et les soeurs de ma femme / mon mari sont **mes beaux-frères** et **mes belles-soeurs**.
Le mari de ma soeur est aussi **mon beau-frère** et la femme de mon frère est aussi **ma belle-soeur**.

➤ **Note: Belle-mère** and **beau-père** can also mean stepmother and stepfather.

EXERCICES (ORALEMENT)

A. Complétez les phrases d'après le modèle.

Modèle: Le mari de ma mère. . . .
Le mari de ma mère est mon père.

1. La femme de mon père. . . .
2. La soeur de mon père. . . .
3. Le frère de ma mère. . . .
4. Le fils de ma soeur. . . .
5. La fille de mon frère. . . .
6. Le fils de mon oncle. . . .
7. La fille de mon oncle. . . .
8. Le mari de ma soeur. . . .
9. Le frère de ma femme. . . .
10. Le père de mon mari. . . .
11. La mère de ma femme. . . .
12. La soeur de ma femme. . . .

B. Répondez aux questions:

1. Combien de frères et de soeurs as-tu?
2. Combien de neveux et de nièces as-tu?
3. As-tu des cousins? De qui sont-ils les fils?
4. As-tu des cousines? De qui sont-elles les filles?
5. Où habitent tes grands-parents maternels et paternels?
6. Combien d'enfants tes grands-parents maternels ont-ils?
7. Est-ce que tes frères et soeurs sont mariés?
8. Où habitent tes oncles et tantes?

La nourriture

Les repas*

(handwritten: toast)
(handwritten: du pain grillé, des toast, des rôtis, des tartines)

1) Le déjeuner (breakfast)

un jus de fruit	du pain (bread)	un oeuf (egg) *(handwritten: oeufs (don't pronounce final consonants))*
un café	du beurre (butter)	du jambon (ham) *(handwritten: le pamplemousse – grapefruit)*
un thé	de la confiture (jam)	des céréales *(handwritten: d'ananas (m.))*
		(handwritten: du lard)

2) Le dîner (lunch) *(handwritten: aux légumes)*

une soupe *(handwritten: au jambon)*	une omelette	du fromage (cheese)
un sandwich	une quiche	un biscuit (a cookie)
une salade	un fruit	un gâteau (a cake) *(handwritten: au chocolat, aux fruits)*

3) Le souper (dinner)

un hors-d'oeuvre	des pâtes (f.) (pasta)
une entrée (main course)	des légumes (m.) (vegetables)
de la viande (meat)	un dessert (dessert)

(handwritten: du porc, du poulet, du veau, du boeuf, de la dinde, du dindon, du canard, des agneau, du mouton)

(handwritten: une mousse, de la crème glacée)

(handwritten: des carottes (f.), des pommes de terre (f.), des navets (m.), des choux (m.), du brocoli, des choux-fleurs, du céleri, des asperges (f.), des oignons, de l'ail)

Les boissons

1) non-alcoolisées:

2) alcoolisées

l'eau (f.) (water)	la bière
le chocolat chaud (hot chocolate)	un cocktail
le lait (milk)	une liqueur
la limonade (lemonade)	le vin

Les aliments

1) Les fruits: *(handwritten: les myrtilles (f.))*

les bleuets (m.) (blueberries)	une banane	*(handwritten: un kiwi)*
les cerises (f.) (cherries)	une pomme	*(handwritten: une avocat)*
les fraises (f.) (strawberries)	une poire	
les framboises (f.) (raspberries)	une pêche	

(handwritten: in France: une entrée – appetizer, le plat principal – main course)

* In France, the names of meals are more usually the following: le petit-déjeuner (breakfast), le déjeuner (lunch), le dîner (dinner).

2) <u>Les fruits de mer et les poissons</u>:

une crevette (shrimp)   **un saumon** (salmon)
un homard (lobster)   **une truite** (trout)
un crabe   **un filet de sole**

une morue
un flétan – halibut
des calmar / calamar } *squid*
les encornets
un phoque → *seal*
un loup marin)

3) <u>Les légumes</u>:

une carotte   **une pomme de terre** (potato)
un concombre   **un oignon**
un chou (cabbage)   **une tomate**

4) <u>Les pâtes</u>:

des nouilles (f.) (noodles)   **des macaroni**
des spaghetti   **de la lasagne**

5) <u>La viande</u>:

de l'agneau (lamb)   **du poulet** (chicken)
du boeuf   **du porc**
de la dinde (turkey)   **du veau** (veal)

EXERCICES (ORALEMENT)

A. Répondez aux questions:

1. Qu'est-ce que tu manges généralement au déjeuner?
2. Quel est ton fruit préféré? ton légume favori?
3. Quelle est la viande que tu préfères?
4. Quels ingrédients y a-t-il dans une quiche?
5. Préfères-tu les carottes ou les pommes de terre?
6. En quelle saison les fraises poussent-elles?
7. Quelle différence y a-t-il entre la lasagne et les spaghetti?
8. Aimes-tu le poisson? Quel genre de poisson?
9. Qu'est-ce qu'on mange après les hors-d'oeuvre?
10. Avec quoi fait-on une omelette?
11. Est-ce que tu mets du sucre et du lait dans ton café?

B. De quelle couleur? Répondez selon le modèle.

Modèle: De quelle couleur sont les bananes?
    Les bananes sont jaunes.

1. De quelle couleur sont les framboises? les pêches? les pommes? les fraises? les pommes de terre? les choux? les concombres? les carottes? les homards?
2. De quelle couleur est le lait? le beurre? le jambon? le café? le sucre?

Le verbe irrégulier *boire*

Présent de l'indicatif

je	bois	nous	buvons
tu	bois	vous	buvez
il/elle/on	boit	ils/elles/	boivent

Participe passé:
bu

Boire means "to drink".

EXERCICES (ORALEMENT)

A. Remplacez le sujet par les mots entre parenthèses:

1. Pierre boit du jus de tomate. (nous, ils, on, je)
2. Je bois du café. (tu, elles, vous, il)
3. Elles ont bu de la bière. (je, elle, nous, tu)
4. Il buvait du vin. (tu, vous, elles, nous)

B. Répondez aux questions:

1. Est-ce que tu bois du vin avec le dîner?
2. Est-ce que les enfants boivent du cognac?
3. Est-ce que les athlètes doivent boire du lait?
4. Où est-ce que tu bois de la bière?
5. Quand est-ce que tu bois un cocktail?
6. Qu'est-ce que tu bois au déjeuner? au dîner? au souper?
7. Qu'est-ce que tu bois quand il fait chaud? quand il fait froid?
8. Qu'est-ce qu'on boit quand on a un rhume?
9. Quand est-ce qu'on boit une liqueur?

EXERCICES ECRITS

A. Mettez les phrases suivantes à l'imparfait:

1. Nous regardons les légumes.
2. Elle choisit des fruits.
3. Il vend des fruits et des légumes.
4. Je prends un café.
5. Ils écrivent à leurs parents.
6. Tu bois du champagne.
7. Vous voulez aller chez votre grand-père.
8. Mon cousin s'attend à une surprise.
9. Je m'entends bien avec mes beaux-parents.
10. Ma mère adore le homard.
11. Il dort le dimanche matin.
12. Ils se souviennent de l'oncle Robert.
13. Il y a des oeufs pour le déjeuner.

14. Ma soeur attend mon père.
15. Nous mangeons de la dinde tous les jours.
16. Vous vous téléphonez souvent.

17. Tu dois t'ennuyer sans tes frères et soeurs.
18. Elle sert des liqueurs à ses invités.
19. Mon frère commence à travailler.

imparfaite — ongoing, beginning and end not specified

B. Mettez les verbes entre parenthèses à l'imparfait:

Quand je (être) _étais_ enfant, mes parents et moi (aller) _allions_ chez mes grands-parents tous les mois. Nous (partir) _partions_ à huit heures du matin parce qu'ils (habiter) _habitaient_ à 150 kilomètres de Québec. Quand nous (arriver) _arrivions_, mes oncles et tantes (se trouver) _se trouvaient_ déjà là avec leurs enfants et ils (finir) _finissaient_ leur déjeuner. Je (aimer) _aimais_ mes cousins et mes cousines et nous (jouer) _jouions_ ensemble dans le jardin.

Toute la famille (se mettre) _se mettait_ à table à une heure de l'après-midi. Après le repas, l'oncle Jean (prendre) _prenait_ son violon et (faire) _faisait_ de la musique. Nous (commencer) _commencions_ par des chansons, puis tout le monde (danser) _dansait_.

Quand nous (rentrer) _rentrions_ le soir, nous (chanter) _chantions_ dans la voiture; mes parents (rester) _restaient_ joyeux et moi, je (avoir) _avais_ la tête pleine de musique.

C. Le verbe *boire*. Conjuguez:

au présent
1. Je _____ du café.
2. Nous _____ du jus.
3. Ils _____ du thé.

à l'imparfait
4. Je _____ de la limonade.
5. Tu _____ de l'orangeade.
6. Vous _____ du thé glacé.

au passé composé
7. Le bébé _____ du lait.
8. Il _____ du chocolat chaud.
9. Elles _____ de la bière.

D. Complétez les phrases par le nom approprié:

1. La fille de mon oncle est ma _____ .
2. Le fils de ma soeur est mon _____ .
3. Les parents de ma mère sont mes _____ .
4. La nièce de ma mère est ma _____ .
5. Le mari de ma soeur est mon _____ .
6. La mère de mon mari est ma _____ .
7. La mère de ma cousine est ma _____ .

LECTURE

▶▶▶▶▶▶▶

Les odeurs de mes Noëls

Noël, c'est l'indéfinissable odeur du bonheur tissé à même les souvenirs d'enfance.

"Qui veut des beignes?" Rieuse, les mains enfarinées, ma mère offrait les retailles frites des pâtisseries qu'elle réservait pour le réveillon de Noël. Dès la fin novembre, elle s'affairait à préparer pâtés, pâtisseries et autres gâteries que nous avions le privilège de goûter les unes après les autres: "Trouves-tu que c'est trop salé?" interrogeait la cuisinière.

Peut-être encore plus que la fête elle-même, la fébrilité de ces préparatifs nous mettaient en joie. Tout se déroulait à l'enseigne du rire et de la musique. Bien avant l'heure du solennel "Minuit, chrétiens", nous nous regroupions autour du piano pour entonner "Mon beau sapin" et "Ça, bergers".

Noël, c'était l'encens de la messe de minuit dans l'église resplendissante de lumières, le retour à la maison quand la neige craquait sous nos pas et le froid nous réveillait pour de bon, c'était nos bas de Noël remplis de "bébelles": albums à colorier, poupées de papier, casse-tête et père Noël en sucre d'orge. Je me souviens particulièrement de cette année où, un 24 décembre, ma mère nous a fait le plus beau des cadeaux, un petit frère Louis-Paul. Cette nuit-là, c'est avec une allégresse sans pareille que nous avons chanté "Nouvelle agréable, un petit enfant nous est né".

Certes, nous avons eu beaucoup de Noëls ensuite, plus paisibles; nous nous sommes dispersés en Italie, au Pérou, en France où nous avons tenté de recréer la fête . . . mais Noël sans neige, sans famille, ce n'est pas pareil. Maman nous a quittés depuis mais elle reste toujours présente dans notre coeur et à chaque Noël, chez Louis-Paul, nous retrouvons l'immense sapin avec les décorations de jadis et nous entonnons en choeur "Les anges dans nos campagnes..."

(Article de Solange Allard-Lacerte, paru dans le magazine *Madame Au Foyer*, nov.–déc. 1988)

(s')affairer	to busy oneself	**(de) bon**	for good
allégresse (f.)	jubilation	**casse-tête** (m.)	puzzle
ange (m.)	angel	**certes**	certainly
autour	around	**craquer**	to creak
bas	sock	**colorier**	to color
bébelle (f.)	toy	**cuisinier, ière**	cook
beigne (m.)	doughnut	**(se) dérouler**	to unwind
berger, ère	shepherd	**(se) disperser**	to scatter

encens (m.)	incense	**poupée** (f.)	doll
enfariné(e)	floury	**quitter**	to leave
enseigne (f.)	sign	**remplir**	to fill
ensuite	then	**resplendissant, ante**	shining
entonner	to start singing	**retaille** (f.)	cutting
fébrilité (f.)	feverishness	**(se) réveiller**	to wake up
fin (f.)	end	**rieur, rieuse**	cheerful
frère (m.)	brother	**rire** (m.)	laughter
main (f.)	hand	**salé(e)**	salty
(à) même	straight from	**sapin** (m.)	fir
mettre	to put	**solennel(le)**	solemn
paisible	peaceful	**(se) souvenir**	to remember
pareil(le)	same	**sucre d'orge** (m.)	barley sugar
pas (m.)	step	**tenter**	to tempt
père (m.)	father	**tisser**	to weave

QUESTIONS

1. De quelles odeurs est-il question dans ce texte?
2. A quoi s'affairait la mère, dès la fin novembre?
3. Qu'est-ce qui mettait les enfants en joie?
4. Que chantaient-ils autour du piano?
5. Qu'était Noël pour Solange Allard-Lacerte?
6. Quel cadeau précieux les enfants ont-ils reçu un certain Noël?
7. Quelle chanson ont-ils entonné ensuite?
8. Où se sont dispersés les enfants plus tard?
9. Chez qui célèbre-t-on la fête de Noël maintenant?

SITUATIONS / CONVERSATIONS

1. Qu'est-ce que vous mangez pour le déjeuner, le dîner et le souper généralement?

2. En quoi consistait un repas typique dans votre famille? (Quelles viandes, quels légumes, quels desserts vos parents servaient-ils généralement?)

3. Quel était votre plat favori quand vous étiez enfant et de quoi était-il composé?

4. Qu'est-ce qu'on mange quand on est végétarien?

    quand on fête un anniversaire?   quand on est malade?
    quand on va pique-niquer?   quand on a le rhume?
    quand on n'a pas d'appétit?   quand on veut maigrir?
    quand on a la fringale?   quand on veut grossir?

5. Nommez un mets typiquement américain; russe; français; belge; allemand; suisse; grec; anglais; canadien; québécois; espagnol; mexicain; chinois; japonais; hawaïen.

6. Composez un menu équilibré pour une journée.

7. Décrivez votre famille. Avez-vous un père, une mère, des grands-parents, des frères, des soeurs, des tantes, des cousins, etc?

8. Vous nous montrez un album de famille et nous posons des questions.

   Exemple: Qui est à côté de toi sur la photo? (C'est ma soeur.) Quel âge a-t-elle? Que fait ton grand-père sur la photo? etc.

9. A qui ressemblez-vous physiquement et intellectuellement?

10. Quel membre de votre famille vous fascinait beaucoup quand vous étiez enfant et pourquoi?

11. Racontez un souvenir d'enfance qui vous est cher.

12. Quels talents artistiques retrouvait-on dans votre famille?

13. Racontez un Noël que vous avez particulièrement aimé et dites pourquoi.

14. Racontez votre Noël de l'an dernier.

15. Comment étiez-vous quand vous étiez enfant? Etiez-vous sensible, délicat, normal, détendu? Obéissiez-vous à vos parents? à vos professeurs? Quels étaient vos loisirs? Quelle sorte d'élève étiez-vous?

16. *Jeu de rôles.* Jouez les rôles du serveur/de la serveuse et du client/de la cliente au restaurant (voir le modèle).

Au restaurant

LE SERVEUR:	Voilà le menu, Madame.
LA CLIENTE:	Merci.
LE SERVEUR:	Etes-vous prête à commander?
LA CLIENTE:	Oui, je suis prête. Je prends une soupe, un steak, des pommes de terre et une salade.
LE SERVEUR:	Votre steak saignant, médium ou bien cuit?
LA CLIENTE:	Saignant.
LE SERVEUR:	Pommes de terre au four, en purée ou frites?
LA CLIENTE:	Au four.
LE SERVEUR:	Vous avez choisi le vin?
LA CLIENTE:	Oui, un demi-litre de rouge, s'il vous plaît.
LE SERVEUR:	Très bien Madame.

COMPOSITIONS

1. Faites la critique d'un restaurant où vous avez mangé récemment et du plat qu'on vous a servi.

2. Racontez un dîner extraordinaire que vous avez fait.

3. Préparez votre menu pour la semaine prochaine.

4. Lequel de vos parents vous a le plus influencé et comment?

5. Racontez le temps des fêtes lorsque vos parents étaient enfants.

6. Quelles traditions existent encore dans votre famille? Avez-vous l'intention de les conserver?

7. Qu'est-ce qu'une famille pour vous? Est-elle encore nécessaire aujourd'hui? Est-elle en train de disparaître?

8. Racontez vos vacances pendant les fêtes quand vous étiez enfant.

PRONONCIATION

(This exercise is at the end of Leçon 12 on the tape.)

Les sons **eu** fermé et **eu** ouvert (/ø/ – /œ/)

I. Eu fermé (/ø/)

The sound /ø/ is a closed vowel. It is associated with the spellings **eu** and **oeu** and only occurs in an open syllable or in a closed syllable ending in /z/.

Répétez:
eux, peu, deux, jeu, bleu, boeufs, oeufs, peut-être, généreux, généreuse, heureux, heureuse, curieux, curieuse, sérieux, sérieuse, précieux, précieuse, furieusement, peureusement, somptueusement, malheureusement

II. Eu ouvert (/œ/)

The sound /œ/ is an open vowel. It is associated with the spellings **eu** and **oeu** and only occurs in closed syllables (not ending in /z/).

Répétez:
jeune, seul, aveugle, neuf, peuvent, veulent, intérieur, extérieur, voyageur, plusieurs, faveur, menteur, neuve, peuple, oeuf, boeuf, feuille, oeuvre.

Chapitre treize

La famille

VOCABULAIRE UTILE

accoucher d'un bébé	to give birth to a baby	**époux, épouse**	spouse
		femme (f.)	wife
ami(e): petit(e)	boyfriend; girlfriend	**fiançailles** (f.pl.)	engagement
amitié (f.)	friendship	**fiancé(e): être — avec**	to be engaged to
célibataire	single		
divorce (m.)	divorce	**se fiancer**	to get engaged
(se) divorcer	to get divorced	**foyer** (m.)	home
élever un enfant	to raise a child	**garde** (f.) **des enfants**	custody
enceinte	pregnant		

mari (m.)	husband	**(se) rencontrer**	to meet
mariage (m.)	marriage	**seul(e)**	alone
se marier avec	to get married to	**sexuel, elle**	sexual
ménage (m.)	household	**taux de**	birth rate
monoparentale:	single-parent	**natalité** (m.)	
famille —	family	**valeur** (f.)	value
morale (f.)	morals	**veuf, veuve**	widower, widow
noces (f.pl.)	wedding	**vie commune** (f.)	shared life
nucléaire	nuclear	**vivre en**	to live common-
pension	alimony	**concubinage**	law
alimentaire (f.)			

GRAMMAIRE ET EXERCICES ORAUX
►►►►►►►►

cf. 224

Contrastes entre l'imparfait et le passé composé

When using the **imparfait**, one presents an event in its duration, without indication of beginning or end (for instance, a state of mind free of time limits, or an action repeated an indeterminate number of times). The **passé composé**, on the other hand, presents an event in its completeness, ascribed to a particular moment or to a definite period of time. These contrasts may be best brought out by comparing the two tenses in similar sentences.

Passé composé

1) Completed event
   Hier, il a plu à Vancouver.

   It rained yesterday in Vancouver. (*The implication is that it stopped raining at some point.*)

2) Single occurrence
   L'an dernier, elle est allée à Montréal.

   Last year she went to Montreal.

3) Discontinuous event
   Quand j'ai vu le chien, j'ai eu peur.

   I got scared when I saw the dog. (*At that moment, I started being scared.*)

Imparfait

1) Uncompleted event
   Il pleuvait à Vancouver quand j'ai pris l'avion.

   It was raining in Vancouver when I boarded the plane. (*Whether it stopped raining or not is not at issue here.*)

2) Repetition or habitual action
   L'an dernier, elle allait souvent à Montréal.

   Last year she used to go to Montreal often.

3) Continuous event
   Quand j'étais enfant, j'avais peur des chiens.

   When I was a child, I was (*continuously*) scared of dogs.

began and ended in past.

if you know the number of repetitions, use passé composé

Several observations should be added to these comparisons:

1) Completed/uncompleted event

When using the **passé composé**, one is automatically ascribing a definite time limit to the past event. When using the **imparfait**, on the contrary, one is not concerned whether the event stopped or not, usually because it provides the continuous backdrop, or context, for other events narrated in the **passé composé**:

> **Hier, il <u>faisait</u> chaud quand nous <u>sommes partis</u>.**
> (The warm weather is the context within which our departure took place.)
> **Nous <u>partions</u> quand le téléphone <u>a sonné</u>.**
> (In this last sentence, our departure is the background against which the telephone rang.)

On the other hand, one automatically uses the **passé composé** when specifiying the duration of a single event (with **pendant**, during, or **longtemps**, for a long time, for instance), its end (**jusqu'à**, until), or its beginning (**à partir de**, from):

> Sa femme <u>a eu</u> mal à la tête <u>pendant</u> trois jours.
> Le mariage <u>a longtemps constitué</u> la norme.
> Ils <u>sont restés</u> mariés <u>jusqu'à</u> l'été dernier.
> Ce couple <u>a habité</u> Hamilton <u>à partir</u> de 1985.

2) Single occurrence/repetition

By contrast with the **passé composé**, the **imparfait** indicates that an action occurred several times or on a repetitive basis during an indeterminate period of time. However, if one specifies the number of times the event occurred or mentions a definite period of time, the **passé composé** must be used:

> L'hiver dernier, <u>il a neigé</u> seulement <u>trois fois.</u>
> <u>Entre le mois de décembre et le mois de février</u>, il <u>a</u> souvent <u>neigé.</u>

3) Discontinuity/continuity

Verbs used to describe situations or denoting states of being, states of mind or mental processes are usually in the **imparfait** (in a past context) since their very meaning is associated with continuity. They are used in the **passé composé** to indicate that a situation or a state of mind *began* at a particular moment which one usually specifies in the sentence:

> Autrefois, <u>je voulais</u> devenir musicien.
> *but*:
> Le jour où j'ai entendu l'orchestre symphonique de Montréal, <u>j'ai voulu</u> devenir musicien.

EXERCICES (ORALEMENT)

A. Mettez les verbes au temps du passé qui convient (imparfait ou passé composé). Placez le mot *hier* en début de phrase.

> *Modèle:* Il pleut quand je sors.
> *Hier, il pleuvait quand je suis sorti(e).*

1. Quand il vient, je ne suis pas chez moi.
2. Je mange un rosbif qui est excellent. *imp·* / *p·c·*
3. J'étudie quand tu me téléphones. *p·c·*
4. Je regarde un film qui est intéressant *imp·*
5. Il ne sort pas parce qu'il a un examen *imp·* / *p·c·* à préparer.
6. Elle ne dîne pas parce qu'elle est *imp·* / *p·c·* malade.
7. Il ne répond pas au téléphone parce qu'il travaille. *imp·*
8. Je lis le journal quand tu rentres. *p·c·* / *imp·*

B. Mettez les verbes entre parenthèses à l'imparfait ou au passé composé:

1. Mardi dernier, il (aller) _____ au *p·c·* cinéma.
2. Quand il était étudiant, il (sortir) *imp·* _____ souvent avec des amis.
3. La semaine dernière, nous (faire) *p·c·* _____ du ski deux fois.
4. Le mois dernier, il (avoir) _____ *p·c·* un rhume pendant une semaine.
5. Franco (faire) _____ un voyage au Mexique l'été dernier. *p·c·*
6. Giselle (habiter) _____ chez ses *p·c·* grands-parents pendant trois mois.
7. Quand il était adolescent, il (penser) *imp·* _____ devenir architecte, mais à l'âge de vingt ans, il _____ (choisir) *p·c·* _____ la carrière de journaliste.
8. Il y a cinquante ans, il n'y (avoir) _____ pas d'ordinateurs. *imp·*
9. Je (vouloir) *imp·* _____ faire de la boxe mais, quand je (avoir) *p·c·* _____ un accident, je (devoir) *p·c·* _____ abandonner mes projets.
10. Il (écrire) *écrivait* à ses parents toutes les semaines, puis il (se marier) _____ *p·c·* et ses lettres (devenir) _____ moins *p·c·* fréquentes.

C. Mettez les verbes entre parenthèses à l'imparfait ou au passé composé.

Quand Yvette et Marcel (se rencontrer) _____ *p·c·*, ils (avoir) _____ *imp·* vingt ans. D'abord, ils (sortir) *p·c·* _____ ensemble pendant un an, puis ils (décider) _____ *p·c·* de vivre en concubinage parce qu'ils (vouloir) *imp·* _____ faire l'expérience du mariage à l'essai. *mental state verbs in imp·*

Yvette et Marcel (être) *imp·* _____ heureux, ils (ne pas avoir) _____ *imp·* de difficulté à vivre ensemble et ils (s'entendre) *imp·* _____ bien. Après deux ans de vie commune, comme ils (désirer) *p·c·* _____ avoir des enfants, ils (choisir) *p·c·* _____ de se marier.

L'imparfait avec *depuis*

To indicate that an action or a state of affairs has been going on in the past until some other event took place, the **imparfait** is used with **depuis** (for/since). The verb describing the other event is in the **passé composé**.

In French, **depuis** is used with the present tense (Chapter 10), whereas "for" and "since" are used with the present perfect in English. Likewise, the **imparfait** is used in French, whereas the pluperfect is used in English.

Exemples:

1) **Elle travaillait depuis trois ans quand elle est tombée malade.**
   She had been working for three years when she became ill.

2) **Elle voyageait depuis le mois de janvier quand elle est tombée malade.**
   She had been traveling since January when she became ill.

Note the questions corresponding to 1 and 2:

1) **<u>Depuis combien de temps</u> travaillait-elle quand elle est tombée malade?**
   How long had she been working when she became ill?

2) **<u>Depuis quand</u> voyageait-elle quand elle est tombée malade?**
   Since when had she been traveling when she became ill?

EXERCICES (ORALEMENT)

A. Posez la question avec *depuis quand* ou *depuis combien de temps*.

Modèle: Il la connaissait depuis deux ans quand ils se sont mariés.
   Depuis combien de temps la connaissait-il quand ils se sont mariés?

~~Vous étiez~~
1. Nous étions à Winnipeg depuis deux jours quand nous l'avons rencontré(e).

2 Elle était mariée depuis quinze ans quand elle a divorcé.

3 Je t'attendais depuis dix heures moins vingt quand tu es arrivé(e).
~~Depuis quand m'attendais-tu quand je suis arrivée.~~

4. Il habitait Québec depuis six mois quand il a trouvé du travail.

5. Ils regardaient la télévision depuis cinq heures de l'après-midi quand les parents sont rentrés.

B. Répondez aux questions.

Modèle: Depuis combien de temps attendais-tu quand je suis arrivé(e)? (un quart d'heure)
   J'attendais depuis un quart d'heure quand tu es arrivé(e).

1. Depuis combien de temps avait-il mal aux dents quand il est allé chez le dentiste? (une semaine).

2. Depuis combien de temps pleuvait-il quand tu es sorti(e)? (20 minutes)

3. Depuis quand faisait-il humide quand il à commencé à pleuvoir? (le matin)

6. Depuis quand était-il étudiant quand il a abandonné ses études? (1982)

7. Depuis combien de temps avais-tu de la fièvre quand tu as décidé de venir à l'hôpital? (deux jours)

8. Depuis quand étaient-ils mariés quand ils ont eu un enfant? (1980)

4. Depuis combien de temps dormais-tu quand le téléphone t'a réveillé(e)? (une demi-heure)
5. Depuis combien de temps vivait-elle à Montréal quand elle a dû partir? (un an)

9. Depuis combien de temps la connaissais-tu quand elle s'est mariée? (deux ans)
10. Depuis combien de temps habitait-elle Ottawa quand tu l'as rencontrée? (trois mois)

Le verbe irrégulier *recevoir*

Présent de l'indicatif

je	reçois	nous	recevons
tu	reçois	vous	recevez
il/elle/on	reçoit	ils/elles	reçoivent

Participe passé:

reçu

no s in imp.

aperçoivent

déçoivent

Recevoir means "to receive". **Apercevoir** (to catch a glimpse of), **s'apercevoir de** (to realize/to become aware of) and **décevoir** (to disappoint) are conjugated using the same pattern as **recevoir**. Note the **cédille** under **c** before **o** and **u**.

As-tu reçu ma lettre?
Quand j'étais enfant, je recevais beaucoup de cadeaux.
On aperçoit le soleil entre les nuages.
J'ai aperçu Paul à la bibliothèque.
Ne décevez pas vos amis.
La note qu'il a reçue à l'examen le déçoit.
Il s'est aperçu de son erreur.

EXERCICES (ORALEMENT)

A. Remplacez le sujet par les mots entre parenthèses:

1 Je reçois plusieurs magazines. (Solange, nous, tu, ils)
2. Elle recevait des invités. (je, nous, tu, mes parents)
3. Nous avons reçu une lettre. (il, je, vous)
4. Il aperçoit le satellite. (nous, tu, je, elles)
5. Vous me décevez. (il, tu, elles) *Il me déçoit Tu me déçois elles me déçoivent*
6. Elle s'aperçoit de ses erreurs. (tu, je, ils, vous) *leurs vos*

B. Demandez à un(e) autre étudiant(e) s'il/si elle . . .

1. reçoit souvent des cadeaux.
2. déçoit ses parents.
3. aperçoit le soleil par la fenêtre.
4. reçoit ses amis à Noël.
5. déçoit quelquefois ses amis.
6. aperçoit le professeur à la cafétéria quelquefois.
7. reçoit souvent des lettres d'amour.

C. Répondez aux questions:

1. Qu'est-ce que tu as reçu à Noël?
2. Qu'est-ce qui te déçoit à l'université?
3. Est-ce qu'on aperçoit des satellites la nuit? le jour?
4. Est-ce que tes résultats à l'université te déçoivent?

5. Est-ce que tu reçois souvent des invités?
6. Est-ce que tu t'aperçois vite de tes erreurs?
7. As-tu aperçu des oiseaux rares dans les bois?

[handwritten: pas souvent des invités / pas jamais de invités]

[handwritten: je n'ai pas aperçu d'oiseaux rares dans les bois.]

Le pronom interrogatif *lequel*

The interrogative pronoun **lequel** is used to distinguish between several persons or things. It corresponds to "which one" or "which ones".

	Singular	*Plural*
Masculine	lequel	lesquels
Feminine	laquelle	lesquelles

<u>Laquelle</u> des robes as-tu choisie?
<u>Lesquels</u> des étudiants étaient absents?

Lequel may be used instead of the interrogative adjective **quel** + noun:

Je lis un roman. { — Quel roman?
                    — Lequel?

J'ai acheté des disques. { — Quels disques?
                            — Lesquels?

Contractions occur when used with **à** or **de**, except for **laquelle**:

à + lequel	⟶	**auquel**	de + lequel	⟶	**duquel**
à + lesquels	⟶	**auxquels**	de + lesquels	⟶	**desquels**
à + lesquelles	⟶	**auxquelles**	de + lesquelles	⟶	**desquelles**

J'ai besoin d'un livre. — <u>Duquel</u> as-tu besoin?
<u>Auxquelles</u> des étudiantes a-t-il parlé?

EXERCICES (ORALEMENT)

A. Remplacez les mots soulignés par une forme de *lequel*:

1. <u>Quels livres</u> avez-vous lus?
2. <u>Quelle robe</u> vas-tu mettre ce soir?
3. <u>Quelles chemises</u> as-tu achetées?
4. <u>Quel journal</u> lis-tu?
5. <u>A quel concert</u> es-tu allé(e)?

6. <u>De quelle voiture</u> as-tu envie?
7. <u>De quels animaux</u> a-t-il peur?
8. <u>A quelle surprise</u> t'attendais-tu?
9. <u>A quelles organisations</u> as-tu écrit?

B. Posez la question en employant une forme de *lequel*.

> *Modèle:* Je lui ai rendu des livres.
> *Lesquels?*

1. Il y a <u>des différences</u> entre l'imparfait et le passé composé.
2. <u>Un de mes amis</u> est parti pour la Grèce.
3. J'ai <u>de gros problèmes</u>.
4. Il m'a appris <u>une bonne nouvelle</u>.
5. Elle m'a apporté <u>des journaux</u>.
6. J'ai envie <u>d'une de ces robes</u>.
7. Il en a parlé <u>à quelques amis</u>.
8. J'ai vendu mon tourne-disque <u>à un camarade</u>.
9. J'ai besoin <u>d'un de tes livres</u>.

Les pronoms démonstratifs

	Singular	*Plural*
Masculine	celui	ceux
Feminine	celle	celles

The demonstrative pronouns refer to persons or things and agree in gender and number with the nouns they stand for. They are never used alone but are followed by:

1) a relative clause:
   Quelle robe voulez-vous? — <u>Celle</u> qui est dans la vitrine.
   Quels disques as-tu apportés? — <u>Ceux</u> que tu voulais entendre.

2) **de** + noun:
   Derrière la maison, il y a ma voiture et <u>celle de</u> mon père.

3) **-ci** or **-là** (this one/that one):
   Tu vois ces maisons: j'habite <u>celle-ci</u> et Hélène habite <u>celle-là</u>.

Followed by **-ci** and **-là**, the demonstrative pronouns may mean "the latter" and "the former":

> J'ai connu Estelle et David à l'université. <u>Celui-ci</u> est devenu architecte; <u>celle-là</u> est devenue médecin.

Ceci and **cela** (this/that) are also demonstrative pronouns. They are mostly used to refer to facts, ideas or situations. **Ceci** is often used to present some further idea:

> Je peux te dire <u>ceci</u>: je ne te comprends pas.

Cela is used to refer to an idea or a fact which has been previously mentioned:

> Je lui ai dit que j'étais malade. <u>Cela</u> l'a inquiété.
> Il ne veut pas étudier. Je ne comprends pas <u>cela</u>.

In spoken usage, **cela** is replaced by **ça. Ce** usually replaces **cela** or **ça** as the subject of **être**:

> <u>Cela</u> devient monotone.
> <u>Ça</u> va bien.

> <u>Ce</u> sont des événements importants.
> <u>C'</u>était une belle journée.

EXERCICES (ORALEMENT)

A. Remplacez les mots soulignés par le pronom démonstratif approprié:

1. C'est <u>la voiture</u> que nous avons achetée.
2. C'est <u>l'université</u> où j'ai fait mon baccalauréat.
3. Veux-tu <u>le livre</u> que je viens de lire?
4. As-tu vu <u>l'émission</u> que Radio-Canada a présentée?
5. J'ai jeté <u>les vêtements</u> qui étaient usés.
6. Elle a mangé <u>les biscuits</u> qui restaient.
7. Il a mangé son dessert et <u>le dessert</u> de son père.
8. Avez-vous pris votre voiture ou <u>la voiture</u> de vos amis?
9. Il m'a parlé de ses problèmes et <u>des problèmes</u> de ses parents.

B. Répondez selon le modèle.

> *Modèle:* Je vais acheter cette chemise-ci, et toi?
> *Moi, je vais acheter celle-là.*

1. J'aime ce pantalon-ci, et toi?
2. J'ai envie de ce gâteau-ci, et toi?
3. J'ai apporté ces disques-ci, et toi?
4. Je veux entrer dans ce restaurant-ci, et toi?
5. Je prends cet autobus-ci, et toi?
6. J'ai besoin de ce stylo-ci, et toi?
7. Je vais emporter ce livre-ci, et toi?

Le comparatif et le superlatif de l'adverbe

The comparative and superlative of adverbs are similar to those of the adjectives.

1) *Comparative*

— superiority: Il nage <u>plus vite</u> que moi.
— inferiority: Il pleut <u>moins souvent</u> ici qu'à Vancouver.
— equality: Paul joue <u>aussi bien</u> au tennis que Pierre.

2) *Superlative*

— superiority: Marie a travaillé <u>le plus fort</u>.
— inferiority: Celui qui est resté <u>le moins longtemps</u>, c'est Léon.

With an adverb, only the masculine singlular form of the definite article **le** is used.

3) *Bien*

The comparative and superlative of superiority of **bien** (well) are irregular: **mieux** (better) and **le mieux** (the best):

> Il écrit <u>mieux</u> que toi.
> Suzanne est l'étudiante qui a <u>le mieux</u> réussi.

EXERCICES (ORALEMENT)

A. Transformez les phrases selon le modèle.

> *Modèle:* Pierre marche vite. (Francine, +)
> *Pierre marche plus vite que Francine.*

1. Vous avez attendu longtemps. (nous, -)
2. Colette écrit bien. (moi, +)
3. Ma tante parle fort. (eux, =)
4. Tu apprends facilement. (ta soeur, +)
5. Il joue bien aux échecs. (son père, -)
6. Nous sommes arrivés tôt. (eux, +)
7. Philippe joue mal au tennis. (moi, =)

B. Répondez aux questions:

Dans ta famille . . .

1. qui travaille le plus fort?
2. qui dort le plus longtemps?
3. qui regarde la télévision le plus souvent?
4. qui fait le moins bien la vaisselle?
5. qui fait le moins souvent le ménage?

Dans la classe . . .

6. qui est le plus souvent absent?
7. qui est le moins souvent absent?
8. qui parle le plus souvent?
9. qui répond le mieux aux questions?
10. qui écoute le plus attentivement?

EXERCICES ECRITS

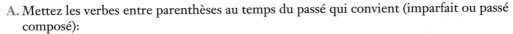

A. Mettez les verbes entre parenthèses au temps du passé qui convient (imparfait ou passé composé):

1. Hier, il (faire) soleil quand je (sortir).
2. Je (ne pas être) chez moi quand tu (téléphoner).
3. Quand il (venir), il (ne pas avoir) sa voiture.
4. Dimanche, je (manger) une salade qui (être) délicieuse.
5. Où (être)-vous quand je vous (téléphoner) à cinq heures?
6. La semaine dernière, je (voir) un film

qui (être) passionnant.

7. Il (se marier) avec une femme qui (être) très belle.

8. Il (penser) venir nous voir mais il (tomber) malade.

9. Jeudi dernier, je (sortir) avec un camarade que je (ne pas connaître) très bien.

10. Il (neiger) ce matin quand je (prendre) la voiture pour venir à l'université.

B. Répondez aux questions par des phrases complètes:

1. Depuis combien de temps m'attendais-tu quand je suis rentré(e)?

2. Depuis combien de temps neigeait-il quand elle est sortie?

3. Depuis quand la connaissait-il quand ils se sont mariés?

4. Depuis combien de temps étudiait-il le français quand il est allé habiter Montréal?

5. Depuis quand faisait-il soleil quand tu es parti(e)?

C. Mettez les verbes à l'imparfait ou au passé composé:

1. Quand je (faire) mes études, je (lire) plusieurs livres toutes les semaines.

2. Il (avoir) une pneumonie quand il (avoir) dix ans.

3. Tous les jours, je (aller) me promener.

4. Ce jour-là, je (me promener).

5. Il (jouer) souvent aux échecs quand il (être) adolescent.

6. Elle (visiter) deux fois la ville de Québec.

7. Nous (écrire) trois cartes à nos parents pendant les vacances.

8. Elle (détester) les sports, puis elle (rencontrer) Pierre et elle (apprendre) la natation et le tennis.

9. Quand je (être) plus jeune, je (jouer) au baseball tous les samedis.

10. Le mois dernier, l'équipe de hockey (perdre) cinq parties.

D. Employez le verbe qui convient (*apercevoir, s'apercevoir de, décevoir, recevoir*) au présent:

1. Le médecin _____ ses patients dans son bureau.

2. Quand il neige, on ne _____ pas le soleil.

3. Ses mauvaises notes _____ ses parents.

4. Ce soir, ils _____ des invités.

5. Vous _____ enfin des problèmes de votre fils!

6. De ma chambre, je _____ la rivière.

7. Nous _____ ce magazine tous les mois.

E. Remplacez l'adjectif interrogatif et le nom par un pronom interrogatif.

> *Modèle:* Quelle robe as-tu achetée?
> *Laquelle as-tu achetée?*

1. Quel cours préférez-vous?

2. Quels livres lisez-vous?

3. Quel film regardes-tu?

4. Quelles étudiantes font du ski?

5. Quelle cravate as-tu choisie?

6. A quel cinéma allons-nous?

7. De quelle ville viens-tu?

8. A quelles infirmières as-tu parlé?

9. De quels livres as-tu besoin?

F. Remplacez les mots soulignés par un pronom démonstratif:

1. Le cours de français est-il plus facile que le cours de littérature anglaise?
2. Mon auto et l'auto de ma soeur sont dans le garage.
3. Vos cahiers sont sur le bureau; le cahier de Pierre est dans ma serviette.
4. Racontez-moi vos expériences et les expériences de vos amis.
5. J'ai plusieurs stylos: voulez-vous ce stylo-ci ou ce stylo-là?
6. Laquelle des deux compositions était la plus originale? La composition que Pierre a écrite ou la composition que Jeannine a écrite?

G. Faites des comparaisons selon le modèle.

Modèle: Pierre / rire facilement / Lucie (+)
Pierre rit plus facilement que Lucie.

1. Ce garçon / nager bien / sa soeur (-)
2. Paul / travailler lentement / Louise (+)
3. Il / lire vite / moi (=)
4. Vous / travailler fort / nous (-)
5. Elle / parler bien / son frère (+)

H. Répondez aux questions selon le modèle.

Modèle: Martin parle fort. (le groupe)
C'est Martin qui parle le plus fort du groupe.

1. Isabelle nage vite. (l'équipe)
2. Grégoire sourit souvent. (les enfants)
3. Henri étudie fort. (la classe)
4. Sylvie joue bien du piano. (la famille)
5. André m'écrit souvent. (mes frères et soeurs)

LECTURE

➤➤➤➤➤➤

La famille

La famille est une institution qui, dans les pays industrialisés, a beaucoup évolué au cours des dernières décennies. Cette évolution a été particulièrement visible au Québec.

Jusqu'à la "révolution tranquille" des années soixante, les familles nombreuses ont été la règle plutôt que l'exception dans la collectivité canadienne-française. Le clergé catholique et l'idéologie dominante encourageaient les couples à avoir de nombreux enfants, entre autres raisons parce qu'un taux de natalité supérieur à celui des anglophones constituait un moyen de résister à l'assimilation. De nos jours, le taux de natalité au Québec est très bas, si bas que les démographes parlent à nouveau d'assimilation . . .

La baisse du taux de natalité est seulement un aspect de l'évolution de la famille, mais elle permet d'observer non seulement que les couples ont moins d'enfants, mais aussi qu'un certain nombre de couples n'en ont pas du tout, et enfin qu'il y a également maintenant, pro-

portionnellement, moins de gens qui vivent en couple.

En effet, la notion même de couple a changé. Autrefois, le modèle était simple: après une période de liberté très relative, on se fiançait, puis on se mariait pour la vie, "pour le meilleur et pour le pire". Evidemment, les valeurs traditionnelles étaient plus fortes et plus contraignantes: la séparation et le divorce étaient rares et la morale condamnait les relations sexuelles en dehors du mariage. Certains disent aussi que les attentes des gens qui se mariaient étaient moins exigeantes que maintenant et que, par conséquent, ils étaient moins déçus et réussissaient plus facilement à s'entendre et à réaliser une vie commune de longue durée.

Aujourd'hui, les gens continuent à se marier mais le taux des séparations et des divorces est beaucoup plus élevé — même si les divorcés se remarient . . . Par ailleurs, le couple marié est maintenant un type de couple parmi d'autres: les couples de célibataires qui cohabitent ou qui continuent d'habiter séparément, les couples formés de personnes séparées ou divorcées qui ne veulent pas se remarier, ou un mélange des deux. Et les enfants? Ceux qui viennent d'un foyer unique deviennent plus rares et les enfants de parents divorcés sont obligés de s'adapter, surtout lorsque le parent avec qui ils habitent forme un nouveau couple avec quelqu'un qui a peut-être aussi des enfants.

Un grand nombre de parents divorcés — et surtout des femmes, puisqu'elles conservent généralement la garde des enfants — restent "célibataires" après leur divorce: ce sont les pères et les mères célibataires qui forment avec leurs enfants des familles monoparentales. C'est aussi le cas de femmes qui n'ont jamais été mariées mais qui veulent et qui ont des enfants et qui préfèrent vivre seules avec eux.

Les célibataires sans enfants, les gens qui vivent entièrement seuls, sont en nombre de plus en plus important. Ce phénomène est surtout évident dans les grandes villes: à Montréal comme à Paris, les célibataires forment la moitié des ménages. Mais ils (et elles) non plus ne restent pas célibataires toute leur vie . . .

La famille, du moins la famille "nucléaire" traditionnelle — un homme, une femme, un enfant ou plusieurs — reste le mode de vie de la majorité et le modèle dominant pour la jeune génération, mais pour combien de temps?

attentes (f. pl.)	expectations	**jamais: ne . . . —**	never
baisse (f.)	decrease	**jours: de nos —**	nowadays
cas (m.)	case	**liberté** (f.)	freedom
clergé (m.)	clergy	**mélange** (m.)	mix
collectivité (f.)	community	**même**	very (adj.);
condamner	condemn		even (adv.)
conséquent: par —	consequently	**mode de vie** (m.)	way of life
conserver	to keep	**moins: du —**	at least
constituer	to constitute	**moins de**	fewer than
contraignant	constraining,	**moitié** (f.)	half
	compelling	**moyen** (m.)	means
cours: au — de	over, in the	**nouveau: à —**	again
	course of	**parmi**	among
décennie (f.)	decade	**permettre**	to enable, to
dehors: en — de	outside		make it possible
démographe (m.)	demographer	**(le) pire**	(the) worst
dominant, ante	prevailing	**réaliser**	to achieve,
durée: de longue —	long-lasting		to realize
effet: en —	for; in fact	**règle** (f.)	rule
également	also	**résister à**	to resist
élevé(e)	high	**sans**	without
entièrement	entirely	**séparément**	separately
entre	among	**supérieur(e)**	higher
évident, ente	evident, obvious	**tranquille**	quiet
évidemment	of course	**valeur** (f.)	value
évoluer	to evolve	**ville: grande —** (f.)	city
exigeant, ante	demanding	**vivre**	to live
industrialisé(e)	industrialized		

QUESTIONS

1. Qu'est-ce qui caractérisait les familles canadiennes-françaises avant la révolution tranquille? Quelles étaient les raisons de cette situation?
2. Quel contraste y a-t-il avec la situation actuelle?
3. Pourquoi le taux de natalité est-il bas de nos jours?
4. Quel était le modèle du couple autrefois?
5. Comment peut-on expliquer la "solidité" des couples d'autrefois? Etes-vous d'accord avec ces explications?
6. Quels sont les différents types de couples qui existent maintenant?
7. Dans quelle situation se trouvent les enfants de parents divorcés?
8. Qu'est-ce qu'une famille monoparentale?
9. Quel phénomène observe-t-on dans les grandes villes?
10. Pensez-vous également que la famille nucléaire "reste le modèle dominant" ou croyez-vous que cette situation a déjà changé?

SITUATIONS / CONVERSATIONS

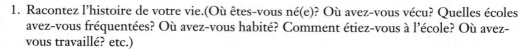

1. D'après vous, la vie de famille est-elle en train de disparaître? Qu'en pensez-vous?
2. Avez-vous l'intention de vous marier et de fonder une famille? Pour quelles raisons? Quels avantages y voyez-vous?
3. Quel genre de vie familiale avez-vous connu? Avez-vous l'intention de conserver le même type de vie? Pourquoi? Qu'allez-vous y changer?
4. Etes-vous pour ou contre: le mariage, la vie commune, la cohabitation sans liens légaux?
5. Comment sera d'après vous la vie familiale en l'an 2000?
6. Quel rôle ont joué vos grands-parents dans votre vie? Comment étaient-ils?
7. Racontez une sortie intéressante que vous avez faite (à la discothèque, au restaurant, au cabaret, au théâtre).
8. Décrivez vos activités de la fin de semaine dernière.
9. Vous rencontrez une amie d'enfance que vous n'avez pas vue depuis long-temps. Posez-lui des questions sur sa vie.
10. Décrivez une activité que vous avez toujours détestée.

COMPOSITIONS

1. Racontez l'histoire de votre vie.(Où êtes-vous né(e)? Où avez-vous vécu? Quelles écoles avez-vous fréquentées? Où avez-vous habité? Comment étiez-vous à l'école? Où avez-vous travaillé? etc.)

2. *Sondage*: Indiquez sur une feuille:

   — votre sujet préféré à l'université;
   — votre loisir favori;
   — votre plus grande ambition;
   — comment vous vous voyez dans 20 ans.

   En comparant les réponses des garçons et celles des filles, vous pourrez noter les ressemblances et les différences et même des remarques concernant les rôles masculins et féminins.

3. Dressez une liste d'activités qui ont été associées à la virilité masculine et une liste d'activités associées à la féminité.

4. Faites une description d'un couple heureux que vous connaissez.

5. Quels sont les plus grands problèmes auxquels doit faire face la famille moderne?

PRONONCIATION

(This exercise is at the end of Leçon 13 on the tape.)

E caduc (/ə/)

The vowel /ə/ is called "unstable" (**caduc**) because it is sometimes pronounced, sometimes silent, and sometimes its pronunciation is optional.

<u>When is unstable **e** silent?</u>

1) At the end of an isolated word or at the end of a rhythmic group:

> Regard*e*.   Tu parl*es*.   As-tu l'heur*e*?

One exception: /ə/ is retained in the pronoun **le** after an imperative form:

> Regardez-l<u>e</u>.   Attendons-l<u>e</u>.   Finis-l<u>e</u>.

2) Whenever it is preceded by a single pronounced consonant, within a word or within a rhythmic group:

> sam*e*di, bouch*e*rie, épic*e*rie, brav*e*ment
> Il n'y a pas d*e* vent.Va chez l*e* médecin.

<u>When is unstable **e** pronounced?</u>

1) At the beginning of a rhythmic group, when it is preceded by two pronounced consonants:

> Pr<u>e</u>nons un café.

2) Within a word or a rhythmic group, when it is preceded by two pronounced consonants:

> mercr<u>e</u>di, vendr<u>e</u>di, berg<u>e</u>rie,
> just<u>e</u>ment
> Il est sur l<u>e</u> toit.
> Pierre m<u>e</u> fatigue.

<u>When is the pronunciation of /ə/ optional?</u>
At the beginning of a rhythmic group, when it is preceded by a single pronounced consonant:

> R<u>e</u>viens!   J<u>e</u> parl*e*.   L<u>e</u> verr*e* est vid*e*.

Répétez:
1. il n'a pas d*e* livre   il n'y a pas d*e* vent
   il n'a pas d*e* peigne   il n'y a pas d*e* cours
   il n'a pas d*e* veston   il n'y a pas d*e* soleil
   il n'a pas d*e* voiture   il n'y a pas d*e* professeur

2. j'ai beaucoup d̸e chance   j'ai trop d̸e peine
   j'ai beaucoup d̸e temps   j'ai trop d̸e problèmes
   j'ai beaucoup d̸e travail   j'ai un peu d̸e pain
   j'ai trop d̸e patience   j'ai un peu d̸e vin

3. il vient d̸e chez lui   va chez l̸e dentiste
   il vient d̸e Toronto   va chez l̸e médecin
   il vient d̸e partir   va chez l̸e marchand
   il vient d̸e manger   va chez l̸e coiffeur.

4. passe-moi l̸e sel   donne-lui c̸e gâteau
   passe-moi l̸e pain   donne-lui c̸e marteau
   passe-moi l̸e vin   donne-lui c̸e livre
   passe-moi l̸e cahier   donne-lui c̸e crayon

Donnez l'adverbe correspondant: (brave ⟶ brav̸ement)

bête	dernier	gracieux	long
clair	franc	facile	premier
complet	grand	heureux	sincère

Chapitre quatorze

L'Acadie et la mer

VOCABULAIRE UTILE

anse (f.)	cove	**dune** (f.)	dune
baie (f.)	bay	**(s')établir**	to settle
bateau (m.)	boat	**histoire** (f.)	history; story
colon (m.)	settler	**homard** (m.)	lobster
côte (f.)	coast	**identité** (f.)	indentity
côtier, ière	coastal	**île** (f.)	island
communauté (f.)	community	**(s')installer**	to settle
découvrir	to discover	**intérieur** (m.)	interior
digue (f.)	dike	**légende** (f.)	legend

marin (m.)	sailor	**pionnier, ière**	pioneer
mer (f.)	sea	**plage** (f.)	beach
montagne (f.)	mountain	**port** (m.)	port, harbor
payasage (m.)	landscape	**rivière** (f.)	river
pêche (f.)	fishing	**sable** (m.)	sand
pêcheur (m.)	fisherman	**vallée** (f.)	valley
pétoncle (m.)	scallop	**voie** (f.)	way

GRAMMAIRE ET EXERCICES ORAUX

Le futur

The future tense of regular verbs is formed by adding to the infinitive the endings **-ai, -as, -a, -ons, -ez, -ont**.

	marcher	**finir**	**répondre**
je	marcherai	finirai	répondrai
tu	marcheras	finiras	répondras
il/elle/on	marchera	finira	répondra
nous	marcherons	finirons	répondrons
vous	marcherez	finirez	répondrez
ils/elles	marcheront	finiront	répondront

The final **e** of infinitives in **-re** is dropped before the endings are added:

attendre ⟶ j'attendrai   vendre ⟶ je vendrai

Regular Verbs in *-er* with Spelling Changes

The spelling changes occurring in the present tense are retained in the stem of *all* the forms of the future tense (see also pp. 408-411):

acheter: achèterai, achèteras, achètera, achèterons, achèterez, achèteront
jeter: jetterai, jetteras, jettera, jetterons, jetterez, jetteront
payer: paierai, paieras, paiera, paierons, paierez, paieront

However, the **accent aigu** is retained in verbs whose infinitive ends in **é** + consonant + **er**:

espérer: espérerai, espéreras, espérera, espérerons, espérerez, espéreront

Verbs with Irregular Stems in the Future

The endings of the future tense are the same for all verbs. Among irregular verbs, some follow the regular pattern in the formation of the future tense (that is, their infinitive form is used as the future stem), for example, **connaître**, **dire**, **dormir**, **prendre**, etc. Other irregular verbs* have irregular future stems:

aller	j'<u>ir</u>ai	**pouvoir**	je <u>pourr</u>ai
avoir	j'<u>aur</u>ai	**recevoir**	je <u>recevr</u>ai
devoir	je <u>devr</u>ai	**savoir**	je <u>saur</u>ai
être	je <u>ser</u>ai	**venir**	je <u>viendr</u>ai
faire	je <u>fer</u>ai	**voir**	je <u>verr</u>ai
falloir	il <u>faudr</u>a	**vouloir**	je <u>voudr</u>ai

EXERCICES (ORALEMENT)

A. Mettez les verbes à l'infinitif à la personne du futur qui est indiquée:

1. je mangerai   parler, réfléchir, répondre, se promener   *je me promènerai*
2. tu finiras   terminer, bâtir, vendre, s'ennuyer   *tu t'ennuieras*
3. elle descendra   marcher, choisir, attendre, se laver
4. nous achèterons   appeler, punir, jeter, se raser   *appellerons jetterons*
5. vous réussirez   regarder, remplir, payer, se disputer   *paierez*
6. ils rendront   commencer, précéder, obéir, se fatiguer

B. Mettez les verbes au futur selon le modèle.

AUJOURD'HUI	DEMAIN
Modèle: Il arrive à l'heure.	*Il arrivera à l'heure.*

1. Elle répond au professeur.
2. Tu réfléchis à ce problème.
3. Nous nous disputons.
4. Les enfants obéissent à leur père.
5. Je te rends ton livre.
6. Vous insistez sur ce point.
7. J'écoute une émission culturelle.
8. Hubert réussit au concours.

9. Nous déjeunons à huit heures. *déjeunerons*
10. Elles s'amusent ensemble.
11. Tu t'entends avec tes amis.
12. Il me vend son veston.
13. Je le rencontre à Moncton.
14. Nous vous donnons un chèque.
15. Tu leur souhaites bon voyage.

*****Envoyer**, otherwise a regular **-er** verb, has an irregular stem in the future (as in the conditional): *j'enverrai.*

C. Répondez aux questions selon le modèle.

Modèle: Je m'en irai. Et toi? Et lui?
Je m'en irai aussi.
Il s'en ira aussi.

venir = viendr

1. Edith ira à Winnipeg. Et nous? Et toi?
2. Vous pourrez venir. Et eux? Et lui?
3. Il décevra ses amis. Et vous? Et elles? *leurs amis*
4. Nous serons heureux. Et Eric? Et toi? *aussi*
5. Alfred fera des affaires. Et vous? Et Marie?
6. Elle reviendra demain. Et vous? Et eux? *aussi*
7. Je saurai la réponse. Et toi? Et vous?
8. Vous boirez du lait. Et elle? Et les enfants? *boira*
9. Il écrira au président. Et toi? Et eux? *ils écriront*
10. Nous dirons la vérité. Et Lucie? Et tes amis?
11. Vous mettrez un manteau. Et les étudiantes? Et Marc?
12. Il aura besoin d'argent. Et toi? Et elles? *aussi*

D. Répondez aux questions:

1. Est-ce que tu seras à l'université l'année prochaine? *j'y serai*
2. Est-ce que nous serons dans la classe demain? *nous y serons demain*
3. Feras-tu la vaisselle ce soir? *je la ferai*
4. Est-ce qu'il pleuvra demain?
5. Est-ce qu'il faudra porter des vêtements chauds demain? *il faudra en porter demain*
6. Pourras-tu partir en vacances cette année?
7. Pourrons-nous éliminer la pollution?
8. Est-ce que vous voudrez visiter le Québec?
9. Est-ce que tu voudras faire du sport cet été? *je voudrai en faire*
10. Recevrez-vous de bonnes notes?
11. Est-ce que vous verrez un film dimanche? *nous en verrez un dimanche*
12. Est-ce que je vous verrai demain? *vous nous verrez*
13. Partiras-tu pour San Francisco? *j'y partirai*
14. Est-ce que tu m'écriras? *je t'écrirai*
15. Sortirons-nous de la classe bientôt?
16. Est-ce qu'il y aura des questions difficiles à l'examen? *il y en aura (à l'examen)*
17. Aurez-vous besoin de chance pour réaliser vos projets d'avenir?
18. Est-ce qu'il fera beau demain?
19. Est-ce que vous ferez du français l'an prochain?

E. Mettez les verbes au futur:

1. Luc est fatigué.
2. Nous sommes patients. *serons*
3. Elle a trente ans. *aura*
4. Nous avons faim. *aurons*
5. Il y a de la neige. *aura*
6. Tu fais du tennis. *feras*
7. Il fait beau. *fera*
8. Elles reviennent. *reviendront*
9. Nous venons te voir. *viendront*

10. Je reçois une lettre. *recevrai*
11. Il boit un verre.
12. Je vois une pièce de théâtre. *verrai*
13. Nous pouvons parler. *pourrons*
14. Il faut réussir. *faudra*
15. Vous voulez manger. *voudrez*
16. Je dois partir. *devrai*
17. Rose fait la fête. *fera*
18. Vous êtes à Edmonton. *serez*

Est-ce que . . .

F. Demandez à un(e) autre étudiant(e) s'il/si elle ...

Iras-tu
1. ira en vacances en Angleterre.
2. visitera le Québec.
3. deviendra architecte.
4. voudra faire un voyage en train.
5. sera disponible samedi prochain.
6. écrira un livre sur sa vie.
7. réussira à l'examen de français.
8. achètera une nouvelle voiture.
9. fera du ski samedi.
10. terminera ses études.
11. prendra l'avion pour aller à Paris.
12. apprendra à piloter un avion.
13. verra ses parents bientôt.
14. dormira toute la fin de semaine.
15. jettera ses vieux vêtements.
16. empruntera de l'argent à la banque.
17. rendra ses livres à la bibliothèque.
18. remettra une composition au professeur.

G. Demandez à un(e) autre étudiant(e) ...

1. si les feuilles repousseront au printemps.
2. si nous regarderons un film dans la classe.
3. s'il faudra développer de nouvelles techniques anti-pollution.
4. si vous sortirez ensemble.
5. si les hommes voudront avoir une paix définitive.
6. si les femmes devront faire de nouvelles manifestations.
7. si la médecine fera encore des progrès.
8. si ses parents seront contents de le/la revoir.
9. si les joueurs se reposeront après le match de football.

Le futur avec *quand, dès que, tant que*

> **Quand** and **lorsque** mean "when".
> **Dès que** and **aussitôt que** mean "as soon as".
> **Tant que** and **aussi longtemps que** mean "as long as".

In the future context, the future tense is used after these conjunctions, whereas in English the present tense is used after the corresponding expressions.

> **Je le verrai quand il reviendra.**
> I will see him when he comes back.
>
> **Nous lui téléphonerons lorsqu'il sera à Toronto.**
> We will call him when he is in Toronto.
>
> **Nous partirons dès que tu seras prêt(e).**
> We will leave as soon as you are ready.
>
> **Elles m'écriront aussitôt qu'elles arriveront.**
> They will write to me as soon as they arrive.
>
> **Tu devras rester au lit tant que tu auras de la fièvre.**
> You will have to stay in bed as long as you have a fever.
>
> **Aussi longtemps qu'elle n'étudiera pas, elle aura de mauvaises notes.**
> As long as she does not study, she will get bad grades.

EXERCICES (ORALEMENT)

A. Répondez aux questions par des phrases complètes.

Modèle: Qu'est-ce que tu mangeras quand tu iras à la cafétéria?
Quand j'irai à la cafétéria, je mangerai une salade.

1. Où iras-tu quand nous sortirons de la classe?
2. Quelle voiture achèteras-tu quand tu seras très riche?
3. Est-ce que nous devrons porter des manteaux tant qu'il fera froid?
4. Est-ce que tu feras du tennis dès qu'il fera beau?

5. Est-ce que vous partirez en vacances aussitôt que les cours finiront?
6. Est-ce qu'il y aura des accidents d'automobile aussi longtemps que les automobiles existeront?
7. Qu'est-ce que tu feras lorsque tu auras beaucoup d'argent?

il pleuvra it will rain

B. Mettez les phrases au futur:

1. Nous le voyons quand il arrive de Vancouver.
2. Dès qu'il pleut, nous rentrons.
3. Nous pouvons nous promener tant qu'il fait du soleil. *pourrons* *fera*
4. Aussi longtemps que son amie n'est pas avec lui, il s'ennuie. *sera* *s'ennuiera*
5. Elle devient institutrice dès qu'elle termine ses études. *deviendra*

6. Lorsque vous le rencontrez, vous l'invitez à dîner.
7. Je te rends l'argent aussitôt que je reviens.
8. Il me téléphone dès qu'il rentre chez lui.
9. Je ne te parle pas tant que tu es de mauvaise humeur.
10. Nous pouvons peut-être manger ensemble quand vous en avez le temps. *pourrons* *aurez*

Quelqu'un / personne — quelque chose / rien

These are indefinite pronouns which are invariable. (Their form never varies. For the purpose of agreement with the past participle of verbs conjugated with **être**, they are considered masculine singular.)

1) **Quelqu'un** (somebody) / **personne** (nobody/not ... anybody)

<u>Quelqu'un</u> est entré dans ma chambre.
<u>Personne</u> n'est venu.
Il a parlé à <u>quelqu'un</u>.
Elle ne rencontrera <u>personne</u>.
J'ai vu <u>quelqu'un</u> à la porte.
Nous n'avons besoin de <u>personne</u>.

➤ Note that **personne** is used with **ne** which is placed immediately before the verb. When **personne** is the direct object of a verb in the **passé composé** or in the **infinitive**, it is placed after the past participle or the infinitive:

> Je n'ai vu personne.
> Il ne veut voir personne.

2) **Quelque chose** (something) / **rien** (nothing/not ... anything)

> Quelque chose est tombé du toit.
> Rien ne l'amuse quand il est préoccupé.
> J'ai entendu quelque chose.
> Tu n'as rien mangé.
> As-tu envie de quelque chose?
> Ils ne m'ont parlé de rien.

Rien is used with **ne** which is placed immediately before the verb. When **rien** is the direct object of a verb in the **passé composé** or in the infinitive, it is placed between the auxiliary verb and the past participle or between the conjugated verb and the infinitive:

> Je n'ai rien vu.
> Il ne veut rien voir.

3) **Quelqu'un, quelque chose, personne, rien** + **à** + infinitive

> Je m'ennuie: je n'ai rien à faire.
> Est-ce qu'il y a quelque chose à manger?
> Il est seul: il cherche quelqu'un à aimer.
> Je ne connais personne à inviter.

4) **Quelqu'un, quelque chose, personne, rien** + **de** + adjective
In this construction, the adjective remains invariable.

> Elle a rencontré quelqu'un de fantastique.
> Y a-t-il quelque chose d'intéressant à la télé?
> Je n'ai rien acheté de cher.
> Je n'ai rencontré personne de sympathique.

EXERCICES (ORALEMENT)

A. Répondez aux questions affirmativement et négativement d'après les modèles.

> *Modèles:* Qu'est-ce que tu vois?   Qui attends-tu?
> *Je vois quelque chose.*   *J'attends quelqu'un.*
> *Je ne vois rien.*   *Je n'attends personne.*

1. Qu'est-ce que tu fais?
2. Qui regardes-tu?
3. Qui a-t-il rencontré?
4. Qu'est-ce qu'elle veut faire?
5. Qui est arrivé?
6. De quoi parles-tu?
7. De quoi as-tu besoin?
8. A qui penses-tu?
9. Qu'est-ce qu'il y a?
10. Qu'est-ce que tu as lu?
11. Qui espères-tu rencontrer?
12. Qu'est-ce qu'elle a pu faire?
13. Qu'est-ce qui se passe?
14. De qui parles-tu?
15. De quoi as-tu envie?
16. A quoi penses-tu?

B. Répondez négativement:

1. As-tu quelque chose à faire?
2. As-tu mangé quelque chose ce matin?
3. Dois-tu rencontrer quelqu'un?
4. Est-ce que quelqu'un est venu?
5. Connais-tu quelqu'un d'extraordinaire?
6. As-tu quelque chose à me donner?
7. As-tu quelqu'un à me présenter?
8. Ont-ils quelque chose à nous rendre?
9. Est-ce qu'ils ont vu quelque chose d'amusant?
10. Est-ce que vous connaissez quelqu'un de raciste?
11. Est-ce que tu as acheté quelque chose de joli?
12. Est-ce qu'il a quelque chose d'intéressant à dire?
13. Est-ce qu'elle a quelqu'un d'extraordinaire à rencontrer?
14. As-tu quelque chose de bon à manger?
15. As-tu quelqu'un d'important à voir?
16. As-tu quelque chose de nouveau à m'apprendre?

Les pronoms objets et l'impératif

When the verb is in the affirmative imperative, the direct and indirect object pronouns, as well as **y** and **en**, are placed after the verb and are joined to it by a hyphen:

Regarde le professeur.	Regarde-le.
Prends la voiture.	Prends-la.
Parlez à vos amis.	Parlez-leur.
Apportez deux sandwichs.	Apportez-en deux.
Allez au cinéma.	Allez-y.

The direct and indirect pronoun **me** becomes **moi** after the verb:

Regarde-moi.   Parlez-moi.

Before **y** and **en**, the letter **s** (pronounced /z/) is added to the second person singular form of the imperative of **-er** verbs (including **aller**):

Manges-en   Achètes-en.   Vas-y.

When the verb is in the negative imperative, the pronouns precede the verb:

> Ne me regarde pas. Ne leur téléphone pas.
> N'en prenez pas. N'y allez pas.

EXERCICES (ORALEMENT)

A. Remplacez le nom par un pronom objet:

1. Amène <u>ton ami</u>.
2. Mangeons <u>la tarte</u>.
3. Téléphone <u>à Marcel</u>.
4. Ecrivons <u>à nos amis</u>.
5. Achète <u>du vin</u>.
6. Amenez beaucoup <u>d'amis</u>.
7. Apporte trois <u>tasses</u>.
8. Embrassez <u>vos cousins</u>.
9. Parle à <u>ton ami</u>.
10. Réponds <u>au professeur</u>.
11. Fais <u>la vaisselle</u>.
12. Prends <u>de l'argent</u>.
13. Mange <u>un biscuit</u>.
14. Va dans <u>le jardin</u>.

B. Dites à un(e) autre étudiant(e) de …

> *Modèle:* vous regarder.
> > *Regarde-moi.*

1. vous écouter.
2. vous rencontrer à trois heures.
3. vous parler de ses problèmes.
4. vous attendre.
5. vous prêter de l'argent.
6. vous téléphoner.
7. vous répondre.
8. vous écrire.
9. vous obéir.
10. vous payer un café.

C. Mettez à la forme négative.

> *Modèle:* Parle-moi.
> > *Ne me parle pas.*

1. Obéis-leur.
2. Ecoutez-les.
3. Téléphone-lui.
4. Allez-y.
5. Appelle-le.
6. Réponds-moi.
7. Prends-en beaucoup.
8. Regarde-moi.
9. Finissez-les.
10. Parlez-leur.
11. Attends-la.
12. Ecoute-les.
13. Apprends-la.
14. Achetons-en.
15. Ecrivez-nous.
16. Manges-en.
17. Vas-y.
18. Apporte-les.
19. Mets-en beaucoup.
20. Cherchez-le.
21. Répondez-y.
22. Admets-le.
23. Répondons-lui.
24. Vendons-le.

Place des pronoms après l'impératif

When two pronouns are used with the affirmative imperative, they both follow the verb and are joined by a hyphen. Direct object pronouns must always precede indirect object pronouns. The order in which pronouns are placed is:

le	+	me*	+	en
la		lui		
les		nous		
		leur		

Rends-nous ce disque.   Rends-le-nous.
Donne-moi la chemise.   Donne-la-moi.
Achète-leur des fleurs.   Achète-leur-en.
Emprunte-lui deux stylos.   Emprunte-lui-en deux.
Lis-leur la lettre.   Lis-la-leur.
Prête-moi un livre.   Prête-m'en un.

When the verb is in the negative imperative, the order of the pronouns before the verb is the same as with all the other forms of the verb (see Chapter 10):

Ne m'en parle pas.   Ne la lui donnons pas.
Ne lui en parle pas.   Ne les leur prête pas.

EXERCICES (ORALEMENT)

A. Suivez le modèle. Dites à un(e) autre étudiant(e) de ...

Modèle: vous prêter <u>son crayon</u>.
        Prête-le-moi.

1. vous payer <u>une bière</u>.
2. vous donner <u>le livre</u>.
3. vous emprunter <u>votre moto</u>.
4. vous vendre <u>son ordinateur</u>.
5. vous passer <u>les biscuits</u>.
6. vous prêter <u>deux livres</u>.
7. vous apporter <u>beaucoup de fruits</u>.
8. vous amener <u>ses amis</u>.
9. vous dire <u>la vérité</u>.
10. vous écrire <u>une carte</u>.

B. Suivez le modèle. Dites à d'autres étudiants de ...

Modèle: nous donner <u>de l'argent</u>.
        Donnez-nous-en.

1. nous prêter <u>leurs voitures</u>.
2. nous acheter <u>nos disques</u>.
3. nous vendre <u>leurs livres</u>.
4. nous répéter <u>la phrase</u>.

*****Me** becomes **moi** when placed in the last position; it becomes **m'** before **en**.

5. nous parler de <u>leurs projets</u>.
6. nous parler de <u>leur voyage</u>.

7. nous donner <u>du vin</u>.
8. nous servir <u>des sandwichs</u>.

C. Remplacez les noms par des pronoms objets.

> *Modèle:* Donne <u>le crayon</u> <u>à Pierre</u>.
> *Donne-le-lui.*

1. Prêtez <u>de l'argent</u> <u>à vos amis</u>.
2. Vends <u>ton vélo</u> <u>à Sylvie</u>.
3. Passe <u>la serviette</u> <u>à Marc</u>.
4. Donne <u>les clés</u> <u>à tes parents</u>.

5. Parlons <u>de nos difficultés</u> <u>à Gaston</u>.
6. Servez <u>du vin</u> <u>à vos invités</u>.
7. Empruntez <u>un peu d'argent</u> <u>à la banque</u>.
8. Donnez <u>beaucoup de temps</u> <u>à vos amis</u>.

D. Remplacez le nom par un pronom.

> *Modèle:* Ne me dis pas <u>de mensonges</u>.
> *Ne m'en dis pas.*

1. Ne lui donne pas <u>ta bicyclette</u>.
2. Ne leur prête pas <u>ta voiture</u>.
3. Ne la prête pas <u>à Thomas</u>.
4. Emprunte-le <u>à Marie</u>.
5. Donne-leur <u>les gâteaux</u>.

6. Ecris-lui <u>la bonne nouvelle</u>.
7. Ne leur sers pas <u>trop de vin</u>.
8. N'en donne pas trop <u>aux enfants</u>.
9. Prête-nous <u>un livre</u>.

Le verbe irrégulier *tenir*

Présent de l'indicatif

je	tiens	nous	tenons
tu	tiens	vous	tenez
il/elle/on	tient	ils/elles	tiennent

Participe passé:
tenu

Futur:
je <u>tien</u>drai

tenir (to hold)
Il <u>tient</u> un stylo entre ses doigts.
Elle <u>tenait</u> son bébé dans ses bras.

tenir à (to hold dear/to cherish):
Je <u>tiens à</u> toi.
Elle <u>tient à</u> ce cadeau de son père.
Nous <u>tenons à</u> la vie.

se tenir (to hold oneself/to stay):
<u>Tiens-toi</u> droit!
Il <u>se tiendra</u> tranquille.

contenir (to contain):
Ma serviette <u>contient</u> des livres et de ses papiers.
Ce verre <u>contenait</u> du poison.

EXERCICE (ORALEMENT)

Répondez aux questions:

1. Je tiens un stylo dans ma main. Et toi?
   Et lui? Et elle?

2. Est-ce que nous tenons à la vie?
3. Est-ce que tu tiens à la vie?

4. Est-ce que les gens en général tiennent à la vie?
5. Est-ce que tu tiens à tes parents?
6. Est-ce que tes parents tiennent à toi?
7. Est-ce qu'Abélard tenait à Héloïse?
8. Qu'est-ce que ta serviette contient?
9. Est-ce que tu as déjà tenu un bébé dans tes bras?
10. Est-ce que tu te tiens debout dans la classe?

Le verbe irrégulier *vivre*

Présent de l'indicatif

je vis	nous vivons
tu vis	vous vivez
il/elle/on vit	ils/elles vivent

Participe passé:
vécu

Futur:
je <u>viv</u>rai

Vivre means "to live"; **survivre (à)** means "to survive" and "to outlive":

Ce vieil homme <u>a vécu</u> jusqu'à cent ans.
Il <u>vit</u> à Victoria depuis quinze ans.
Elle est heureuse, elle a de l'argent: elle <u>vit</u> bien.
Il <u>a survécu</u> à son accident.
Joséphine <u>a</u>-t-elle <u>survécu</u> à Napoléon?

EXERCICE (ORALEMENT)

Répondez aux questions:

1. Je vis sur le campus. Et toi? Et lui? Et elle?
2. Est-ce que tu vis en ville ou sur le campus?
3. Est-ce que tu vis ici depuis longtemps?
4. Est-ce que les fleurs vivent toute l'année?
5. Jusqu'à quel âge vivent les femmes en moyenne? Et les hommes?
6. Dans quel pays vivons-nous? Dans quelle ville?
7. As-tu déjà vécu dans un autre pays? Dans une autre ville?
8. En quel siècle a vécu Samuel de Champlain? Abraham Lincoln? Elisabeth Ire?
9. Est-ce que l'humanité survivra à une guerre nucléaire?
10. Les mammouths ont-ils survécu? Et les bisons?
11. Est-ce que l'amour survit au mariage, selon vous?
12. Est-ce qu'on peut survivre sans eau?

Le pronom relatif *dont*

Dont (whose/of which), like **qui, que** and **où**, is a relative pronoun. It stands for the preposition **de** + noun and is used in a relative clause which contains a construction with **de**. This occurs in three cases:

1) The verb in the relative clause requires the preposition **de** (parler <u>de</u>, avoir besoin <u>de</u>):

> Tu as un livre. J'ai besoin <u>de ce livre</u>.
> ➤ Tu as un livre <u>dont</u> j'ai besoin.

Compare with:

> Tu as un livre. Je ne connais pas <u>ce livre</u>.
> ➤ Tu as un livre <u>que</u> je ne connais pas.

2) **Dont** replaces **de** + noun when **de** links that noun to another noun to indicate possession or connection:

> Je connais un garçon. Le père <u>de ce garçon</u> est maçon.
> ➤ Je connais un garçon <u>dont</u> le père est maçon.
> Je lui donne des fleurs. Elle aime l'odeur <u>de ces fleurs</u>.
> ➤ Je lui donne des fleurs <u>dont</u> elle aime l'odeur.

3) **Dont** also replaces **de** + noun when **de** links that noun to an adjective:

> Il a une moto. Il est fier <u>de cette moto</u>.
> ➤ Il a une moto <u>dont</u> il est fier.

EXERCICES (ORALEMENT)

A. Transformez les phrases selon le modèle.

> *Modèle:* Il a emprunté l'argent. Il avait besoin <u>de cet argent</u>.
> *Il a emprunté l'argent dont il avait besoin.*

1. Elle veut acheter une robe. Elle a envie <u>de cette robe</u>.
2. As-tu vu le film? Je t'ai parlé <u>de ce film</u>.
3. C'est un homme. Tout le monde rit <u>de cet homme</u>.
4. Jacques a un piano. Il ne joue pas souvent <u>de ce piano</u>.
5. Je ne connais pas ce professeur. Tu as peur <u>de ce professeur</u>.
6. Il félicite cette étudiante. Les notes <u>de cette étudiante</u> sont excellentes.
7. Je connais cette jeune fille. Tu as rencontré le père <u>de cette jeune fille</u>.
8. Mes cousins ont un chien. Les oreilles <u>de ce chien</u> sont pointues.
9. Elle aime les hommes. Les vêtements <u>de ces hommes</u> sont élégants.
10. Il a rencontré une femme. Il est tombé amoureux <u>de cette femme</u>.
11. C'est une tradition. Les Acadiens sont fiers <u>de cette tradition</u>.
12. Elle a fait des achats. Elle est contente

de ces achats.

13. Voilà une théorie. Je suis sûr <u>de cette théorie</u>.

14. Cette jeune fille a un certain charme. Elle n'est pas consciente <u>de ce charme</u>.

B. Remplacez les tirets par *que* ou par *dont*:

1. La femme _____ il aime est anglaise.
2. L'homme _____ elle admire est un ami de son père.
3. Cet homme, _____ j'admire l'intelligence, est un ami de mon père.
4. Je n'ai pas les outils _____ tu as besoin.
5. J'aime bien les disques _____ tu m'as prêtés.
6. Elle déteste le musicien _____ je lui ai parlé.

7. Il fait les choses _____ il aime.
8. Je connais bien le garçon _____ elle est amoureuse.
9. Elle est amoureuse d'un homme _____ je connais.
10. Philippe habite une chambre _____ les fenêtres sont trop petites.
11. J'ai acheté le livre _____ tu m'as recommandé.
12. J'ai acheté une maison _____ le propriétaire était américain.

EXERCICES ECRITS

A. Mettez les verbes au futur:

1. Tu reçois de l'argent.
2. Je vais à la gare.
3. Elles choisissent une carrière.
4. Vous vous ennuyez.
5. Nous payons comptant.
6. Nous appelons nos amis.
7. Vous achetez des gants.
8. Elles t'écrivent.
9. Il s'en rend compte.
10. Tu dis la vérité.
11. Nous voyons un film.
12. Ils sortent avec Pierre.
13. Elles croient à la télépathie.

14. Il s'habitue à sa nouvelle vie.
15. Tu obéis à l'autorité.
16. Nous apprenons le latin.
17. Ils envoient un chèque.
18. Vous attendez longtemps.
19. Laurette jette ses livres.
20. Elle répète ses erreurs.
21. Nous buvons du café.
22. Je prends le train.
23. Mario sait le faire.
24. Il pleut beaucoup.
25. Je veux y aller.
26. Tu comprends mes problèmes.

B. Complétez les phrases avec imagination. Employez le futur:

1. En l'an 2000, nous....
2. Quand j'aurai trente ans, je....
3. Dès qu'il fera soleil, les fleurs....
4. Aussi longtemps qu'il neigera, nous....
5. Lorsque les cours seront finis, les étudiants....

6. Pendant mes vacances, je....
7. Quand tu viendras me voir, je....
8. Quand j'aurai assez d'argent, je....

9. Tant que tu seras malade, tu....
10. Aussitôt que je rentrerai chez moi, je....

C. Donnez la réponse négative:

1. Est-ce que quelqu'un est venu?
2. As-tu acheté quelque chose?
3. Est-ce que quelque chose de grave est arrivé?
4. Fais-tu quelque chose d'intéressant?
5. As-tu rencontré quelqu'un?

6. Est-ce qu'il y avait quelqu'un d'amusant chez Irène?
7. Est-ce qu'elle avait quelque chose à faire?
8. Avez-vous vu quelqu'un dans l'escalier?
9. Ont-ils mangé quelque chose?

D. Dites à quelqu'un de ...

Modèle: vous comprendre.
Comprends-moi.

1. vous parler.
2. vous apporter un livre.

3. ne pas vous écouter.
4. ne pas vous attendre.

E. Remplacez tous les noms par des pronoms objets:

1. Prête-lui ton livre.
2. Donne-moi ton adresse.
3. Ne lui donne pas trop d'argent.
4. Emprunte-le à ton amie.
5. Ne leur servez pas de vin.

6. Donnez-leur deux dollars.
7. Passe-nous le sucre.
8. Ecris-lui la nouvelle.
9. Dis-le à tes parents.

F. Remplacez tous les noms par des pronoms objets:

1. Donne un biscuit au chien.
2. Passe ton stylo à Hélène.
3. Parle de tes problèmes à ta mère.
4. N'emprunte pas d'argent à tes parents.
5. Vendez vos disques à Henri.

6. Apportons beaucoup de cadeaux aux enfants.
7. Ne sers pas de vodka aux invités.
8. Prête ta bicyclette à ta soeur.

G. Mettez le verbe entre parenthèses au présent:

1. Elle (vivre) à Montréal depuis longtemps.
2. Nous (tenir) à toi.
3. Ils (se tenir) debout dans la classe.

4. Cette bouteille (contenir) de l'eau.
5. Vous (vivre) à Moncton.

H. Remplacez les tirets par le pronom relatif approprié (*qui, que, dont, où*):

1. Elle ne veut pas me rendre l'argent _____ elle me doit.

2. Elle a acheté la robe _____ elle avait envie.

3. Prends les livres _____ tu as besoin.

4. Je connais la ville _____ tu vis.

5. Il connaît le professeur _____ tu parles.

6. Elle a rencontré l'architecte _____ a dessiné les plans de ma maison.

7. C'est le médecin _____ la fille sort avec Alain.

8. Tu as mangé le gâteau _____ ta mère a préparé.

LECTURE
➤➤➤➤➤➤➤➤

L'Acadie

Où se trouve l'Acadie? On peut dire que l'Acadie, ce sont ces régions des Maritimes où sont concentrés les Acadiens: à l'Ile-du-Prince-Edouard, en Nouvelle-Ecosse et surtout au Nouveau-Brunswick. Et qui sont les Acadiens? Ce sont les descendants de ces colons français qui se sont établis en Nouvelle-Ecosse, puis qui ont été dispersés par les Anglais au milieu du 18e siècle — déportés en France, en Nouvelle-Angleterre; réfugiés au Québec ou en Louisiane; cachés dans les forêts de l'intérieur — et qui sont revenus finalement chez eux. De la centaine de familles qui se sont à nouveau installées sur les régions côtières des Maritimes descendent la majorité des 330 000 francophones dont la plus grosse partie (230 000) vit au Nouveau-Brunswick.

C'est bien sûr par leur langue mais surtout par leur histoire bien particulière que les Acadiens se définissent. En dépit d'une assimilation progressive, ils maintiennent le sens de leur identité et la vitalité de leurs traditions. On peut visiter des vestiges de cette histoire à Port-Royal, en Nouvelle-Ecosse, où se sont installés les premiers colons; à Louisbourg, sur l'Ile du Cap-Breton, et à Mont-Carmel, où on peut voir le village des pionniers acadiens.

L'Acadie vivante, on la découvre le long des côtes, de la baie de Fundy à la baie des Chaleurs. Les Acadiens ont d'abord été marins et pêcheurs et ils restent des gens dont la vie est profondément influencée par la mer. Les paysages de l'Acadie sont uniques. Il y a d'abord les dunes — des collines de sable qui relient des îles ou qui s'étendent dans la mer. La dune de Bouctouche a plus de 10 kilomètres de long. Il y a aussi les "barachois" — sortes de petits fjords sans les montagnes — les pointes et les caps, les baies et les anses, les ports commerciaux et les petits ports de pêche. A l'intérieur, tous les villages sont installés près des nombreuses rivières, voies de communication avec la mer. Et puis les vallées comme celle de Memramcook où on peut voir des "aboiteaux" qui sont des digues construites par les Acadiens pour reprendre la terre à la mer.

C'est encore la mer que célèbrent la plupart des festivals: festival du saumon, du homard, des pétoncles, des rameurs, du pêcheur. Les légendes aussi se rattachent à la mer, comme celle du bâteau-fantôme, ainsi que les histoires de trésors cachés dans les sables.

La communauté acadienne a survécu à bien des infortunes et a réussi à maintenir son identité. Les livres d'Antonine Maillet et les chansons d'Edith Butler ont permis aux Canadiens de prendre conscience de l'Acadie. A nous de la redécouvrir!

bateau-fantôme	phantom ship	**par**	by
bien de(s)	many	**permettre**	to enable
cap (m.)	cape	**plupart: la — de**	most of
célébrer	to celebrate	**pointe** (f.)	headland
centaine (f.)	about a hundred	**prendre**	to become aware
construit, uite	built	**conscience de**	
(se) définir	to define (oneself)	**rameur** (m.)	rower
déporté(e)	deported	**(se) rattacher à**	to be connected to
descendre de	to be descended from	**relier**	to link
dispersé(e)	dispersed	**reprendre (à)**	to take back (from)
en dépit de	in spite of		
(s') établir	to settle	**sens** (m.)	sense
(s')étendre	to stretch	**sûr: bien —**	of course
infortune (f.)	misfortune	**trésor** (m.)	treasure
long: le — de	along	**vestige** (m.)	trace/remains
maintenir	to maintain, to hold	**vivant, ante**	living
milieu: au — de	in the middle of		

QUESTIONS

1. Où se trouve l'Acadie? Est-ce que c'est un territoire officiellement reconnu?
2. Qui sont les Acadiens? Combien sont-ils dans les Maritimes?
3. Que savez-vous de l'histoire des Acadiens?
4. Qu'est-ce qui caractérise l'Acadie et les Acadiens?
5. Qu'est-ce qu'une dune? et un "barachois"?
6. Pourquoi les Acadiens ont-ils construit des "aboiteaux"?
7. Quels genres de festivals et de légendes y a-t-il en Acadie?
8. Qui sont Antonine Maillet et Edith Butler?
9. D'après vous, quels genres de difficultés les Acadiens ont-ils connus en tant que minorité?

SITUATIONS / CONVERSATIONS

1. Qu'est-ce que vous ferez dès que les cours se termineront? Partirez-vous en vacances? Travaillerez-vous? Où irez-vous? Parlez de vos projets de l'été prochain.

2. Imaginez que vous gagnez beaucoup d'argent à la loterie. Qu'est-ce vous en ferez? Où et comment vivrez-vous? Comment vous occuperez-vous?

3. Vous voulez faire un voyage en Acadie. Vous allez dans une agence de voyages pour demander des renseignements. Un(e) autre étudiant(e) vous informe. Posez des questions et répondez-y (inspirez-vous de la lecture).

4. L'an 2000 approche. ... Qu'est-ce qui changera d'ici là dans la vie quotidienne? Pensez-vous qu'il y aura des progrès scientifiques et techniques importants? Des bouleversements dans les relations internationales? Des transformations sociales?

5. *A tour de rôle.* Vous êtes dans la politique et vous devez convaincre un petit groupe de gens de voter pour vous. Parlez des changements que vous apporterez, de la façon dont vous résoudrez divers problèmes, des priorités que vous établirez. Les autres étudiants vous posent des questions. Employez le futur pour les questions et pour les réponses.

6. Imaginez qu'il y aura une guerre nucléaire. La vie sera-t-elle encore possible? Qui survivra et/ou qu'est-ce qui survivra? Qu'est-ce qui se passera selon vous?

COMPOSITIONS
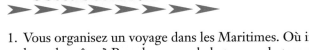

1. Vous organisez un voyage dans les Maritimes. Où irez-vous d'abord? Passerez-vous le long des côtes? Prendrez-vous le bateau ou le traversier? Quelles villes visiterez-vous? Quels sites historiques? Qu'est-ce que vous mangerez? etc. Préparez votre composition à l'aide de brochures touristiques et employez le futur.

2. Imaginez votre vie dans dix ans. Employez le futur pour parler de vos activités, de votre situation, de l'endroit où vous vivrez, de vos diverses activités, des gens que vous connaîtrez.

PRONONCIATION
(This exercise is at the end of Leçon 14 on the tape.)

E caduc (suite)
I. Deux consonnes prononcées + /ə/

At the beginning of or within a rhythmic group, /ə/ is pronounced when preceded by two pronounced consonants.

Répétez:

1. il le voit   elle le sait
   il le prend   elle le tient
   il le fait   elle le sert
   il le mange   elle le vend
   il le croit   elle le paie

2. pour le professeur   par le train
   pour le médecin   par le chemin
   pour le boucher   par le jardin
   pour le mineur   par le sentier

3. le héros   le hall
   le haricot   le hangar
   le haut   le hollandais
   le hors-d'oeuvre   le hareng

4. passe le sel   il me parle
   ferme le livre   il me connaît
   apporte le disque   il me déteste
   donne le cahier   il me cherche

Give the corresponding adverb:

autre	large	simple
correct	manifeste	sensible
fort	pénible	visible

II. Contraste: e caduc prononcé/non prononcé

Répétez:
1. je mø lave   /   il se lave
   je mø promène   /   il se promène
   je mø rase   /   il se rase
   tu tø laves   /   il se lave
   tu tø peignes   /   elle se peigne
   tu tø prépares   /   elle se prépare

2. je mø suis caché(e)   /   ils se sont cachés
   je mø suis regardé(e)   /   elles se sont regardées
   je mø suis maquillé(e) /   elles se sont maquillées
   je mø suis marié(e)   /   ils se sont mariés

3. fais lø travail   /   fais-le
   tiens lø fil   /   tiens-le
   prends lø biscuit   /   prends-le
   mets lø veston   /   mets-le

4. tu lø fais   /   il le fait
   tu lø bois   /   il le boit
   tu lø connais   /   il le connaît
   tu lø vends   /   il le vend

Chapitre quinze

Un poète québécois

VOCABULAIRE UTILE

auteur(e)	author	**littéraire**	literary
critque littéraire (f.)	literary criticism	**littérature** (f.)	literature
écriture (f.)	writing	**mythe** (m.)	myth
écrivain (m.); **femme —**	writer	**nouvelle** (f.)	short story
exprimer	to express	**oeuvre** (f.)	work(s)
intrigue (f.)	plot	**personnage** (m.)	character
lecteur, trice	reader	**pièce de théâtre** (f.)	play
lecture (f.)	reading	**poésie** (f.)	poetry

poète (m.); femme —	poet	roman (m.)	novel
poétique	poetical	romancier, ière	novelist
publier	to publish	thème (m.)	theme
rime (f.)	rhyme	vers (m.)	verse

GRAMMAIRE ET EXERCICES ORAUX

Le conditionnel présent

The conditional, like the indicative and the imperative, is a mood. It has two tenses: the present and the past.

The present conditional is formed by adding to the future stem of the verb the endings **-ais, -ais, -ait, -ions, -iez, -aient**. (These are also the endings of the **imparfait**.)

Remember that the future stem of most verbs is their infinitive form. Irregular future stems must be memorized.

	marcher	**être (ser-)**	**pouvoir (pourr-)**
je	marcherais	serais	pourrais
tu	marcherais	serais	pourrais
il/elle/on	marcherait	serait	pourrait
nous	marcherions	serions	pourrions
vous	marcheriez	seriez	pourriez
ils/elles	marcheraient	seraient	pourraient

The present conditional is mostly used to express a hypothetical action or event, that is an action or event which would take place under some specific circumstances:

> **Peu de gens survivraient à une guerre nucléaire.**
> Few people would survive a nuclear war.

> **Sans mes livres et mes disques, je m'ennuierais.**
> I would be bored without my books and records.

It may also be used instead of the present indicative to make a request more polite, especially with the verbs **vouloir** and **pouvoir**, but with other verbs as well:

> Pourriez-vous finir ce travail?
> Viendrais-tu avec moi au magasin?

EXERCICES (ORALEMENT)

A. Substituez au sujet les mots entre parenthèses:

1. J'attendrais la fin des cours. (elle, vous, ils)
2. Nous finirions nos études. (tu, il, je)
3. Elle s'habillerait mieux. (vous, tu, nous)
4. Il irait à Montréal. (je, nous, elles)
5. Je ferais du sport. (vous, il, tu)
6. Tu aurais de l'argent. (je, nous, ils)
7. Il voudrait s'en aller. (tu, vous, elles)
8. Vous viendriez me voir. (il, tu, elles)

B. Les verbes des phrases suivantes sont au futur. Mettez-les au conditionnel présent:

1. Je voudrai le voir.
2. J'aurai du travail.
3. Tu seras ingénieur.
4. Vous pourrez me téléphoner.
5. Il faudra y aller.
6. Ils sauront parler français.
7. Elle viendra te voir.
8. Nous verrons des paysages.
9. Tu jetteras tes vieux livres.
10. Elle appellera le directeur.
11. Il pleuvra.
12. Nous achèterons des vêtements.

C. Répondez aux questions selon le modèle.

Modèle: Voudrais-tu venir?
Oui, dans ce cas-là, je viendrais.

1. Voudrais-tu t'en aller?
2. Voudrais-tu partir?
3. Voudrais-tu faire un voyage?
4. Voudrais-tu le voir?
5. Voudrais-tu attendre?
6. Voudrais-tu réfléchir?
7. Voudrais-tu le recevoir?
8. Voudrais-tu te promener?
9. Voudrais-tu en prendre?

D. Faites une phrase plus polie en employant le conditionnel.

Modèle: Pouvez-vous me donner votre adresse?
Pourriez-vous me donner votre adresse?

1. Pouvez-vous me téléphoner demain?
2. Peux-tu me prêter ta voiture?
3. Voulez-vous venir avec moi?
4. Veux-tu me passer ce livre?
5. Je veux te parler.
6. Nous voulons vous dire quelque chose.
7. Je souhaite vous soumettre cette demande.

La phrase conditionnelle

A conditional sentence is made up of two clauses: a **si** (if) clause stating the condition and a main clause stating the result. **Si** becomes **s'** before **il** or **ils**. The **si** clause may come before or after the main clause.

1) When the **si** clause is in the **imparfait**, the main clause is in the *present conditional*:

Si j'avais de l'argent, j'achèterais cette voiture.
If I had money, I would buy this car.

2) When the **si** clause is in the *present indicative*, the main clause is usually in the *future*:

> **Si j'ai de l'argent, j'achèterai cette voiture.**
> If I have money, I will buy this car.

The main clause may also be in the *present indicative* or in the *imperative*:

> **Si tu es fatigué(e), tu peux aller au lit.**
> If you are tired, you may go to bed.
> **Lis un livre si tu t'ennuies.**
> Read a book if you are bored.

Summary

Si Clause	Main Clause
present indicative	present indicative future imperative
imparfait	present conditional

EXERCICES (ORALEMENT)

A. Répondez selon le modèle.

> *Modèle:* Quelle langue parlerais-tu si tu étais américain(e)?
> *Si j'étais américain(e), je parlerais anglais.*

Quelle langue parlerais-tu si tu étais chinois(e)? allemand(e)? russe? espagnol(e)? italien(ne)? mexicain(e)? portugais(e)? brésilien(ne)? belge? japonais(e)? marocain(e)? vietnamien(ne)? suisse?

B. Répondez aux questions selon le modèle.

> *Modèle:* Que ferais-tu si tu avais de l'argent? (manger au restaurant)
> *Si j'avais de l'argent, je mangerais au restaurant.*

1. Que ferais-tu si tu allais en France?
   (visiter Paris)
2. Que ferais-tu ce soir si tu avais le temps?
   (aller à un concert)
3. Que ferais-tu si tu étais en vacances?
   (se reposer au bord de l'eau)
4. Que ferais-tu si tu n'étais pas étudiant(e)?
   (travailler)
5. Que ferais-tu si tu étais déprimé(e)?
   (se promener dans la nature)

6. Que ferais-tu si tu avais un talent artistique? (devenir peintre)
7. Que ferais-tu si tu étais riche? (vivre dans un pays chaud)

C. Répondez aux questions par des phrases complètes:

1. Dans quel pays vivrais-tu si tu avais le choix?
2. Où irais-tu en vacances si tu pouvais partir demain?
3. Que ferais-tu si tu avais beaucoup d'argent?
4. Que ferais-tu si tu étais premier ministre du Canada?
5. Que ferais-tu si tu étais célèbre?
6. Que ferais-tu si tu étais politicien(ne)?
7. Quelle profession choisirais-tu si tu étais génial(e)?

D. Complétez les phrases avec imagination:

1. Je ferais du ski si. . . .
2. J'étudierais beaucoup si. . . .
3. Je regarderais la télévision si. . . .
4. J'apprendrais le piano si. . . .
5. J'achèterais une Rolls-Royce si. . .
6. Je deviendrais politicien(ne) si. . . .
7. Si j'étais premier ministre, je. . .
8. Si j'étais très fort(e) physiquement, je. . . .
9. Si j'étais le professeur, je. . . .
10. Si je devenais célèbre, je. . . .

E. Répondez selon le modèle.

> *Modèle:* Ne sors pas s'il neige.
> *S'il neige, je ne sortirai pas.*

1. Mange si tu as faim.
2. Mets un chandail si tu as froid.
3. Va dormir si tu as mal à la tête.
4. Ne fais pas de ski s'il fait trop froid.
5. Ne m'attends pas si je suis en retard.
6. Va voir le professeur si tu ne comprends pas cette leçon.
7. Repose-toi si tu es fatigué(e).
8. Téléphone-moi si tu t'en vas.

F. Complétez les phrases avec imagination:

1. S'il fait beau cette fin de semaine, je. . . .
2. Si j'ai le temps ce soir, je. . . .
3. Si je réussis à tous mes examens, je. . . .
4. Si je n'ai rien à faire cette fin de semaine, je. . . .
5. Si je peux partir en voyage cet été, je. . . .
6. J'aurai de l'argent si. . . .
7. Je ferai du sport cet été si. . . .
8. J'aurai une bonne profession si. . . .
9. Je me marierai si. . . .
10. Je prendrai l'avion si. . . .

Le verbe *devoir* (imparfait, passé composé, futur, conditionnel présent)

The verb **devoir** was presented in the present tense (Chapter 6) when it may express obligation, probability or expectation. When it is used in other tenses and moods, what it expresses may vary:

1) **imparfait**

— obligation:
Quand j'habitais Montréal, je devais prendre le métro tous les matins.
When I lived in Montreal, I had to take the subway every morning.

— probability:
Il devait être huit heures quand je suis rentré(e).
It must have been eight o'clock when I came back.

— expectation:
Je devais lui téléphoner mais j'ai oublié.
I was supposed to call him but I forgot.

2) **passé composé**

— obligation:
Il a dû abandonner ses études après la mort de son père.
He had to give up his studies after his father's death.

IL A DÛ
OUBLIER DE
VENIR

— probability:
Il a dû oublier de venir.
He must have forgotten to come.

3) **futur**

— obligation:
Nous devrons partir tôt.
We will have to leave early.

4) **conditionnel présent**

— moral obligation or suggestion:
Je devrais téléphoner à mes grands-parents.
I should call my grandparents.

Tu devrais te reposer.
You ought to rest.

— probability:
Elle devrait arriver bientôt.
She should arrive soon.

EXERCICES (ORALEMENT)

A. Faites une suggestion selon le modèle.

> *Modèle:* Je suis fatigué(e). (se reposer)
> *Tu devrais te reposer.*

1. J'ai mal à la tête. (prendre une aspirine)
2. J'ai froid. (mettre un chandail)
3. Je suis déprimé(e). (voir des amis)
4. Je ne me sens pas bien. (consulter un médecin)
5. J'ai de mauvaises notes. (étudier plus sérieusement)

B. Répondez aux questions selon le modèle.

> *Modèle:* Que feras-tu s'il neige? (rester à la maison)
> *S'il neige, je devrai rester à la maison.*

1. Que feras-tu si l'autobus est en retard? (prendre un taxi)
2. Que feras-tu si tu perds ton livre? (en acheter un autre)
3. Que feras-tu si tu as un accident? (appeler la compagnie d'assurances)
4. Que feras-tu si tu perds tes clés? (entrer par la fenêtre)
5. Que feras-tu si tu as mal aux dents? (aller voir le dentiste)

C. Mettez le verbe *devoir* à l'imparfait ou au passé composé selon le contexte:

1. Je _____ téléphoner à Monique mais j'ai perdu son numéro.
2. Il est minuit et Charles n'est pas rentré. Il _____ avoir un accident.
3. Quand elle vivait chez ses parents, elle _____ faire la vaisselle tous les jours.
4. Je _____ dormir quand tu es rentré hier soir parce que je ne t'ai pas entendu.
5. Après son accident, elle _____ rester trois semaines à l'hôpital.

Les pronoms possessifs

| | Singular | | Plural | |
	Masculine	Feminine	Masculine	Feminine
mine	**le mien**	**la mienne**	**les miens**	**les miennes**
yours	**le tien**	**la tienne**	**les tiens**	**les tiennes**
his/her/its	**le sien**	**la sienne**	**les siens**	**les siennes**
ours	**le nôtre**	**la nôtre**	**les nôtres**	**les nôtres**
yours	**le vôtre**	**la vôtre**	**les vôtres**	**les vôtres**
theirs	**le leur**	**la leur**	**les leurs**	**les leurs**

A possessive pronoun replaces a possessive adjective + noun; it must agree in gender and number with the noun it replaces (what is possessed):

Bertrand met sa cravate. ———→ **Bertrand met la sienne.**
Bertrand puts on his tie. ———→ Bertrand puts on his.

Lucie prend son vélo. ———→ **Lucie prend le sien.**
Lucie takes her bicycle. ———→ Lucie takes hers.

Le nôtre and **le vôtre** are pronounced with a closed **o** (/o/); the adjectives **notre** and **votre** with an open **o** (/ɔ/).

The usual contractions occur when **à** or **de** precede **le** or **les**: **au mien, aux tiens, aux siennes, du nôtre, du vôtre, des leurs**, etc.

Other constructions used to express possession are **être à** + noun or stress pronoun, and **appartenir à** + noun (or indirect object pronoun + **appartenir**):

Ce livre est à Paulette.   Ce livre appartient à Paulette.
Ce livre est à lui.   Ce livre lui appartient.

In summary, the following structures are all used to express possession:

— **de** + noun: **C'est l'auto de Victor.**
— possessive adjective + noun: **C'est son auto.**
— possessive pronoun: **C'est la sienne.**
— **être + à** + noun: **Cette auto est à Victor.**
— **appartenir à** + noun: **Cette auto appartient à Victor.**

EXERCICES (ORALEMENT)

A. Remplacez l'adjectif possessif + nom par un pronom possessif:

1. mon père	9. ma mère	17. ma cousine	25. mon frère
2. ton cousin	10. ta soeur	18. ta nièce	26. ton neveu
3. ses parents	11. sa parenté	19. son appartement	27. ses voisins
4. sa ville	12. son pays	20. ses amies	28. ses copains
5. notre travail	13. notre maison	21. notre auto	29. notre classe
6. votre autobus	14. votre rue	22. votre logement	30. votre piscine
7. leurs affaires	15. leur politique	23. leurs bagages	31. leur profession
8. leur diplôme	16. leurs enfants	24. leurs filles	32. leur garçon

B. Employez un pronom possessif pour remplacer les mots soulignés:

1. J'ai rencontré ton frère et <u>son frère</u>.
2. Il a joué avec sa cousine et <u>ta cousine</u>.
3. Elle a téléphoné à ses parents et à <u>mes parents</u>.
4. J'ai lu ta lettre et <u>leur lettre</u>.
5. Il a besoin de tes conseils et de <u>nos conseils</u>.
6. J'ai parlé à ses parents et à <u>vos parents</u>.
7. Compare ta composition et <u>sa composition</u>.
8. Apporte tes disques et moi, j'apporterai <u>mes disques</u>.

C. Répondez aux questions selon le modèle:

> *Modèle:* A qui appartient ce vélo? (moi)
> *Il est à moi.*

1. A qui appartient ce stylo? (Pierre)
2. A qui appartient cette cravate? (lui)
3. A qui appartient cette maison? (nous)

4. A qui appartiennent ces disques? (eux)
5. A qui appartiennent ces papiers? (elles)

D. Répondez aux questions selon le modèle.

> *Modèle:* À qui est cette blouse? (moi)
> *C'est la mienne.*

1. A qui sont ces souliers? (elle)
2. A qui est cette machine à écrire? (lui)
3. A qui est cet ustensile? (nous)

4. A qui est cette guitare? (eux)
5. A qui sont ces disques? (toi)
6. A qui sont ces tasses? (elles)

Le verbe irrégulier *suivre*

Présent de l'indicatif

je	suis	nous	suivons
tu	suis	vous	suivez
il/elle/on	suit	ils/elles	suivent

Participe passé:
suivi

Futur:
je suivrai

Suivre means

> — to follow:
> **Nous avons suivi la voiture de Paul.**
> — to take (a course):
> **L'an prochain, je suivrai un cours de chimie.**

Poursuivre is conjugated like **suivre** and means "to pursue" or "to carry on (with)":

> Les policiers ont poursuivi
> le voleur.
> Je poursuivrai mes études
> jusqu'au doctorat.

EXERCICES (ORALEMENT)

A. Substituez au sujet les mots entre parenthèses:

1. Je suis des cours du soir. (tu, nous, vous, ils)
2. Nous suivrons ta voiture. (elles, je, il)

3. Elle suivait un régime. (je, vous, ils)
4. J'ai suivi ses conseils. (il, nous, elles)
5. Il poursuit ses efforts. (je, ils, vous)

B. Répondez aux questions:

1. Quels cours suis-tu en ce moment?
2. Quels cours as-tu suivis l'an dernier?
3. Quels cours suivras-tu l'an prochain?
4. Suis-tu toujours les conseils de tes parents?

5. Est-ce que tu suis un régime?
6. Est-ce que tu suis les événements politiques?
7. Est-ce que tu poursuivras tes études jusqu'au doctorat?

EXERCICES ECRITS

➤ ➤ ➤ ➤ ➤ ➤ ➤

A. Mettez les verbes des phrases suivantes à l'imparfait et au conditionnel présent, selon le cas:

1. Si vous (avoir) le temps, (partir)-vous?
2. Je (mettre) mon manteau s'il (faire) froid.
3. Si tu (être) moins paresseux(-euse), tu (faire) la vaisselle.
4. Si vous (vouloir) travailler, vous (réussir).
5. Nous ne (pouvoir) pas partir en vacances si nous ne (faire) pas d'économies.

6. Qu'est-ce que tu (dire) si je te (demander) de l'argent?
7. Est-ce que tu (venir) avec nous si nous (prendre) la voiture?
8. (Savoir)-tu faire les exercices si tu (apprendre) mieux tes leçons?
9. Si j'(être) marié(e), j'(avoir) des enfants.

B. Mettez les verbes au conditionnel pour faire des phrases plus polies:

1. Peux-tu me prêter ta voiture?
2. Pouvez-vous me rappeler demain?
3. Veux-tu me passer ce livre?

4. Nous voulons vous parler.
5. Qu'est-ce que vous voulez manger?
6. Je souhaite vous transmettre ce rapport.

C. Complétez les phrases avec imagination:

1. Si j'avais beaucoup d'argent, je. . . .
2. Si j'étais en vacances maintenant, je. . . .
3. Si les gens étaient plus intelligents, ils. . . .
4. Je vivrais dans un pays chaud si. . . .
5. Il n'y aurait pas de pollution si. . . .
6. Je serais plus heureux(-euse) si. . . .
7. Si je suis encore à l'université l'an prochain, je. . . .

8. S'il fait beau la fin de semaine prochaine, je. . . .
9. S'il y a un bon film à la télé ce soir, je. . . .
10. Je deviendrai riche si. . . .
11. Tu tomberas malade si. . . .
12. Je poursuivrai mes études si. . . .

D. Répondez aux questions affirmativement selon le modèle. Employez le verbe devoir au temps et au mode appropriés.

Modèle: Est-ce que tu travailleras?
Oui, je devrai travailler.

1. Est-ce que tu irais la voir?
2. Est-ce qu'ils travaillaient pendant les vacances?
3. Est-ce qu'elle est rentrée?
4. Est-ce que Marie ira chez le médecin?
5. Est-ce que Guy réussirait à l'examen?
6. Est-ce que vous avez beaucoup étudié?
7. Est-ce que tes parents étaient inquiets?

E. Remplacez les mots entre parenthèses par un pronom possessif:

1. J'ai dépensé tout mon argent. Mon ami a mis (son argent) à la banque.
2. Voilà ma casquette mais où est (ta casquette)?
3. Le directeur a répondu à la lettre de Jacques mais il n'a pas répondu (à ma lettre).
4. Serge a jeté tous ses vieux journaux mais moi, je n'ai pas jeté (mes vieux journaux).
5. Le bébé a mangé tout son gâteau mais Pierre n'a pas mangé (son gâteau).
6. Il n'a invité que ses amis au mariage, mais elle n'a pas invité (ses amis).
7. Nous reconnaissons nos erreurs si vous reconnaissez (vos erreurs).
8. Je crois que votre fille est plus intelligente que (leur fille).
9. Si vous me rendez mon livre, je vous rendrai (votre livre).
10. Il a donné une réception plus mouvementée que (notre réception).

F. Employez le verbe *suivre* au temps et au mode appropriés:

1. Cette année, je _____ seulement cinq cours à l'université parce que, l'an dernier, j'en _____ dix.
2. Est-ce que tu _____ un régime si tu deviens trop gros?
3. Quand j'étais enfant, je _____ toujours les conseils de mes parents.
4. Si vous _____ mes conseils, vous réussiriez.
5. Elle le _____ s'il allait travailler au Brésil.
6. _____ -moi si tu m'aimes.
7. _____ la rivière et vous arriverez à la ferme.
8. Le verbe _____ normalement le sujet.
9. Dans un musée, les visiteurs _____ le guide.

LECTURE

➤➤➤➤➤➤➤

Le jardin d'antan

Né à Montréal en 1879, Emile Nelligan a écrit toute son oeuvre poétique entre seize et dix-neuf ans. Il a passé le reste de sa vie (jusqu'en 1941) dans des institutions psychiatriques. Son talent, sa précocité et son destin tragique ont contribué à faire de lui une figure mythique de la littérature québécoise.

Rien n'est plus doux aussi que de s'en revenir
　　Comme après de longs ans d'absence,
　　　　Que de s'en revenir
　　Par le chemin du souvenir
　　Fleuri de lys d'innocence,
　　　　Au jardin de l'Enfance

Au jardin clos, scellé, dans le jardin muet
　　D'où s'enfuirent les gaietés franches,
　　　　Notre jardin muet
　　Et la danse du menuet
　　Qu'autrefois menaient sous branches
　　　　Nos soeurs en robes blanches.

Aux soirs d'Avrils anciens, jetant des cris joyeux
　　Entremêlés de ritournelles,
　　　　Avec des lieds joyeux
　　Elles passaient, la gloire aux yeux,
　　Sous le frisson des tonnelles,
　　　　Comme en les villanelles

Cependant que venaient, du fond de la villa,
　　Des accords de guitare ancienne,
　　　　De la vieille villa,
　　Et qui faisaient deviner là
　　Près d'une obscure persienne,
　　　　Quelque musicienne.

Mais rien n'est plus amer que de penser aussi
　　A tant de choses ruinées!
　　　　Ah! de penser aussi,
　　Lorsque nous revenons ainsi
　　Par des sentes de fleurs fanées,
　　　　A nos jeunes années.

Lorsque nous nous sentons névrosés et vieillis,
　　Froissés, maltraités et sans armes,
　　　　Moroses et vieillis,
　　Et que, surnageant aux oublis,
　　S'éternise avec ses charmes
　　　　Notre jeunesse en larmes!

("Le jardin d'antan," extrait de Nelligan: *Poésies complètes 1896-1899* (1952), pp 55-56)

accord (m.)	chord	**joyeux, euse**	joyful
amer, ère	bitter	**larmes: en —**	in tears
antan: d'—	of long ago	**lied** (m.)	lied (German
autrefois	in bygone days		song)
cependant que	while	**lys** (m.)	lily
chemin du	memory path	**maltraité(e)**	ill-used
souvenir (m.)		**mener la danse**	to lead the
clos(e)	enclosed, walled-in		dance
cri: jeter un —	to give a cry	**menuet** (m.)	minuet
devenir	to guess	**muet, muette**	dumb, silent
s'enfuir	to flee	**névrosé(e)**	neurotic
entremêlé(e) de	intermingled with	**obscur(e)**	dark
s'éterniser	to outlast	**persienne** (f.)	shutter
	the years	**quelque**	some
fané(e)	wilted	**ritournelle** (f.)	ritornello (type of
fleuri(e) de	strewn with		song)
	(flowers)	**sente** (f.)	path
fond: du — de	from deep in	**scellé(e)**	sealed
franc, franche	candid, fresh, free	**surnageant aux**	lingering on
frisson (m.)	quiver	**oublis**	
froissé(e)	hurt, bruised	**tonnelle** (m.)	arbor
gloire: la —	with pride in	**villanelle** (f.)	vilanella (song,
aux yeux	their eyes		dance)

QUESTIONS

1. Où est-il doux de revenir?
2. Est-ce un voyage réel ou imaginaire?
3. Pourquoi le jardin est-il muet maintenant?
4. Que faisaient les soeurs autrefois?
5. Que symbolisent les robes blanches?
6. En quelle saison est située cette scène?
7. Quels sons proviennent des jeunes filles?
8. Quels sons proviennent de la villa? Qui produit ces sons?
9. Qu'est-ce qui est amer?
10. Que symbolisent les fleurs fanées?
11. Qu'est-ce qui cause la mélancolie quand on pense à se jeunesse?
12. Sur quelle opposition le poème est-il construit?
13. Comment caractériseriez-vous l'enfance évoquée par le poète?
14. Quels sentiments ce poème évoque-t-il en vous?

SITUATIONS / CONVERSATIONS

1. Que feriez-vous si. . . .

— il pleuvait toute la fin de semaine?
— il y avait une tempête de neige?
— vous étiez malade?
— vous perdiez votre porte-monnaie?
— vous ratiez l'examen?
— votre auto était en panne?
— votre téléphone ne marchait pas?

— votre ami(e) vous insultait?
— vous receviez une lettre mystérieuse?
— vous étiez toujours fatigué(e)?
— vous rencontriez votre amoureux(euse) avec quelqu'un d'autre?
— vous vouliez devenir comédien(ne)? acteur/actrice? architecte? missionnaire?

2. Nommez cinq choses que vous devriez faire . . .

— aujourd'hui;
— demain;

— la semaine prochaine;
— tous les jours.

3. Où aimeriez-vous vivre, à la ville ou à la campagne? Expliquez votre choix.

4. Vous arrive-t-il quelquefois d'être déprimé? Qu'est-ce qui en est la cause? Que faites-vous pour vous changer les idées?

5. Racontez une activité que vous aimeriez faire si vous en aviez les moyens.

6. Faites une liste d'objets que vous voudriez acheter.
   Exemple: Je voudrais acheter un tourne-disque; j'aimerais aussi acheter des vêtements; etc.

7. Dites à qui vous aimeriez le plus ressembler et pourquoi.
   Exemple: J'aimerais ressembler à Brian Mulroney parce que je voyagerais beaucoup, parce que j'aurais une influence politique, etc.

8. Quel genre de littérature préférez-vous? Parlez de votre roman ou de votre pièce de théâtre préférée. Quelle en est l'intrigue? Qui sont les personnages? Quel genre de milieu social l'auteur décrit-il? etc.

COMPOSITIONS

1. Si vous gagniez un million à la loterie demain, que feriez-vous?

2. Certaines personnes disent que la seule solution aux problèmes de notre société serait le retour à une vie simple et naturelle. Imaginez en quoi consisterait cette vie simple et quels en seraient les avantages et les inconvénients.

3. Avez-vous un poète ou un romancier favori? Parlez de ses oeuvres et dites pourquoi vous les aimez.

PRONONCIATION

(This exercise is at the end of Leçon 15 on the tape.)

I. Le son s(/s/)

The sound /s/ is associated with the following letters:

1) **s**: savant, danser, autobus

2) **ss**: masse, brosser

3) **c** or **sc** before vowels other than **a**, **o** and **u**: cirer, cinq, cendre, ce, cette, céder, ceux, science, scène, scie

4) **ç**: before **a**, **o** and **u**: façade, maçon, déçu

5) **t** in the endings **-tie**, **-tiel**, **-tier**, **-tial**, **-tiaux**, **-tieux**, **-tion**: démocratie, confidentiel, initier, partial, impartiaux, ambitieux, nation

II. Contraste /s/-/z/

1) The sound /z/ is associated with:
   a) the letter **z**: zone, bronze, douze
   b) the letter **s** between two oral vowels and between an oral vowel and a silent **e**.

Répétez:

base	heureuse	loisir	désert
rose	église	saisir	cuisine
chose	refuse	raison	jalousie
mise	avise	présent	télévision
muse	arrose	viser	fusil

2) the letter **s** is pronounced /s/ when it is placed at the beginning of a word, after a nasal vowel and before or after a consonant.

Répétez:

sa	se	chanson	consoler	ustensile
si	sous	insister	vaste	université
son	anse	insuffisant	disque	bourse

3) Contrast /s/-/z/

Répétez:

1. basse / base   chausse / chose   douce / douze   racé / rasé   rossée / rosée
   casse / case   crisse / crise   lisse / lise   embrasser / embraser   visser / visée

2. elles s'attendent / elles entendent   ils sont / ils ont
   ils s'oublieront / ils oublieront   elles sont / elles ont
   elles s'écoutaient / elles écoutaient   ils s'aident / ils aident
   ils s'accompagnent / ils accompagnent   ils s'aiment / ils aiment
   elles s'offriront / elles offriront   ils s'usent / ils usent

Chapitre seize

A pied, en vélo, en voiture

VOCABULAIRE UTILE

accélérateur (m.)	accelerator	**cycliste** (m./f.)	cyclist
accident (m.)	accident	**dans la rue**	on the street
(s')arrêter	to stop	**démarrer**	to start (up)
brûler un feu rouge	to go through a red light	**feux de circulation** (m.pl.)	traffic lights
casque (m.)	helmet	**frein** (m.)	brake
circulation (f.)	traffic	**guidon** (m.)	handlebars
conducteur, trice	driver	**passager, ère**	passenger
conduire	to drive	**pédale** (f.)	pedal

pédaler	to pedal	**siège** (m.)	seat
piéton (m.)	pedestrian	**stationnement** (m.)	parking
piste cyclable (f.)	bicycle-path	**transports en**	public trans-
pneu (m.)	tire	**commun** (m.pl.)	portation
règlement (m.)	rule	**traverser**	to cross
roue (f.)	wheel	**trottoir** (m.)	sidewalk
rouler (en auto, en vélo)	to drive, to ride	**virage: prendre un —**	to take a bend
		volant (m.)	steering wheel

GRAMMAIRE ET EXERCICES ORAUX

➤➤➤➤➤➤➤➤

Le conditionnel passé

The past conditional is a compound tense. It is formed by using the present conditional of the auxiliary verb (**avoir** or **être**) and the past participle of a verb.

penser

j'	aurais pensé	nous	aurions pensé
tu	aurais pensé	vous	auriez pensé
il/elle/on	aurait pensé	ils/elles	auraient pensé

aller

je	serais allé(e)	nous	serions allé(e)s
tu	serais allé(e)	vous	seriez allé(e)(s)
il/on	serait allé	ils	seraient allés
elle	serait allée	elles	seraient allées

se promener

je	me serais promené(e)	nous	nous serions promené(e)s
tu	te serais promené(e)	vous	vous seriez promené(e)(s)
il/on	se serait promené	ils	se seraient promenés
elle	se serait promenée	elles	se seraient promenées

The past conditional expresses an action or event which *would have* taken place in the past under some appropriate set of circumstances:

> **Dans ce cas-là, je ne serais pas venu(e).**
> In that case, I would not have come.
> **Sans ce médecin, il serait mort.**
> Without that doctor, he would have been dead.

Whereas the present conditional expresses a possibility in the present or the future and may be used to indicate a wish, the past conditional expresses a possibility that no longer exists and may be used to express regret. Compare:

> **J'aimerais aller au Mexique.**
> I would like to go to Mexico.
> **J'aurais aimé aller au Mexique.**
> I would have liked to go to Mexico.

EXERCICES (ORALEMENT)

A. Répondez selon le modèle.

> *Modèle:* Il a suivi ce cours difficile. (moi)
> *Moi, je ne l'aurais pas suivi.*

1. Nous avons réussi à l'examen. (eux)
2. Elle a attendu toute la soirée. (lui)
3. J'ai jeté mes vieux livres. (nous)
4. Il lui a prêté de l'argent. (moi)
5. Elles sont sorties dans la tempête. (nous)
6. Papa est monté sur le toit. (moi)
7. Ils sont allés en Alaska. (toi)
8. Josette est revenue de Floride. (lui)
9. Il s'est baigné dans un lac pollué. (nous)
10. Elle s'est inquiétée parce que son mari était en retard. (moi)
11. Ils se sont bien entendus avec Jean. (nous)

B. Répondez selon le modèle.

> *Modèle:* As-tu parlé au professeur? (devoir)
> *Non, mais j'aurais dû lui parler.*

1. As-tu vu ce film? (aimer)
2. As-tu suivi ce cours? (devoir)
3. As-tu rencontré Jean quand il était ici? (vouloir)
4. Es-tu allé(e) au Québec? (pouvoir)
5. Est-ce que tu t'es reposé(e)? (devoir)
6. As-tu connu ton grand-père paternel? (vouloir)

C. Demandez à un(e) autre étudiant(e) s'il/si elle . . .

1. aurait voulu voyager en Europe.
2. aurait aimé devenir une célébrité.
3. se serait baigné(e) dans un lac pollué.
4. serait monté(e) au sommet de l'Everest.
5. serait allé(e) dans l'espace comme les astronautes.
6. aurait dû suivre plus souvent les conseils de ses parents.
7. aurait pu devenir chanteur(-euse) de rock.
8. aurait préféré naître dans un autre pays.

Le plus-que-parfait

The **plus-que-parfait** (pluperfect) is a compound tense in the indicative mood. It is formed using the **imparfait** of the auxiliary verb (**avoir** or **être**) and the past participle of the verb:

> **Il était arrivé en retard.**
> He had arrived late.

> **J'avais déjà mangé.**
> I had already eaten.

The pluperfect is used to indicate that a past action or event occurred before another past event, or in the remote past. (This aspect will be detailed in Chapter 21.) It is also used in **si** clauses in conditional sentences when the past conditional is used in the main clause.

attendre

j'	avais attendu		nous	avions attendu
tu	avais attendu		vous	aviez attendu
il/elle/on	avait attendu		ils/elles	avaient attendu

venir

j'	étais venu(e)		nous	étions venu(e)s
tu	étais venu(e)		vous	étiez venu(e)(s)
il/on	était venu		ils	étaient venus
elle	était venue		elles	étaient venues

se reposer

je	m'étais reposé(e)		nous	nous étions reposé(e)s
tu	t'étais reposé(e)		vous	vous étiez reposé(e)(s)
il/on	s'était reposé		ils	s'étaient reposés
elle	s'était reposée		elles	s'étaient reposées

EXERCICES (ORALEMENT)

A. Mettez les verbes au plus-que-parfait:

1. J'ai déjà lu sa lettre.
2. Il est rentré avant la tempête.
3. Nous avons déjà mangé.
4. Elles se sont promenées avant la nuit.
5. Il a déjà fini son travail.
6. Tu es parti(e) trop tôt.
7. Ils n'ont pas répondu à ma lettre.
8. Vous vous êtes assez reposés.

B. Répondez selon le modèle.

> *Modèle:* Tu n'as pas voulu manger.
> *J'avais déjà mangé.*

1. Tu n'as pas voulu te reposer.
2. Il n'as pas voulu aller au zoo.
3. Elle n'a pas voulu voir ce film.
4. Ils n'ont pas voulu se promener.
5. Tu n'as pas voulu prendre un café.
6. Elles n'ont pas voulu suivre ce cours.
7. Il n'a pas voulu se baigner avec nous.
8. Il n'a pas voulu dormir.

La phrase conditionnelle au passé

When a conditional sentence refers to the past, the **plus-que-parfait** is used in the **si** (if) clause and the past conditional in the main (result) clause:

> **S'il avait plu, nous ne serions pas sortis.**
> If it had rained, we would not have gone out.
> **Il aurait déjà répondu s'il avait reçu la lettre.**
> He would have answered already if he had received the letter.

The conditional sentence may be formed using the following patterns:

Si Clause	Main Clause
present indicative	present indicative future imperative
imparfait	present conditional
plus-que-parfait	past conditional

EXERCICES (ORALEMENT)

A. Mettez les phrases au passé selon le modèle.

> *Modèle:* S'il neigeait, je ferais du ski.
> *S'il avait neigé, j'aurais fait du ski.*

1. S'il faisait mauvais, je ne sortirais pas.
2. Si je le voyais, je lui parlerais.
3. Si nous n'avions pas de travail, nous irions au cinéma.
4. Il te prêterait ses disques si tu en avais besoin.
5. Il t'écouterait si tu voulais lui expliquer tes problèmes.
6. Si vous veniez plus tôt, nous aurions le temps de prendre un verre ensemble.
7. Il me téléphonerait s'il voulait me voir.
8. Tu aurais l'air ridicule si tu mettais ce chapeau.
9. Si mon chien était malade, je l'emmènerais chez le vétérinaire.

B. Complétez les phrases avec imagination:

1. Si j'avais eu mal à tête, je. . . .
2. Si j'étais devenu(e) millionnaire, je. . . .
3. Si j'avais économisé de l'argent, je. . . .
4. Si j'avais eu du talent, je. . . .
5. Si j'étais né(e) en Afrique, je. . . .
6. Si je n'étais pas entré(e) à l'université, je. . . .
7. Je serais devenu(e) un(e) athlète si. . . .
8. J'aurais eu peur si. . . .
9. J'aurais fait des études de médecine si. . . .
10. J'aurais eu froid l'hiver dernier si. . . .

Les adjectifs indéfinis *chaque* et *aucun*

Chaque and **aucun** are indefinite adjectives (like **tout**, **quelques** and **plusieurs**).

1) **Chaque** means "each" and is invariable:

Chaque jour, il va nager.	Each day, he goes swimming.
Chaque personne est différente.	Each person is different.

➤ Note the expression **chaque fois que** (each time that/whenever):
Chaque fois qu'il boit, il est malade.
Each time he drinks, he is sick.

2) **Aucun** means "not one". It agrees in gender with the noun modified: its feminine form is **aucune**. **Aucun(e)** is always used with **ne** which precedes the verb:

Aucun étudiant n'est venu.	Not one student came.
Il n'a aucun ami.	He does not have a single friend.
Je ne joue d'aucun instrument.	I do not play a single instrument.

EXERCICES (ORALEMENT)

A. Répondez aux questions:

1. Qu'est-ce que tu fais chaque matin? chaque soir?
2. Qu'est-ce que tu manges chaque jour?
3. Est-ce que tu vas au cinéma chaque semaine?
4. Est-ce que tu viens à l'université chaque jour?
5. Connais-tu chaque personne dans la classe?
6. Selon toi, est-ce que chaque individu est différent?

B. Complétez les phrases avec imagination:

1. Chaque fois que je vais en voyage. . . .
2. Chaque fois que j'ai mal à la tête. . . .
3. Chaque fois que je réussis à un examen. . . .
4. Chaque fois que je tombe amoureux(-euse). . . .
5. Je fais du ski chaque fois que. . . .
6. Je mets un imperméable chaque fois que. . . .
7. Je porte des vêtements conventionnels chaque fois que. . . .
8. Je perds la tête chaque fois que. . . .

C. Répondez selon le modèle en employant *aucun . . . ne* ou *ne . . . aucun.*

> *Modèle:* Quel film as-tu regardé hier soir?
> *Je n'ai regardé aucun film.*

1. As-tu reçu des lettres?
2. Connais-tu un avocat?
3. As-tu répondu aux questions?
4. Quelles étudiantes étaient absentes hier?
5. Tous les étudiants ont-ils réussi?
6. Aperçois-tu cet avion dans le ciel?
7. As-tu acheté plusieurs livres?
8. Quel animal peut parler?
9. Veux-tu un conseil?

D. Dites le contraire selon le modèle.

> *Modèle:* Tu as fait une erreur.
> *Ce n'est pas vrai. Je n'ai fait aucune erreur.*

1. Ce politicien a dit un mensonge.
2. Tous les chiens sont dangereux.
3. Ce cours a déçu plusieurs étudiants.
4. Il y a des vampires en Transylvanie.
5. Beaucoup d'avocats sont malhonnêtes.
6. Ce chef du syndicat a quelques ennemis.

Verbes suivis de *à* ou *de* + infinitif

A number of verbs require no preposition when followed by an infinitive. Other verbs require the prepositions **à** or **de**.

Verbs Requiring *de* Before an Infinitive:

accepter de (to accept)	Il a accepté de nous accompagner.
cesser de (to stop)	J'ai cessé de fumer il y a un an.
décider de (to decide)	Nous avons décidé de partir plus tôt.
demander à quelqu'un de (to ask)	Il me demande de revenir demain.
dire à quelqu'un de (to tell)	Elle lui a dit de vous avertir.
essayer de (to try)	Ils essaient de parler français.
finir de (to finish)	Il finit de travailler à trois heures.
permettre à quelqu'un de (to allow)	Son père leur permet de sortir.
promettre à quelqu'un de (to promise)	J'ai promis à ma mère de rentrer tôt.
oublier de (to forget)	J'ai oublié de fermer la porte.
regretter de (to regret)	Je regrette d'être en retard.
refuser de (to refuse)	Il refuse de m'accompagner.

Verbs Requiring *à* Before an Infinitive:

apprendre à (to learn)	Nous apprenons à parler français.
aider quelqu'un à (to help)	Mon ami m'aide à faire les exercices.
commencer à (to begin)	Il commence à comprendre l'anglais.
continuer à (to continue)	Continuez à faire des progrès.

hésiter à (to hesitate)	Elle n'a pas hésité à partir en Afrique.
inviter quelqu'un à (to invite)	Nous les avons invités à diner chez nous.
se mettre à (to start)	Elle s'est mise à étudier l'astronomie.
réussir à (to succeed)	J'ai réussi à réparer ma voiture.

EXERCICES (ORALEMENT)

A. Répondez selon le modèle. Employez le passé composé dans la réponse.

> *Modèle:* Est-ce qu'il va venir? (non, refuser)
> *Non, il a refusé de venir.*

1. Est-ce que tu joues de la guitare? (oui, apprendre)
2. Est-ce qu'ils travaillent? (non, finir)
3. Est-ce qu'elle fait du ski? (oui, se mettre)
4. Est-ce que tu fumes? (non, cesser)
5. Est-ce qu'il fait des progrès? (oui, commencer)
6. Est-ce qu'elles vont rentrer tôt? (oui, promettre)
7. Est-ce qu'il a de bonnes notes? (oui, réussir)
8. Est-ce que tu apportes le dessert? (non, oublier)
9. Est-ce que tu fais la cuisine? (oui, essayer)
10. Est-ce que vous partez en voyage? (oui, décider)

B. Répondez selon le modèle. Employez *je* et le passé composé dans la réponse.

> *Modèle:* Est-ce que Jean va téléphoner? (dire)
> *Oui, je lui ai dit de téléphoner.*

1. Est-ce que ton petit frère écoute tes disques? (permettre)
2. Est-ce que ta soeur apprend le piano? (aider)
3. Est-ce que Simon et Chantal vont venir dîner? (inviter)
4. Est-ce que tes parents te donnent des conseils? (demander)
5. Est-ce que tes amis vont t'attendre? (dire)

C. Répondez aux questions par des phrases complètes:

1. As-tu commencé à apprendre le français?
2. Vas-tu continuer à apprendre le français?
3. Est-ce que tu regrettes d'être à l'université?
4. Est-ce que tu essaies d'avoir de bonnes notes?
5. Est-ce que tu réussis à faire la cuisine?
6. Est-ce que tu continues à voir tes camarades de l'école secondaire?
7. Quand as-tu décidé d'entrer à l'université?
8. Qu'est-ce que tu oublies souvent de faire?
9. Quels sports continues-tu à pratiquer?
10. Est-ce que tu aides ta mère à faire le ménage?

11. Est-ce que quelqu'un t'aide à écrire tes compositions en français?
12. Qui invites-tu à dîner généralement?
13. A qui demandes-tu de sortir avec toi?
14. Qu'est-ce que tu as promis de faire à tes parents?
15. Qu'est-ce que tes parents ne te permettent pas de faire?
16. A qui permets-tu d'entrer dans ta chambre?
17. Est-ce que tu t'es mis(e) à étudier de nouvelles matières à l'université?
18. Quel genre d'études as-tu décidé de poursuivre?
19. Qu'est-ce que tu as cessé de faire depuis ton entrée à l'université?

Expressions d'enchaînement logique

When speaking or writing, one tries to order events and ideas into logical sequences. A number of words and expressions are used in making explicit connections between clauses and sentences to achieve that purpose. Here are a few common ones:

1) <u>Chronological Sequence</u>:

> **d'abord** (first) **ensuite/puis** (then/next) **enfin** (finally)
>
> <u>D'abord</u>, il s'est levé, <u>puis</u> il s'est lavé et habillé.
> <u>Ensuite</u>, il est sorti et il est allé prendre l'autobus.
> <u>Enfin</u>, il est arrivé au bureau.

2) <u>Logical Consequences</u>:

> **ainsi** (thus/this way) **donc** (thus/hence)
> **par conséquent** (therefore/consequently)
> **c'est pourquoi** (that is why)
>
> Il étudiait très fort. <u>Ainsi</u>, il a réussi brillamment.
> On ne peut pas changer cette situation. Il faut <u>donc</u> l'accepter.
> Tu n'étudies pas, tu ne vas pas aux cours et tu n'aimes pas l'université. <u>Par conséquent</u> tes résultats sont très mauvais.
> J'étais malade; <u>c'est pourquoi</u> je n'ai pas pu venir au rendez-vous.

3) <u>Opposition</u>:

> **mais** (but) **cependant/pourtant** (however/yet)
> **néanmoins** (nevertheless)
>
> Il l'aime, <u>mais</u> elle, elle ne l'aime pas.
> Elle est intelligente, jolie, sportive, et <u>pourtant</u> elle est timide.
> Vous avez probablement raison, <u>cependant</u> je ne partage pas votre avis.
> Ce n'est pas un travail très agréable; il faut <u>néanmoins</u> le faire.

EXERCICES (ORALEMENT)

A. Répondez selon le modèle.

> *Modèle:* Es-tu parti(e) tout de suite? (manger)
> *Non, d'abord j'ai mangé, ensuite je suis parti(e).*

1. Avez-vous mangé tout de suite? (prendre un cocktail)
2. Est-il allé à Toronto tout de suite? (s'arrêter à Montréal)
3. A-t-elle répondu tout de suite? (réfléchir)
4. As-tu accepté tout de suite? (hésiter)
5. As-tu appelé le médecin tout de suite? (prendre une aspirine)

B. Employez *c'est pourquoi* ou *pourtant* au début de la seconde phrase, selon le cas:

1. Elle travaille trop. Elle est fatiguée.
2. Cet exercice est facile. Jean ne sait pas le faire.
3. Il ne fait pas assez de sport. Il n'est pas en forme.
4. Il a un emploi intéressant. Il n'est pas satisfait.

C. Employez *cependant* ou *donc* au début de la seconde phrase, selon le cas:

1. Elle ne veut pas se marier. Elle veut avoir des enfants.
2. Il veut devenir politicien. Il a de l'ambition.
3. C'est un homme intelligent. Il a de graves défauts.
4. Socrate est un homme. Socrate est mortel.

EXERCICES ECRITS

A. Mettez le verbe au conditionnel passé (attention à l'accord du participe passé):

1. Tu (réussir) à ton examen.
2. Il (prendre) l'avion pour New York.
3. Nous (se promener) dans les bois.
4. Vous (faire) du ski de fond.
5. Ils (préférer) partir plus tôt.
6. Je (ne pas savoir) répondre à cette question.
7. Elles (revenir) en train.
8. Tu (avoir) froid sans ce manteau.
9. Je (ne pas être) heureux(-euse) dans cette ville.
10. Elles (se rencontrer) pour en parler.
11. Suzanne (s'habituer) à ce type de travail.
12. Ils (se rendre) à Montréal tout de suite.

B. Changez les temps des verbes: mettez-les au plus-que-parfait et au conditionnel passé, selon le cas:

1. Si j'étais paresseux(-euse), je ne réussirais pas.
2. Je voyagerais plus souvent si j'avais beaucoup d'argent.

3. S'il pleuvait, je prendrais ma voiture.
4. Si je savais la réponse, je ne te la demanderais pas.
5. Je prendrais un café si je n'étais pas en retard.
6. Personne ne l'écouterait s'il n'était pas le directeur.
7. Si Simone devenait actrice, elle aurait du succès.
8. Tu t'ennuierais si tu restais chez toi.

C. Transformez les phrases selon le modèle (une phrase avec *chaque*, une phrase avec *aucun(e)*).

> *Modèle:* Je connais quelques étudiants dans la classe.
> *Je connais chaque étudiant dans la classe.*
> *Je ne connais aucun étudiant dans la classe.*

1. Il a répondu à quelques questions.
2. Quelques rêves sont intéressants.
3. Quelques appartements ont deux salles de bain.
4. Elle a réussi à quelques examens.

D. Complétez les phrases avec imagination:

1. Pour être heureux, il faut d'abord. . . .
2. Il fait beaucoup de sport, c'est pourquoi. . . .
3. J'ai mis un gros chandail et un manteau, ainsi. . . .
4. Tu devrais d'abord terminer tes études, ensuite. . . .
5. Je n'aime pas manger des épinards, et pourtant. . . .
6. Les cours finissent la semaine prochaine; enfin. . . .
7. Je n'ai pas assez d'argent pour avoir une voiture, par conséquent. . . .
8. Ce musicien n'a pas un talent extraordinaire, néanmoins. . . .

E. Remplacez le tirets par les prépositions *à* ou *de*:

1. Il m'a demandé _____ lui écrire souvent.
2. Je continue _____ suivre des cours d'espagnol.
3. Elle a refusé _____ sortir avec lui.
4. Il n'aurait pas réussi _____ faire ce travail sans toi.
5. Essayez _____ ne pas fumer.
6. N'oubliez pas _____ apporter vos disques.
7. Il n'a pas commencé _____ écrire sa composition.
8. N'hésite pas _____ me téléphoner.
9. Mon père ne me permettra pas _____ prendre la voiture.
10. Tu devrais cesser _____ perdre ton temps.
11. Nous les inviterons _____ prendre un café.

LECTURE
➤➤➤➤➤➤➤

Attention, cyclistes!

Les cyclistes se plaignent des automobilistes. Les automobilistes rouspètent contre les cyclistes. Mais voici que d'autres mécontents se manifestent: les piétons. C'est à leur tour d'en avoir marre de se faire bousculer et parfois heurter par des cyclistes agressifs ou distraits. Sur les pistes cyclables. Dans la rue et sur le trottoir.

L'heure est à l'écologie et à l'économie d'énergie. Le centre-ville est pollué, manque de stationnement. Le prix de l'essence ne cesse de gimper. Les tarifs du transport en commun, on n'en parle pas. Alors nul ne peut être contre ce moyen de transport écologique et économique qu'est la bicyclette.

Mais cette belle solution "verte" fait problème. Et rend bien des citoyens furieux quand les uns, sur deux roues, roulent en travers des autres, sur quatre roues. C'est parfois l'anarchie. Quand un automobiliste engagé sur un feu rouge-orange se fait intercepter par un policier, il paye l'amende. Tandis que le cycliste, aussi coupable, poursuit son chemin, au mépris du piéton qui traverse.

Et que dire du cycliste qui fait du nord-sud dans une zone sud-nord? De celui qui se promène sans papier (la carte d'identité obligatoire n'existe pas au Québec), sans casque (il n'est pas obligatoire), et qui pédale à vive allure sur les pistes cyclables, risquant à chaque virage d'emboutir le vélo de celui qui se promène tout doucement à la brunante ou par un beau dimanche après-midi? Ce cycliste-là cause beaucoup de tort aux cyclistes responsables.

Le nombre de cyclistes ne va pas décroître. Bien au contraire. Automobilistes, cyclistes et piétons doivent apprendre à pratiquer le civisme et à respecter les règlements de la circulation. Tout comme on devrait les obliger à les respecter.

Les cyclistes ne sont pas des mal-aimés. Mais trop d'entre eux, comme bien des automobilistes, manquent de respect les uns envers les autres et envers les piétons. Attention, cyclistes! ou cyclistes, attention!

(Article de Claudette Tougas, publié dans *La Presse*, 27 juillet 1991.)

alors	so	**l'heure est à**	this is a time for
allure: à vive —	at full speed	**heurter**	to run, bump into
amende (f.)	fine	**mal-aimé(e)**	disliked
attention	look out!; be careful	**se manifester**	to appear
		manquer de	to lack
bien des	many	**marre: en avoir**	to be fed up
bousculer	to jostle	**— de**	with
brunante (f.)	dusk	**mécontent** (m.)	malcontent
carte d'identité (f.)	I.D. card	**mépris: au — de**	with complete disregard for
centre-ville (m.)	downtown		
citoyen, enne	citizen	**nul, nulle**	no one
civisme (m.)	good citizenship	**se plaindre de**	to find fault with
contre	against	**poursuivre**	to proceed on
coupable	guilty	**son chemin**	one's way
décroître	to decrease	**problème: faire —**	to pose a problem
distrait(e)	absent-minded	**que dire de**	what should we say about
emboutir	to hit, to run into		
		rendre (+ adj.)	to make
engagé sur un feu rouge	crossing on a red light	**rouler en travers de**	to block someone's way
envers	towards	**rouspéter contre**	to grumble about
faire: se —	to get (jostled)	**tandis que**	whereas
(bousculer)		**tarif** (m.)	rates
grimper	to go up	**tout comme**	just as

QUESTIONS

1. Qui se plaint des automobilistes? Qui se plaint des cyclistes?
2. Pourquoi les piétons aussi sont-ils mécontents?
3. Où les piétons sont-ils agressés par les cyclistes?
4. Quels sont les problèmes actuels des moyens de transport?
5. Pourquoi la bicyclette est-elle une solution "verte"?
6. Qu'est-ce qui rend bien des citoyens furieux?
7. Quelle différence y a-t-il entre l'automobiliste et le cycliste qui brûlent un feu rouge?
8. De quelles autres fautes certains cyclistes sont-ils coupables?
9. Pour qui le cycliste qui pédale vite est-il un danger?
10. Quel est le résultat de l'irresponsabilité de certains cyclistes?
11. Qu'est-ce que tout le monde doit apprendre à faire?
12. De quoi est-ce que trop de cyclistes manquent?

SITUATIONS / CONVERSATIONS

>>>>>>>>

1. Nommez

> — une chose que vous n'auriez pas dû faire;
> — une chose que vous n'auriez pas dû dire;
> — une injustice qui n'aurait pas dû exister;
> — un voyage que vous n'auriez pas dû entreprendre;
> — un personnage qui n'aurait pas dû être au pouvoir;
> — un instrument duquel vous auriez aimé jouer;
> — un film que vous auriez voulu voir;
> — un pays que vous auriez voulu visiter;
> — un monument que vous auriez voulu voir.

2. Vous avez eu dans votre passé des désirs secrets qui ne se sont pas réalisés. Quels sont-ils?
   Exemple: J'aurais souhaité aller en Grèce passer des vacances, mais. . . .

3. Avez-vous déjà commis des erreurs? Lesquelles n'auriez-vous jamais dû commettre?
   Exemple: Je n'aurais jamais dû acheter cette bicyclette d'occasion qui ne fonctionnait pas. . . .

4. Quels hommes ou femmes célèbres auriez-vous aimé connaître?

5. Racontez un incident qui vous est arrivé et que vous auriez pu éviter.

6. Quelles qualités auriez-vous aimé posséder? Quels défauts vous auraient été utiles dans la vie?

7. Si vous aviez eu le pouvoir magique de changer quelque chose de votre passé, qu'auriez-vous changé?

8. Est-il réaliste de penser à interdire la circulation automobile dans les villes et à la remplacer par des systèmes de transports en common perfectionnés?

9. Etablissez des règlements stricts pour les cyclistes en ville. Précisez les amendes qui seront données aux cyclistes qui ne respectent pas ces règlements.

10. Les droits des piétons sont-ils convenablement respectés? Les piétons sont-ils parfois eux aussi irresponsables?

11. Si vous aviez le choix entre une automobile qui fonctionne à l'essence et une auto qui fonctionne à l'électricité mais qui est beaucoup plus petite et qui roule beaucoup moins vite, laquelle choisiriez-vous?

COMPOSITIONS

1. Si vous aviez vécu au 19ᵉ siècle, comment aurait été votre vie? Racontez.

2. Si on vous avait donné l'occasion de passer une journée avec l'homme ou la femme qui vous plaît le plus, qui auriez-vous choisi, et qu'auriez-vous fait?

PRONONCIATION
(This exercise is at the end of Leçon 16 on the tape.)

Les semi-voyelles **oué** et **ué** (/w/ -/ɥ/)

I. Le son oué (/w/)

The semi-vowel /w/ always precedes a vowel sound and is written **ou**:
oui, bouée, louer, avouer

The letter sequences **oi** and **oy** are pronounced /wa/:

roi, toi, soi, soyons, endroit, voyage

The sequence **oin** is pronounced /wɛ̃/:

soin, lointain, foin, moindre

II. Le son ué (/ɥ/)

The semi-vowel /ɥ/ always precedes a vowel sound and is written **u**:
buis, fui, muer, ruée, nuage, ruelle

Répétez:

bu / buée	lu / lui
su / suer	pu / puis
rue / ruer	fu / fui
mu / muer	nu / nuit

III. Contraste /w/-/ɥ/

Répétez:
1. bouée / buée   nouée / nuée
   enfouir / enfuir   oui / huit
   louis / lui   rouée / ruée

2. Louez-lui celui-ci.
   Puisque Louis conduit la nuit.

Chapitre dix-sept

L'environnement

VOCABULAIRE UTILE

air (m.)	air	**écologie** (f.)	ecology
asphyxier	to asphyxiate	**écologique**	ecological
atmosphère (f.)	atmosphere	**effet de serre** (m.)	greenhouse effect
augmenter	to increase	**empoisonner**	to poison
couche (f.)	layer	**espèce** (f.)	species
déboisement (m.)	deforestation	**forêt** (f.)	forest
déchets toxiques (m.pl.)	toxic waste	**insecticide** (m.)	insecticide
		marée noire (f.)	black tide
diminuer	to decrease	**menacer**	to threaten

menace (f.)	threat	**pollution** (f.)	pollution
milieu naturel (m.)	natural environment	**pur(e)**	pure
niveau (m.)	level	**qualité** (f.)	quality
nocif, ive	noxious, harmful	**réduire**	to reduce
océan (m.)	ocean	**règne animal** (m.)	animal kingdom
pesticide (m.)	pesticide	**sauvegarder**	to safeguard
pluies acides (f.pl.)	acid rain	**sol** (m.)	soil
poison (m.)	poison	**végétal(e)**	vegetable
polluer	to pollute	**voie** (f.): **en —**	
polluant, ante	polluting	**de disparation**	endangered

GRAMMAIRE ET EXERCICES ORAUX

>>>>>>>>

Le futur antérieur

The **futur antérieur** (future perfect) is a compound tense which consists of the future tense of the auxiliary verb (**avoir** or **être**) and the past participle of the verb.

finir

j'	aurai fini	nous	aurons fini
tu	auras fini	vous	aurez fini
il/elle/on	aura fini	ils/elles	auront fini

devenir

je	serai devenu(e)	nous	serons devenu(e)s
tu	seras devenu(e)	vous	serez devenu(e)(s)
il/on	sera devenu	ils	seront devenus
elle	sera devenue	elles	seront devenues

se laver

je	me serai lavé(e)	nous	nous serons lavé(e)s
tu	te seras lavé(e)	vous	vous serez lavé(e)(s)
il/on	se sera lavé	ils	se seront lavés
elle	se sera lavée	elles	se seront lavées

The future perfect indicates that a future action will have occurred before some other future action or some future moment.

> **J'aurai fini** de préparer le repas quand les invités arriveront.
> I will have finished preparing the meal when the guests arrive.
> **Lorsque tu seras arrivé(e)** chez toi, tu me téléphoneras.
> When you have arrived at home, you will call me.

Mardi prochain, nous <u>aurons</u> déjà <u>quitté</u> Montréal.
Next Tuesday, we will already have left Montreal.
J'<u>aurai terminé</u> mon travail avant cinq heures.
I will have finished my work before five o'clock.

➤ Note that the future perfect, like the future tense, is used after **quand, lorsque, dès que, aussitôt que, tant que,** whereas the present perfect is used in English after the corresponding conjunctions:

Dès que nous <u>aurons mangé</u>, nous partirons.
As soon as we have eaten, we will leave.
Il ne se reposera pas tant qu'il n'<u>aura</u> pas <u>terminé</u>.
He will not rest as long as he has not finished.

If the time lapse between both actions is minimal, the future tense rather than the future perfect is used after **dès que** and **aussitôt que**:

Il me téléphonera dès qu'il <u>arrivera</u>.
He will call me as soon as he arrives.

EXERCICES (ORALEMENT)

A. Répétez les phrases en employant les sujets entre parenthèses:

1. Nous (Marcel, mes parents, je) serons allés à l'usine.
2. Tu (il, vous, les étudiantes) auras appris le français.
3. Elle (nous, je, mes amis) se sera promenée près de la rivière.
4. Je (tu, vous, Albert) serai parti à cinq heures.
5. Vous (elle, je, nous) aurez fait des recherches.
6. Ils (tu, Karine, vous) se seront mariés.

B. Mettez les verbes entre parenthèses au futur antérieur:

1. Ils (partir) en vacances quand nous reviendrons.
2. Je viendrai vous voir quand je (revenir).
3. Nous irons au cinéma dès que nous (manger).
4. Elle ne voudra pas sortir tant qu'il (ne pas cesser) de pleuvoir.
5. L'an prochain, il (recevoir) son diplôme.
6. Dans un an, nous (quitter) cette ville.
7. J'espère que tu (faire) tes bagages quand ce sera l'heure de partir.
8. Dans dix ans, la pollution (augmenter).
9. Lorsqu'il (acheter) une voiture, il aura des dettes.
10. Tu me parleras de ce livre lorsque tu le (lire).

C. Transformez les phrases d'après le modèle.

Modèle: Il apprendra le français, ensuite il ira au Québec. (quand)
Il ira au Québec quand il aura appris le français.

1. Je rencontrerai l'homme idéal, ensuite je me marierai. (lorsque)
2. J'écrirai cette lettre, ensuite nous irons nous promener. (aussitôt que)
3. Elle prendra un bain, ensuite elle préparera le repas. (quand)
4. Nous finirons notre partie d'échecs, ensuite je partirai. (dès que)
5. Il réalisera ses ambitions, ensuite il sera content. (lorsque)
6. Tu gagneras assez d'argent, ensuite tu achèteras une auto. (dès que)

D. Complétez les phrases suivantes. Employez le futur antérieur:

1. Je te téléphonerai dès que. . . .
2. Nous partirons en vacances aussitôt que. . . .
3. Jules prendra une décision dès que. . . .
4. Je ne partirai pas tant que. . . .
5. Vous viendrez me voir quand. . . .
6. Tu me rendras mes disques lorsque. . . .

Les verbes irréguliers *ouvrir, offrir, souffrir*

Ouvrir means "to open" and is conjugated like regular **-er** verbs in the present indicative and the imperative.

Présent de l'indicatif		*Impératif (2ᵉ personne):*	*Participe passé:*	*Futur:*
j'	ouvre	ouvre	ouvert	j'ouvrirai
tu	ouvres			
il/elle/on	ouvre			
nous	ouvrons			
vous	ouvrez			
ils/elles	ouvrent			

Offrir (to offer/to present someone with something) and **souffrir** (to suffer) are conjugated in the same way, and so are **couvrir** (to cover) and **découvrir** (to discover).

Il fait chaud: <u>ouvre</u> la fenêtre!
Elle <u>a couvert</u> le pot de crème d'un papier d'aluminium.
Le ciel <u>se couvrait</u> de nuages.
Nous <u>découvrirons</u> la solution du problème.
Il <u>offrait</u> des fleurs à toutes les femmes.
Cet homme a eu la jambe cassée: il <u>souffre</u> beaucoup.

EXERCICES (ORALEMENT)

A. Répondez aux questions:

1. Quand il fait chaud, j'ouvre la fenêtre de ma chambre. Et toi? Et vous?
2. J'ai ouvert le livre de français. Et elle? Et eux? Et vous?

3. Elle offre du café à ses invités. Et toi? Et tes parents?

4. Vous découvrirez un trésor. Et moi? Et lui? Et elles?

5. Je me couvre chaudement quand il fait froid. Et toi? Et lui? Et nous?

B. Répondez aux questions par des phrases complètes:

1. Est-ce qu'il y a beaucoup de gens qui souffrent dans un hôpital?

2. Est-ce que tu souffres d'allergies?

3. Qui a découvert l'Amérique?

4. Est-ce qu'on découvrira un remède contre le cancer?

5. Est-ce que tu as ouvert un compte à la banque?

6. Avec quoi ouvre-t-on une bouteille de vin?

7. Est-ce que le ciel se couvre de nuages quand il va pleuvoir?

8. A quelle page as-tu ouvert ton livre de français?

9. Est-ce que les policiers découvrent toujours l'auteur d'un crime?

10. A qui offres-tu des fleurs?

11. Est-ce qu'il ferait froid dans la classe si nous ouvrions les fenêtres?

12. Qu'est-ce que tu offriras à ta mère pour sa fête?

Le participe présent

The present participle is formed by adding **-ant** to the stem of the first person plural form of the present indicative.

Infinitive	Present Tense (1st Person Plural)	Present Participle
appeler	nous **appel**ons	appelant
choisir	nous **choisiss**ons	choisissant
attendre	nous **attend**ons	attendant
aller	nous **all**ons	allant
faire	nous **fais**ons	faisant

Only three verbs do not conform to this pattern:

être ⟶ étant   **avoir** ⟶ ayant   **savoir** ⟶ sachant

The present participle is most often used after the preposition **en** to indicate:

1) the means by which an end is achieved or the manner in which the action of the main verb is performed (**manière**):

  Elle a appris à chanter en imitant sa mère.
  She learned to sing by imitating her mother.

2) the moment when the action described by the main verb occurs (**moment**):

> **En voyant le chien, elle a eu peur.**
> Upon seeing the dog (the moment she saw the dog), she got scared.

3) the background action during the performance of which the action described by the main verb occurs (**simultanéité**):

> **Il chante en prenant une douche.**
> He sings while taking a shower.

➤ Note that in the negative, **ne** precedes the present participle and **pas** (or any other negative word) follows it:

> En ne respectant pas la nature, on provoque des catastrophes.

An object pronoun is placed directly before the present participle:

> Le gouvernement a aidé ces petites compagnies en leur donnant des subventions.

The present participle without **en** is most often used in writing and usually indicates a causal connection:

> **Ne connaissant personne dans cette ville, il s'ennuyait.**
> As he did not know anybody. . . .
> **Etant très occupé(e), je n'ai pas pu prendre de vacances.**
> Since I was very busy. . . .

EXERCICES (ORALEMENT)

A. *En + participe présent (manière)*. Transformez la question et la réponse en une seule phrase d'après le modèle.

> *Modèle:* Comment a-t-il attrapé un rhume? Il est sorti sous la pluie.
> *Il a attrapé un rhume en sortant sous la pluie.*

1. Comment a-t-elle trouvé un emploi? Elle a écrit à toutes les compagnies.
2. Comment a-t-elle insulté Pierre? Elle ne l'a pas invité à sa fête.
3. Comment a-t-il payé ses études? Il a travaillé tous les étés.
4. Comment a-t-il appris le violon? Il a suivi des cours.
5. Comment réussirez-vous? Vous travaillerez fort.
6. Comment restait-elle en forme? Elle faisait de l'exercice.
7. Comment s'est-il ruiné? Il a joué au poker.
8. Comment est-ce que j'ai eu ton adresse? J'ai téléphoné à ton oncle.

B. Répondez aux questions d'après le modèle.

> *Modèle:* Comment conserve-t-on la nourriture? (la réfrigérer)
> *On conserve la nourriture en la réfrigérant.*

1. Comment as-tu découvert la solution? (utiliser un ordinateur)
2. Comment achèteras-tu cette voiture? (emprunter de l'argent)
3. Comment arriverons-nous à l'heure? (se dépêcher)
4. Comment fais-tu cette sauce superbe? (ajouter du cognac)
5. Comment est-il devenu si musclé? (faire de la gymnastique)
6. Comment êtes-vous entrés? (passer par la fenêtre)
7. Comment peut-on faire quelque chose d'utile? (aider les vieillards)
8. Comment as-tu réussi à dormir? (prendre un somnifère)

C. *En + participe présent (moment).* Transformez les phrases d'après le modèle.

> *Modèle:* Tu m'écriras quand tu arriveras là-bas.
> *Tu m'écriras en arrivant là-bas.*

1. Il a mangé quand il est rentré.
2. Il est mort quand il est arrivé à l'hôpital.
3. Il a tourné la tête quand il m'a vu.
4. Le chien s'est caché quand il nous a entendu.
5. Il a appelé les pompiers quand il a aperçu la fumée.
6. Elle est tombée amoureuse de lui quand elle l'a vu.

D. Transformez les phrases d'après le modèle.

> *Modèle:* Il est parti. Il a oublié ses clés.
> *Il a oublié ses clés en partant.*

1. Il est entré. Il ne m'a pas salué.
2. Je l'ai vue. Je l'ai reconnue tout de suite.
3. Il m'a vu. Il a souri.
4. Elle a quitté Toronto. Elle a eu de la peine.
5. Il a trouvé un emploi. Il a été fou de joie.
6. Je l'ai aperçu. J'ai été surpris de son apparence.

E. *En + participe présent (simultanéité).* Transformez les phrases d'après le modèle.

> *Modèle:* Il s'est cassé la jambe pendant qu'il faisait du ski.
> *Il s'est cassé la jambe en faisant du ski.*

1. Ne parle pas pendant que tu manges.
2. Elle chante pendant qu'elle fait la cuisine.
3. Marcel a mangé de la crème glacée pendant qu'il regardait la télé.
4. Nous écoutons des disques pendant que nous faisons nos devoirs.
5. Violette fume pendant qu'elle travaille.
6. J'ai attrapé mal à la tête pendant que je l'écoutais.
7. Le vieillard est tombé pendant qu'il traversait la rue.
8. Nous avons découvert ce restaurant pendant que nous nous promenions.

F. Transformez les phrases d'après le modèle.

> *Modèle:* Il parlait. Il a mentionné ton nom.
> *Il a mentionné ton nom en parlant.*

1. J'irai au magasin. Je t'achèterai le journal.
2. Nous voyagions aux Etats-Unis. Nous avons vu des centrales nucléaires.
3. Je lisais le journal. J'ai vu une photo de ton père.
4. Le mineur descendait dans la mine. Il a eu un accident.
5. Il parlait avec des amis. Il a appris la nouvelle.
6. Elle fait la vaisselle. Elle fait beaucoup de bruit.
7. Je rentrais chez moi à pied. Je n'ai vu personne.
8. Ils écoutaient de la musique. Ils dansaient.
9. Renée voyageait. Elle l'a rencontré.

La négation

Adverbs

1) **ne . . . jamais** (never) ≠ **parfois, quelquefois** (sometimes), **une fois** (once), **toujours** (always), **souvent** (often)

Je n'ai jamais vu de lion. J'ai vu un lion une fois.

2) **ne . . . pas encore** (not yet) ≠ **déjà** (already)
Il n'a pas encore de voiture. Il a déjà une voiture.

3) **ne . . . pas non plus** (neither) ≠ **aussi** (also/too)
Je n'irai pas au cinéma non plus. J'irai au cinéma aussi.

4) **ne . . . plus** (no more/no longer) ≠ **encore** (still)
Nous ne te verrons plus. Nous te verrons encore.
Il ne boit plus d'alcool. Il boit encore de l'alcool.

5) **ne . . . nulle part** (nowhere) ≠ **quelque part** (somewhere), **partout** (everywhere)

Il ne veut aller nulle part. Il veut aller quelque part.
On n'en trouve nulle part. On en trouve partout.

➤ Note: 1) After these negative expressions, just as after **ne . . . pas**, the forms of the indefinite and partitive articles all become **de**.

   2) With **ne . . . non plus** stress pronouns are frequently used:
   Moi non plus, je ne suis pas fatigué(e).
   Ils ne sont pas venus, eux non plus.

The Conjunction *Ni*

Ni means the opposite of **et** and **ou** and is most often used in the structure **ne** + verb + **ni . . . ni** to connect two expressions having the same grammatical function, that is, two direct or indirect objects, two predicate adjectives, etc.

> Je <u>ne</u> suis <u>ni</u> malade, <u>ni</u> fatigué(e).
> Il <u>n</u>'est allé <u>ni</u> à Montréal <u>ni</u> à Québec.
> Je <u>n</u>'ai apporté <u>ni</u> mon manteau <u>ni</u> mes gants.
> Elle <u>n</u>'a parlé <u>ni</u> au professeur <u>ni</u> aux autres étudiants.

After **ni . . . ni**, no indefinite or partitive article is used. Compare the following sentences:

> Il mange <u>des</u> fruits et <u>des</u> légumes. As-tu <u>un</u> frère et <u>une</u> soeur?
> Il ne mange <u>ni</u> fruits <u>ni</u> légumes. Je n'ai <u>ni</u> frère <u>ni</u> soeur.
>
> Elle boit <u>du</u> vin et <u>de la</u> bière.
> Elle ne boit <u>ni</u> vin <u>ni</u> bière.

EXERCICES (ORALEMENT)

A. Dites le contraire des phrases suivantes:

1. Je suis déjà allé(e) en Chine.
2. J'ai déjà mangé du caviar.
3. Il veut aller quelque part.
4. Nous voyagerons partout.
5. Il y avait des policiers partout.
6. J'ai aperçu tes clés quelque part.
7. Jean-Paul et Simone sortent souvent ensemble.
8. Elle m'a quelquefois offert des fleurs de son jardin.
9. Je le vois toujours à la bibliothèque.
10. Vous écoutez souvent du jazz.
11. Il a encore essayé de la rencontrer.
12. Tu feras encore des erreurs.
13. Toi aussi, tu es sportif (-ive).
14. Je prendrai un café aussi.
15. Charles est actif et dynamique.
16. Nous irons en Italie et en France.
17. Elle l'a dit à Pierre et à Suzanne.
18. Elle a acheté une jupe et une robe.
19. Il a du courage et de l'ambition.
20. Je veux cette chemise et ce pantalon.
21. Mes beaux-parents aiment le cinéma et le théâtre.

B. Répondez aux questions négativement. Remplacez les noms par des pronoms.

> *Modèle:* As-tu souvent vu <u>des clowns</u>?
> *Je n'en ai jamais vu.*

1. As-tu déjà fait <u>de l'alpinisme</u>?
2. Fumes-tu encore <u>des cigares</u>?
3. Est-ce que tu as déjà parlé <u>au professeur</u>?
4. Je n'ai pas vu <u>ce film</u>. Et toi?
5. As-tu déjà pris <u>ta décision</u>?
6. Est-ce que tu visites souvent <u>les musées</u>?

7. Est-ce que nous mentons parfois?
8. As-tu déjà essayé de faire <u>de la planche à voile</u>?
9. Est-ce que tu dois encore écrire <u>une composition</u>?
10. Est-ce qu'il y a <u>un restaurant</u> quelque part près d'ici?
11. Il n'y a pas de discothèque en ville, mais est-ce qu'il y a <u>un cinéma</u>?
12. Faites-vous encore <u>du ski</u>?
13. As-tu déjà mangé <u>du homard</u> quelque part?
14. Est-ce que tu vas encore <u>à l'université</u>?

Ne . . . que (la restriction)

Ne . . . que has the same meaning as **seulement** (only). **Ne** is placed before the verb and **que** before the expression which is modified by the restriction:

Il a <u>seulement</u> seize ans.
Elle est ici depuis <u>seulement</u> six mois.
J'achète <u>seulement</u> les disques bon marché.

Il <u>n</u>'a <u>que</u> seize ans.
Elle <u>n</u>'est ici <u>que</u> depuis six mois.
Je <u>n</u>'achète <u>que</u> les disques bon marché.

Ne . . . que is not a negative but a restrictive expression. Therefore, the indefinite and definite articles do not change to **de** when they follow **ne . . . que**:

Nous n'avons mangé que <u>des</u> fruits.
Elle n'a regardé qu'<u>un</u> film.

EXERCICES (ORALEMENT)

A. Substituez *ne . . . que* à *seulement*:

1. Il fait seulement de la chimie.
2. Je le reverrai seulement s'il devient plus aimable.
3. Cette bouteille contient seulement un demi-litre.
4. Je te téléphonerai seulement quand je serai revenu.
5. Il y a seulement des mines dans cette région.
6. Je l'ai invité seulement parce que c'est ton ami.
7. Ouvre seulement une fenêtre.
8. Elle dort seulement cinq heures par nuit.
9. Cet arbre a seulement dix mètres de haut.
10. Cette voiture coûte seulement mille dollars.
11. Il est seulement dix heures du soir.

B. Répondez aux questions d'après le modèle.

Modèle: Combien as-tu de disques?
Je n'en ai que dix.

1. Combien as-tu de livres dans ta serviette?
2. Combien de mains as-tu?
3. Combien de langues parles-tu?
4. Combien d'étudiants y a-t-il dans la classe?
5. Combien de bicyclettes as-tu?

6. Combien de jours y a-t-il en février?
7. Combien de langues officielles y a -t-il au Canada?
8. Combien de temps reste-t-il avant la fin de la classe?
9. Combien de semaines reste-t-il avant la fin des cours?
10. Depuis combien de mois étudies-tu le français?

EXERCICES ECRITS
➤➤➤➤➤➤➤

A. Mettez les verbes entre parenthèses au futur antérieur:

1. J'espère que nous nous reverrons quand tu (revenir) de vacances.
2. Nous pourrons partir dès que je le (voir).
3. Je donnerai au chien la nourriture que nous (ne pas manger).
4. Je suis sûr(e) que tu la trouveras sympathique quand tu la (rencontrer).
5. Rends-moi ce livre aussitôt que tu le (lire).

B. Mettez les verbes entre parenthèses au présent de l'indicatif:

1. Henri (offrir) une cravate à son père.
2. Est-ce que vous (souffrir) beaucoup?
3. La pluie entre dans la pièce quand on (ouvrir) la fenêtre.
4. Elle (se couvrir) le visage de maquillage.
5. Nous (découvrir) de nouvelles choses.

C. Transformez les phrases d'après le modèle.

> *Modèle:* Il est tombé. (monter l'escalier)
> *Il est tombé en montant l'escalier.*

1. On développe ses muscles. (faire de la natation)
2. Chantal a souri. (me regarder)
3. Je l'ai aperçu. (entrer dans la classe)
4. Nous mangeons. (regarder le match de hockey)
5. Frédéric est devenu riche. (vendre des maisons)
6. J'ai appris la nouvelle. (lire le journal)
7. Tu as trouvé ce portefeuille. (te promener)
8. Madeleine a trouvé un emploi. (rentrer de voyage)

D. Répondez aux questions par des phrases complètes. Employez *en* + *participe présent.*

> *Modèle:* Comment as-tu appris le violon?
> *J'ai appris le violon en prenant des leçons.*

1. Comment attrape-t-on un rhume?
2. Comment restes-tu en forme?
3. Comment les enfants apprennent-ils à parler?
4. Comment réussit-on à ses examens?
5. Comment apprend-on les nouvelles récentes?

E. Donnez le contraire des phrases suivantes:

1. Je veux voyager partout.
2. Fernande a encore mal à la tête.
3. J'écoute parfois la radio.
4. Ils sont déjà rentrés du cinéma.
5. Louis a aussi acheté une chemise.
6. Elle est intelligente et ambitieuse.
7. Nous mangeons des fruits et des légumes.
8. Il a apporté son livre et ses notes de classe.
9. Je vais encore quelquefois à la discothèque.

F. Substituez *ne . . . que* à *seulement*:

1. Je te parlerai seulement quand tu seras plus raisonnable.
2. Elle veut seulement un sandwich.
3. Les Desjardins ont seulement deux enfants.
4. On peut ouvrir seulement une fenêtre.
5. Il y a des fleurs seulement devant la maison.
6. Nous nous reverrons seulement dans deux mois.
7. J'ai lu ce livre seulement parce que tu me l'as recommandé.
8. Il va suivre seulement trois cours.

LECTURE

Les onze régions du monde les plus menacées

Amazonie: menacée par les routes, les barrages, l'exploitation minière et la destruction de la forêt pour l'élevage du bétail.

Antarctique: menacée par l'industrie minière et les visées militaires.

Forêt indo-malaise: une déforestation massive se produit dans cette region, à la suite des implantations humaines.

Himalaya: les contreforts sont menacés par une déforestation continue, causée par l'extension des peuplements humains.

Forêts de l'Afrique centrale et du bassin du Zaïre: les parcs et les réserves d'animaux sont menacés par les populations envahissantes et le braconnage.

Forêt pluviale de Bornée (Sarawak): c'est une des régions du monde qui se déboise le plus rapidement par suite de la demande de bois tropicaux.

La forêt de Mata Atlantica (une autre forêt brésilienne): il n'en reste qu'un toute petite partie, divisée en plusieurs fragments. La pression humaine est incessante.

Madagascar: une île où l'on trouve des espèces uniques au monde et rares, mais où leurs habitats sont menacés.

Côte ouest de l'Amérique du Nord: les restes d'une ancienne forêt de conifères dont les arbres sont — ou risquent d'être — abattus pour leur bois.

Forêt d'Amérique centrale: une des zones possédant la plus grande biodiversité. Sa protection est bonne en certains pays (au Costa Rica) et non existante — ou presque — dans d'autres pays.

Les écosystèmes marins: surpêche, engins de pêche non sélectifs, érosion des sols provoquant l'envasement des récifs coralliens, pollution toxique, autant de menaces pour ces zones.

(*Biosphère*, vol. 7, no 4, juillet-août 1991, p.27)

autant de	such are the many	**envasement** (m.)	choking up with mud
barrage (m.)	dam		
bétail (m.)	cattle	**exploitation**	mining
braconnage (m.)	poaching	**minière** (f.)	
contreforts (m.pl.)	foot-hills	**forêt pluviale** (f.)	rain forest
côte (f.)	coast	**implantation** (f.)	settlement
(se) déboiser	to become deforested	**par suite de**	as a result of
		peuplement (m.)	settlement
élevage (m.)	breeding	**se produire**	to occur
engins (m.pl.)	fishing equipment	**provoquer**	to cause
de pêche		**récif corallien** (m.)	coral reef
envahissant	invading, encroaching	**restes** (m.pl.)	remains
		surpêche (f.)	over-fishing
		visée (f.)	design

QUESTIONS

1. Identifiez les endroits (hémisphère nord ou sud, continent, pays) où sont situées les onze régions les plus menacées.
2. Identifiez les zones où ce qui est surtout menacé, c'est 1) la forêt, 2) les animaux, 3) l'ensemble écologique.
3. Quelles sont les zones qui sont principalement menacées par le peuplement humain?
4. Quelles sont les zones les plus menacées par 1) la déforestation, 2) l'exploitation minière?
5. Quelles sont les zones qui sont situées dans des pays du Tiers-monde? Celles qui sont situées dans des pays industrialisés? Celles qui n'appartiennent à aucun pays en particulier?
6. Pour quelles raisons diverses est-ce qu'on abat les arbres et qu'on détruit les forêts?
7. Par quoi et comment les espèces animales sont-elles menacées?

SITUATIONS / CONVERSATIONS

➤➤➤➤➤➤➤

1. Faites des questions et répondez-y d'après le modèle suivant.

   Modèle: Quelle est la première chose que tu fais en te levant le matin?
   En me levant le matin, j'écoute la radio / je me prépare un café / je me lave / je lis le journal.
   Quelle est la première chose que tu fais en rentrant chez toi le soir?
   Quelle est la première chose que tu fais en arrivant en classe? en entrant dans une discothèque? etc.

2. Posez des questions et répondez-y en employant *en + participe présent* pour exprimer la manière.

   Modèles: Comment est-ce qu'on devient cultivé?
   On devient cultivé en lisant beaucoup.
   Comment est-ce qu'on fait la vaisselle?
   On fait la vaisselle en lavant les ustensiles avec de l'eau chaude et du savon.
   Comment est-ce qu'on va en Afrique?
   On va en Afrique en prenant le bateau ou l'avion.

3. Posez des questions qui demandent des réponses négatives.

   Modèles: Est-ce que tu es <u>déjà</u> allé(e) au Tibet?
   Non, je ne suis jamais allé(e) au Tibet.
   Est-ce que tu as <u>déjà</u> une profession?
   Non, je n'ai pas encore de profession.
   Est-ce que tu apportes ton ordinateur <u>partout</u>?
   Non, je ne l'apporte nulle part.

4. Posez des questions et répondez-y en employant le futur antérieur.

   Modèle: Qu'est-ce que tu feras quand tu auras fini tes études?
   Quand j'aurai fini mes études, je ferai un voyage autour du monde.
   Voudras-tu avoir des enfants après que tu te seras marié(e)? etc.

5. Quels sont les problèmes de pollution qui existent dans la région où vous vivez? Quelles en sont les causes? Quelles seraient des solutions possibles?

6. Etes-vous pour ou contre l'exploitation de l'énergie nucléaire? Justifiez votre opinion.

7. Est-il important de faire tous les efforts possibles pour protéger toutes les espèces d'animaux en voie de disparition, même si, pour cela, il faut supprimer des projets technologiques importants? A la limite, est-ce que les intérêts humains justifient la disparition d'un bon nombre d'espèces animales?

8. On prévoit pour le 21ᵉ siècle une pénurie de beaucoup de ressources naturelles et un manque de nourriture pour une population de plus en plus considérable. Que va-t-il se passer, selon vous? Vers quoi les efforts humains devraient-ils être orientés pour faire face à ces problèmes?

9. Qu'aurez-vous accompli d'ici 20 ans?

   Exemples: J'aurai fini mes études en sciences.
   J'aurai travaillé pour le gouvernement.
   etc.

COMPOSITIONS

1. Avez-vous une vision optimiste ou pessimiste de l'avenir? Réussira-t-on à trouver des solutions aux problèmes de pollution et de diminution de ressources naturelles? Quels genres de nouvelles technologies envisagez-vous?

2. Est-ce que l'avenir de l'humanité dépendra de la recherche spatiale?

3. La pénurie de ressources naturelles et énergetiques ainsi que la pénurie de nourriture vont-elles créer des conflits internationaux? Les guerres seront-elles inévitables ou est-ce que les nations vont s'orienter vers une meilleure répartition des ressources et une entraide?

4. Vous prenez de bonnes résolutions à l'occasion du Nouvel An: Qu'est-ce que vous allez faire que vous n'avez pas encore fait? Qu'est-ce que vous ne ferez plus? Qu'est-ce que vous ne ferez jamais? Employez beaucoup de négations diverses.

PRONONCIATION
(This exercise is at the end of Leçon 17 on the tape.)

La semi-voyelle /j/ (le yod)

The semi-vowel /j/ is written **i** or **y** in the following sequences of letters:

I. I or y + pronounced vowel

Répétez:

il y a	rayer	fier	mieux	confiant	rayon	mien
spécial	métier	miel	vieux	amiante	inspiration	viens
yaourt	parliez	pluriel	cieux	expérience	condition	maintien
immédiat	inquiet	assiette	sérieux	viande	omission	bientôt
racial	ennuyé	mièvre	dieu			

II. Vowel + il or ille

Répétez:

ail	soleil	feuille	fouille
maille	oreille	oeil	houille
travail	veille	seuil	rouille
caillé	conseil	cueille	nouille
ailleurs	treille	deuil	douille

III. The combination of sounds /ij/

The following sequences of letters are associated with /ij/:

1) consonant + **r** or **l** + vowel:
   crier, trier, sablier, plier, plia, plions

2) consonant + **ill** or **ille** + vowel:
   griller, grillon, briller, famille, fille

Chapitre dix-huit

Les Cajuns de la Louisiane

VOCABULAIRE UTILE

aube (f.)	dawn	**fourrure** (f.)	fur
canne à sucre (f.)	sugar cane	**hasard** (m.)	chance
course (f.) **de chevaux**	horse race	**lac** (m.)	lake
coutume (f.)	custom	**magique**	magic, magical
crépuscule (m.)	twilight	**marais** (m.)	swamp
croyance (f.)	belief	**mode de vie** (m.)	way of life
crustacé (m.)	shellfish	**pétrole** (m.)	oil
disparaître	to disappear	**pétrolier, ière**	oil (adj.)
épicé(e)	spicy, hot	**rat musqué** (m.)	muskrat

raton laveur (m.)	racoon	**saucisse** (f.)	sausage
renommé(e)	famous	**sauvage**	wild
se retrouver	to gather, to meet	**terre** (f.)	land
réunir	to bring together	**trappeur** (m.)	trapper
riz (m.)	rice	**troupe** (f.)	band

GRAMMAIRE ET EXERCICES ORAUX

➤➤➤➤➤➤➤

Le subjonctif présent

The indicative mood is used by the speaker to report events factually. The subjunctive mood is used in subordinate clauses to relate an event which follows from a certain attitude or proviso. Specific instances in which the subjunctive forms are used will be detailed in this and the following chapter.

The Present Subjunctive of Regular Verbs

The present subjunctive of regular verbs is formed by dropping **-ent** from the third person plural form of the present indicative and adding to that stem the subjunctive endings which are: **-e, -es, -e, -ions, -iez, -ent.**

	regarder	**finir**	**vendre**
je	regarde	finisse	vende
tu	regardes	finisses	vendes
il/elle/on	regarde	finisse	vende
nous	regardions	finissions	vendions
vous	regardiez	finissiez	vendiez
ils/elles	regardent	finissent	vendent

Regular **er** verbs with spelling changes in their stems in the present indicative retain these changes in the present subjunctive:

acheter: j'achète / nous achetions
espérer: j'espère / nous espérions
appeler: j'appelle / nous appelions
jeter: je jette / nous jetions
payer: je paie / nous payions

The present subjunctive expresses a *present* or *future* event.

Use of the Subjunctive After Certain Verbs and Verbal Expressions

The subjunctive is used in subordinate clauses introduced by the conjunction **que** when the verb or verbal expression in the main clause expresses:

1) an emotion or a feeling:

aimer	J'aimerais que vous restiez ici.
avoir peur	Elle a peur qu'ils ne lui obéissent plus.
être content	Je suis content(e) que tu réussisses.
être désolé	Elle est désolée que je ne m'entende pas avec son ami.
être heureux	Elle est heureuse que nous travaillions.
être triste	Il est triste que tu ne répondes pas à ses lettres.
être surpris	Elle est surprise que nous ne fumions plus.
regretter	Nous regrettons que vous abandonniez la ferme.

2) a wish, a desire or a demand:

désirer	Elle désire que tu lui répondes.
exiger	Il exige que je lui rende son argent.
souhaiter	Je souhaite que vous lui parliez.
préférer	Je préfère que tu ne m'attendes pas.
vouloir	Ils veulent que nous chantions.

3) a doubt:

douter	Je doute qu'il finisse son travail à temps.

4) an opinion: verbs like **croire**, **être sûr**, **penser**, **supposer**, etc., when used in the negative and the interrogative, imply doubt and are generally followed by the subjunctive.* However, when they are used in the affirmative, no doubt is implied and they are followed by the indicative. Compare the following sentences:

croire	Il croit que nous chantons bien.
	Il ne croit pas que nous <u>chantions</u> bien.
	Croit-il que nous <u>chantions</u> bien?
penser	Elle pense que nous l'attendons

* When these verbs are used in a question about some *future* event, generally the future tense of the present conditional is used in the subordinate clause rather than the subjunctive:

Pensez-vous qu'elle <u>rentrera</u>?   Avez-vous cru que nous <u>réussirions</u>?

	Elle ne pense pas que nous l'<u>attendions</u>.
	Pense-t-elle que nous l'<u>attendions</u>?
être sûr	Tu es sûr(e) qu'il obéit à ses parents.
	Tu n'es pas sûr(e) qu'il <u>obéisse</u> à ses parents.
	Es-tu sûr(e) qu'il <u>obéisse</u> à ses parents?
être certain	Elle est certaine que nous travaillons bien.
	Elle n'est pas certaine que nous <u>travaillions</u> bien.
	Est-elle certaine que nous <u>travaillions</u> bien?

Subjunctive Versus Infinitive

When the subject of the subordinate clause refers to the same person or thing as the subject of the main clause, avoid using the structure **que** + subjunctive. Instead, put the subordinate verb in the infinitive:

> Nous préférons attendre.
> (Rather than: <u>Nous</u> préférons que <u>nous</u> attendions.)
> Je veux le rencontrer.
> (Rather than: <u>Je</u> veux que <u>je</u> le rencontre.)
> Je regrette de ne pas réussir.
> (Rather than: <u>Je</u> regrette que <u>je</u> ne réussisse pas.)
> Tu as peur d'oublier.
> (Rather than: <u>Tu</u> as peur que <u>tu</u> oublies.)

As in the last two examples, remember to insert a preposition before the infinitive if required after the conjugated verb.

EXERCICES (ORALEMENT)

A. Répondez affirmativement:

1. Veux-tu que je chante?
2. Veux-tu que Martine chante?
3. Veux-tu que nous chantions?
4. Veux-tu que les autres étudiants chantent?
5. Est-ce que tu préfères que nous parlions?
6. Préfères-tu que je parle?
7. Es-tu content(e) que le cours finisse?
8. Es-tu content(e) que tous tes cours finissent?
9. As-tu peur que nous finissions en retard?
10. Est-ce que je veux que vous finissiez la composition?
11. Est-ce que j'exige que vous me répondiez en français?
12. Est-ce que je veux que tu me répondes?
13. Est-ce que tu veux que je réponde à tes questions?
14. Est-tu surpris(e) que nous t'attendions?
15. Es-tu content(e) que je t'attende?
16. Est-ce que je désire que vous réussissiez à votre examen?
17. Est-ce que je souhaite que tu réussisses à ton examen?

18. Veux-tu que je te rende ton livre?
19. Exiges-tu que tes amis te rendent ton argent?
20. Veux-tu que nous jouions aux échecs?
21. Veux-tu que nous nous téléphonions?
22. Est-ce que tu regrettes que nous nous séparions?
23. As-tu peur que je te pose une question?
24. As-tu peur que nous te posions une question?
25. As-tu peur que les policiers te posent des questions?
26. Veux-tu que je te vende ma bicyclette?

B. Répondez négativement:

1. Penses-tu que nous travaillions bien ensemble?
2. Penses-tu que nous nous entendions bien?
3. Penses-tu que le cours finisse trop tard?
4. Penses-tu qu'on vende trop d'ordinateurs?
5. Crois-tu que nous chantions bien?
6. Crois-tu que nous réussissions à communiquer?
7. Es-tu sûr(e) que ton ami(e) t'attende?
8. Es-tu certain(e) que nous parlions de la même personne?

C. Répondez aux questions affirmativement ou négativement:

1. Veux-tu que je te réponde?
2. Veux-tu que nous parlions de politique?
3. Veux-tu que je te vende ma voiture?
4. Veux-tu que nous jouions aux dominos?
5. As-tu peur que je te punisse?
6. Est-ce que vous souhaitez que nous dînions ensemble?
7. Est-ce que vous regrettez que l'hiver finisse?
8. Est-ce que j'exige que vous m'écoutiez?
9. Est-ce que j'exige que vous me répondiez?
10. Tes parents souhaitent-ils que tu réussisses?

D. Répondez aux questions en employant "Je pense que" + indicatif ou "Je ne pense pas que" + subjonctif.

Modèle: Est-ce que je donne trop de bonnes notes?
Je ne pense pas que vous donniez trop de bonnes notes.

1. Est-ce que la plupart des gens mangent du caviar tous les jours?
2. Est-ce qu'il vend des voitures?
3. Est-ce qu'ils parlent français en classe?
4. Est-ce qu'on punit suffisamment les criminels?
5. Est-ce que nous parlons trop en classe?
6. Est-ce que nous achetons trop de gadgets?
7. Est-ce que j'agis de manière tyrannique?
8. Est-ce que nous perdons notre temps en classe?
9. Est-ce que le professeur attend les étudiants en retard?

E. Demandez à un(e) autre étudiant(e) . . .

Modèle: de vous répondre.
Je veux que tu me répondes.

1. de vous obéir.
2. de réfléchir.
3. de choisir un de vos disques.
4. de vous vendre sa bicyclette.
5. de vous attendre.

6. de vous prêter une cravate.
7. de vous rendre votre stylo.
8. de descendre de la voiture.
9. de finir son dessert.
10. de réussir au concours.

F. Faites des phrases d'après le modèle.

> *Modèle:* heureux — vous étudiez le français
> *Je suis heureux(-euse) que vous étudiiez le français.*

1. désolé — vous mangez mal à la cafétéria
2. surpris — vous arrivez à l'heure
3. content — vous m'attendez
4. heureux — vous vous entendez bien

5. furieux — il ne répond pas à ma lettre
6. étonné — elle rougit si facilement
7. touché — vous me donnez ce cadeau
8. triste — tu agis de cette manière

G. Faites des phrases avec "je doute" d'après le modèle.

> *Modèle:* Il me rendra mon livre.
> *Je doute qu'il me rende mon livre.*

1. Nous arriverons à l'heure.
2. Tu réagiras bien.
3. Elle vendra ses livres.
4. Nous nous habituerons à cette nouvelle vie.

5. Il punit ses enfants.
6. Vous vous rendez bien compte de la difficulté.
7. Nous le retrouverons.

Emploi du subjonctif après des expressions impersonnelles

The subjunctive is also used in subordinate clauses introduced by **que** after impersonal expressions such as:

il (ne) faut (pas)	Il faut que je réfléchisse.
il (n')est (pas) nécessaire	Il n'est pas nécessaire que vous restiez.
il (n')est (pas) important	Il est important que vous m'écoutiez.
il (n')est (pas) bon	Il n'est pas bon que vous attendiez.
il est utile/inutile	Il est inutile que nous en parlions.
il est souhaitable	Il est souhaitable qu'il réponde.
il est regrettable	Il est regrettable qu'elle ne finisse pas son travail.
il (n')est (pas) possible	Il est possible que je vende ma voiture.
il (n')est (pas) impossible	Il n'est pas impossible que nous réussissions.
il est peu probable	Il est peu probable qu'elle obéisse.
il semble	Il semble qu'elle ne réfléchisse pas assez.

However, after impersonal expressions expressing certainty or probability, the indicative mood is used:

il est probable	Il est probable qu'il neigera.
il est sûr/certain	Il est certain qu'il réussira.
il est clair/évident	Il est évident qu'elle perd son temps.
il est vrai	Il est vrai que nous mangeons trop.

EXERCICES (ORALEMENT)

A. Faites des phrases d'après le modèle.

> *Modèle:* Il faut — nous préparons le repas.
> *Il faut que nous préparions le repas.*

1. Il est bon — vous vous amusez.
2. Il faut — nous nous rencontrons.
3. Il n'est pas nécessaire — vous me téléphonez.
4. Il est important — tu réussis à ce concours.
5. Il est souhaitable — vous arrivez à l'heure.
6. Il est regrettable — tu réagis violemment.
7. Il est inutile — nous prolongeons la réunion.
8. Il est possible — le film finira à dix heures.
9. Il n'est pas impossible — il neigera demain.
10. Il est peu probable — nous terminerons notre travail à temps.
11. Il semble — le gouvernement agit trop tard.

B. Répondez aux questions.

1. Est-ce qu'il faut que nous rendions nos livres à la bibliothèque?
2. Est-ce qu'il est important que tu réussisses à tes examens?
3. Est-il utile que nous corrigions ensemble les exercices écrits?
4. Est-il souhaitable que vous parliez français?
5. Est-ce qu'il est possible que nous maîtrisions un jour l'énergie solaire?
6. A quelle heure faut-il que nous quittions la classe?
7. A qui faut-il que tu obéisses?
8. Pourquoi faut-il que tu réussisses à tes examens?
9. Pourquoi est-il utile que vous parliez français?

C. Mettez le verbe entre parenthèses au subjonctif présent ou à l'indicatif présent ou futur, selon le cas:

1. Il est possible que nous (rentrer) à minuit.
2. Il est peu probable que je (vendre) mon ordinateur.
3. Il est probable qu'elle (arriver) demain.
4. Il n'est pas impossible que je (réussir) à rencontrer le premier ministre.
5. Il est peu probable qu'elle (choisir) de devenir médecin.

6. Il est sûr que cette équipe (gagner) le match de dimanche.
7. Il semble que Serge (réagir) moins bien que Nicole.
8. Il est impossible que tu (ne pas réussir).
9. Il est clair que nous (ne pas s'étendre).
10. Il est peu probable que nous (rentrer) avant le semaine prochaine.
11. Il est évident que vous (ne pas aimer) ces gens.

Les pronoms relatifs *ce qui, ce que, ce dont*

Ce qui, ce que (what/that/which) and **ce dont** are relative pronouns without antecedents: they refer to ideas which have not been expressed or which are expressed later in the sentence.

1) **Ce qui**: subject

> **Je ne comprends pas ce qui t'inquiète.**
> I do not understand what worries you.

Ce qui, in this example, has no antecedent.

> **Ce qui l'intéresse, c'est de faire du sport.**
> What interests him is to take part in sports.

Here, **ce qui** stands for (anticipates) the idea "faire du sport".

2) **Ce que**: direct object

> **Je veux savoir ce que tu as trouvé.**
> I want to know what you found.
> **Ce qu'il veut, c'est d'aller au Mexique.**
> What he wants is to go to Mexico.

3) **Ce dont**: object of a verb requiring the preposition **de**

> **Je ne sais pas ce dont il a besoin.** (avoir besoin <u>de</u>)
> I do not know what he needs.
> **Ce dont il a peur, c'est de ne pas trouver d'emploi.**
> What he is afraid of, is not finding a job.

EXERCICES (ORALEMENT)

A. Transformez les phrases d'après le modèle. Employez "Je ne comprends pas" et *ce qui, ce que* ou *ce dont*.

> *Modèle:* Elle a besoin de quelque chose.
> *Je ne comprends pas ce dont elle a besoin.*

1. Violette parle de quelque chose.
2. Quelque chose s'est passé.
3. Ils ont dit quelque chose.
4. Il me demande quelque chose.

5. Tu as peur de quelque chose.
6. Quelque chose le préoccupe.
7. Vous faites quelque chose.
8. Nous devons préparer quelque chose.

9. Ils rient de quelque chose.
10. Quelque chose le terrorise.
11. Christophe veut faire quelque chose.

B. Répondez aux questions d'après le modèle. Employez "Je me demande" et *ce qui, ce que,* ou *ce dont.*

> *Modèle:* Qu'est-ce qui provoque les crises économiques?
> *Je me demande ce qui provoque les crises économiques.*

1. Qu'est-ce qu'il a acheté?
2. Qu'est-ce que ça signifie?
3. Qu'est-ce qui l'amuse?
4. De quoi a-t-elle envie?
5. Qu'est-ce qui lui donne mal à la tête?

6. Qu'est-ce qu'ils ont fait?
7. De quoi discutent-ils?
8. Qu'est-ce qui l'irrite?
9. Qu'est-ce qu'il y a dans cette boîte?

Le verbe irrégulier *battre*

Présent de l'indicatif				*Participe passé:*	*Futur:*
je	bats	nous	battons	battu	je battrai
tu	bats	vous	battez		
il/elle/on	bat	ils/elles	battent		

Battre means "to beat", "to beat up" or "to defeat":

> Il bat son chien quand il est en colère.
> Pour ce genre d'omelette, il faut battre les oeufs.
> J'ai battu mon frère aux échecs.

Se battre (**avec/contre**) means "to fight (with/against)":

> Les deux boxeurs se sont bien battus.
> Mon fils s'est battu avec le vôtre à l'école.

Combattre also means "to fight" but it is a transitive verb (it can take a direct object):

> Pendant la guerre, il a combattu les Allemands.
> Il faut combattre la tyrannie.

Abattre means "to fell":

> Ils abattront tous les arbres qui sont sur cette colline.

EXERCICES (ORALEMENT)

A. Répondez aux questions:

1. Je ne bats pas mon chien. Et toi?
2. Est-ce que les professeurs battent leurs étudiants?
3. As-tu déjà battu un record sportif?
4. Est-ce que je vous battrai si vous ne réussissez pas à l'examen?
5. Est-ce qu'on bat des blancs d'oeufs pour faire de la meringue?
6. Est-ce que tu bats les oeufs pour faire une omelette?
7. Est-ce que tu me battrais si nous jouions aux échecs?
8. Est-ce que les gangsters se battent entre eux?
9. Est-ce que nous nous battons dans la classe?
10. Est-ce que les Américains se sont déjà battus contre les Japonais?
11. Contre qui les Canadiens se sont-il battus pendant la Deuxième guerre mondiale?
12. Est-ce que tu te bats contre l'injustice?
13. Avec quels médicaments est-ce qu'on combat une infection?
14. Est-ce qu'on abat beaucoup d'arbres au Canada?
15. As-tu déjà abattu un arbre?

B. Demandez à un(e) autre étudiant(e) . . .

1. s'il/si elle bat les animaux.
2. si les instituteurs battaient les écoliers autrefois.
3. s'il/si elle bat tous ses amis aux échecs.
4. s'il/si elle se bat avec ses frères et soeurs.
5. s'il/si elle aime regarder des boxeurs se battre.
6. s'il/si elle se bat contre la pollution/ contre les armements nucléaires.

Les pronoms relatifs précédés d'une préposition

The relative pronouns used as objects of prepositions other than **de** are:

1) **Qui** if the antecedent is a person:

Je connais cet étudiant. Paul est assis <u>à côté de cet étudiant</u>.
> **Je connais l'étudiant <u>à côté de qui</u> Paul est assis.**
> I know the student beside whom Paul is sitting.

J'ai rencontré la jeune femme <u>avec qui</u> tu es sorti.
I met the young lady with whom you went out.

Voilà les infirmières <u>à qui</u> j'ai parlé.
Here are the nurses to whom I spoke.

2) **Lequel (laquelle, lesquels, lesquelles)** if the antecedent is a thing:*

C'est le restaurant. Nous nous sommes rencontrés <u>près de ce restaurant</u>.

→ **C'est le restaurant <u>près duquel</u> nous nous sommes rencontrés.**
   This is the restaurant near which we met.

Elle m'a parlé du projet <u>auquel</u> elle travaillait.
She told me about the project on which
she was working.

**C'est la moto <u>avec laquelle</u> je suis allé(e)
en Floride.**
This is the motorcycle on which I went
to Florida.

3) **Quoi** if the antecedent is an idea or if there is
no antecedent:

Je ne sais pas <u>à quoi</u> il pense. (no antecedent)
I do not know what he is thinking about.
Mon oncle connaissait le directeur, grâce <u>à quoi</u> j'ai obtenu un emploi.
My uncle knew the director, thanks to which I got a job.
(**Quoi** refers to the fact: "mon oncle connaissait le directeur".)

Note that in French the preposition precedes the relative pronoun, which must always be
mentioned, whereas in English the preposition is often placed at the end of the relative
clause and the relative pronoun is frequently omitted.

EXERCICES (ORALEMENT)

A. Transformez les phrases d'après le modèle.

Modèle: Je n'ai pas revu cet homme. J'ai prêté de l'argent <u>à cet homme</u>.
   Je n'ai pas revu cet homme à qui j'ai prêté de l'argent.

1. Elle n'aime pas ces gens. Elle doit
   travailler avec ces gens.
2. Regarde le garçon. Sylvie est assise
   à côté de ce garçon.
3. Je dois rencontrer un client. Je vais
   vendre une maison à ce client.
4. Voici le professeur. J'ai préparé un
   travail pour ce professeur.
5. Connais-tu cette femme? Henri joue
   au tennis avec cette femme.
6. C'est l'architecte. J'ai parlé à cet
   architecte.

* The forms of **lequel** may also be used when the antecedent is a person. However, it is rec-
ommended for practice at this stage to use **qui** to refer to persons and the forms of **lequel** to
refer to things.

B. Même exercice.

> *Modèle:* C'est la rivière. Nous allons nous promener le long de cette rivière.
> *C'est la rivière le long de laquelle nous allons nous promener.*

1. Voici le parc. J'habite en face de ce parc.
2. Je ne connais pas le jeu. Vous voulez jouer à ce jeu.
3. Ce sont les outils. Je travaille avec ces outils.

4. C'est un problème. J'ai beaucoup réfléchi à ce problème.
5. Raconte-moi la discussion. Tu as participé à cette discussion.

C. Faites des phrases d'après le modèle. Employez "Je ne sais pas" + *préposition* + *quoi.*

> *Modèle:* Tu t'attendais à quelque chose.
> *Je ne sais pas à quoi tu t'attendais.*

1. Elle pense à quelque chose.
2. Je vais laver la vaisselle avec quelque chose.

3. Les enfants jouent à quelque chose.
4. Ils se battent contre quelque chose.
5. Je vais commencer par quelque chose.

EXERCICES ECRITS

A. Transformez les phrases d'après le modèle.

> *Modèle:* Il souhaite. Tu l'(attendre).
> *Il souhaite que tu l'attendes.*

1. Je regrette. Vous (ne pas aimer) ce gâteau.
2. M. Rédillon doute. Nous (réussir).
3. Nous avons peur. Il (ne pas finir) ses études.
4. Elle veut. Tu lui (vendre) ta bicyclette.
5. Je suis désolé(e). Vous (ne pas trouver) de solution.

6. Yoko est étonnée. Nous (parler) japonais.
7. Vous exigez. Il vous (rendre) votre argent.
8. Tu préfères. Nous (jouer) au tennis.
9. Je ne suis pas très content(e). Mon chien (ne pas obéir).
10. Ses parents sont tristes. Elle (agir) sans réfléchir.

B. Mettez les verbes entre parenthèses au présent de l'indicatif ou au présent du subjonctif, selon le cas:

1. Elle est sûre que tu l'(attendre).
2. Croyez-vous qu'il (répondre) correctement?
3. Mon beau-frère pense que nous (parler) de lui.

4. Je ne crois pas que vous (vous amuser) beaucoup.
5. Elle n'est pas certaine que nous (chanter) bien.

C. Transformez les phrases d'après le modèle.

> *Modèle:* Il est souhaitable. Nous (attendre) quelques jours.
> *Il est souhaitable que nous attendions quelques jours.*

1. Il est important. Nous nous (rencontrer).
2. Il serait utile. Vous (arriver) à l'avance.
3. Il n'est pas impossible. Nous le (trouver) à la bibliothèque.
4. Il faut. Tu (réfléchir) longtemps.
5. Il est évident. Tu (réagir) mal.
6. Il est peu probable. Il (vendre) sa maison.
7. Il est regrettable. Vous (ne pas aimer) l'opéra.
8. Il est probable. Elle m'(attendre).
9. Il est possible. Elle (vendre) sa voiture.

D. Mettez les verbes entre parenthèses au présent de l'indicatif:

1. On (abattre) trop d'arbres.
2. Nous (se battre) contre l'injustice.
3. Les pompiers (combattre) l'incendie.
4. Je (ne pas battre) mon chien.
5. Elle (battre) ses amies aux cartes.

E. Remplacez les tirets par *ce qui*, *ce que* ou *ce dont*:

1. Je voudrais bien savoir _____ tu as envie.
2. L'étudiant ne comprend pas _____ est écrit au tableau.
3. Dites-moi _____ vous avez besoin.
4. Savez-vous _____ il faut faire?
5. _____ l'inquiète, c'est d'avoir oublié ses livres chez elle.
6. Fais _____ tu veux.

F. Remplacez les tirets par le pronom relatif approprié. N'oubliez pas la contraction (*auquel*, *duquel*, etc.):

1. Il habite une maison derrière _____ il y a un parc.
2. Je ne sais pas avec _____ je vais réparer cet appareil.
3. Il veut que nous rencontrions la jeune femme avec _____ il va se marier.
4. La course à pied est un sport pour _____ il faut beaucoup d'entraînement.
5. C'est une discussion à _____ je refuse de participer.
6. L'homme devant _____ Hélène est assise travaille avec mon père.
7. Ce sont des questions à _____ je n'ai pas beaucoup réfléchi.
8. Il regardait les gens en face de _____ il était assis.
9. Le lac près de _____ j'habite est très grand.
10. Dis-moi contre _____ tu te bats.

LECTURE

Les Cajuns de la Louisiane

Parmi tous les Acadiens qui avaient été ex-
pulsés par les Anglais au 18ᵉ siècle, un certain
nombre ont voyagé jusqu'au Sud de la
Louisiane. Ils savaient qu'on parlait français
à La Nouvelle-Orléans où étaient établis des
Créoles, descendants des premiers colons
français. Les Acadiens, venus d'un milieu rural,
ont cherché des terres pour s'installer; ainsi
ils ont remonté les "bayous" (rivières) du delta
du Mississippi et ont peuplé le Sud-Ouest de
la Louisiane. Ils ont établi des fermes le long
de ces bayous qui, quand il n'y avait pas encore
de routes, servaient de voies de communication.

En Acadie, c'est la mer qui avait façonné le mode de vie des Acadiens; en Louisiane, ce
sont les bayous, les lacs et les marais. En effet, la pêche a été pour les Cajuns un moyen de
subsistance important, en particulier la pêche aux crevettes et aux écrevisses. Le Festival des
Ecrevisses de Breaux Bridge continue à honorer ce délicieux crustacé qui est un des ingrédients
de la cuisine si renommée de la Louisiane. Le paysage de ces marais et bayous est mystérieux
et magique; les grands arbres auxquels pend la tillandsie se reflètent dans l'eau et prennent des
formes hallucinantes à l'aube et au crépuscule. On comprend pourquoi les croyances magiques
se sont longtemps perpétuées: il existe encore des "traitiers" ou guérisseurs qui se transmettent
leur savoir d'une génération à l'autre. En hiver, les trappeurs capturent des visons, des rats
musqués, des ratons laveurs et surtout des ragondins: c'est de Louisiane que viennent la plupart
des fourrures d'animaux sauvages aux Etats-Unis.

D'abord la culture de la canne à sucre, ensuite l'exploitation pétrolière ont modifié l'économie
et l'écologie du "triangle français" de la Louisiane et ont ainsi contribué à transformer le mode de
vie rural traditionnel. Les Cajuns ont pourtant conservé leur identité ethnique. Ils sont environ
600 000 francophones, dont 160 000 continuent à parler français, un français un peu particulier,
souvent mélangé d'anglais, mais qui est fonctionnel et dont les Cajuns sont fiers. Grâce aux efforts
du Codofil (Comité pour l'enseignement du français en Louisiane), on a recommencé depuis les
années soixante-dix à enseigner le français dans les écoles de la première à la dernière année.

En plus de leur langue, les Cajuns ont conservé leur musique dans laquelle l'accordéon
est l'instrument essentiel, leur cuisine bien particulière — les gumbos et jambalayas épicés —
ainsi que leurs coutumes communautaires: le "fais do-do"* du samedi soir, quand les gens se

* "Faire do-do" is a childish expression for "dormir". Here, the expression refers to an adults'
party while the children are sleeping.

retrouvent pour danser pendant que les enfants dorment, et surtout le Mardi Gras annuel. C'est un Mardi Gras bien différent de celui de La Nouvelle-Orléans: une troupe de cavaliers masqués et déguisés parcourt la communauté pour recueillir des ingrédients — du riz, des saucisses, du poulet — pour l'énorme gumbo de l'après-midi qui réunit toutes les familles et qui est suivi d'un grand "fais do-do". Les jeux de hasard tiennent une place importante: les Cajuns aiment miser sur les courses de chevaux, d'écrevisses, de pirogues et sur les combats de coqs.

Comme en Acadie, on assiste à une renaissance chez les Cajuns de la Louisiane. Le folklore peut bien disparaître, mais il est important que les gens conservent leur esprit communautaire et continuent à être fiers de leur héritage: c'est la garantie de la diversité culturelle.

cavalier (m.)	horseman	**peupler**	to populate
combat de coqs (m.)	cockfight	**pirogue** (f.)	canoe
communautaire	community (adj.)	**ragondin** (m.)	coypu†
contribuer à	to help to	**recueillir**	to collect
culture (f.)	cultivation	**(se) refléter**	to be reflected
écrevisse (f.)	crayfish	**remonter**	to go upstream
expulser	to deport	**renaissance** (f.)	revival, renaissance
façonner	to shape	**savoir** (m.)	knowledge
guérisseur, euse	healer	**tillandsie** (f.)	Spanish moss
masqué(e)	masked	**transmettre**	to hand down,
mélange(e)	mixed		to pass on
miser	to bet	**vison** (m.)	mink
pendre	to hang		

QUESTIONS

1. Quelles sont les origines des Cajuns? D'où vient le mot "Cajun", pensez-vous?
2. Pourquoi certains des Acadiens sont-ils allés en Louisiane? Qui étaient les Créoles?
3. Où se sont installés les Acadiens?
4. De quelle façon l'eau a-t-elle façonné le mode de vie des Cajuns?
5. Qui sont les "traiteurs"? Connaissez-vous certaines pratiques des guérisseurs?
6. Quels sont les animaux à fourrure que les trappeurs capturent? Dans quel habitat vivent ces animaux?
7. Quels ont été les facteurs importants de transformation?
8. Quelle est la situation en ce qui concerne la langue française?
9. Quels aspects de leurs traditions les Cajuns ont-ils conservés?
10. Comment se passe le Mardi Gras?
11. Quels sont les jeux de hasard que les Cajuns aiment?
12. Qu'est-ce qui est plus important que le folklore?

† An aquatic rodent similar to the beaver.

SITUATIONS / CONVERSATIONS

>>>>>>>>

1. Est-il important que les minorités linguistiques conservent leur langue maternelle et leur héritage culturel? Qu'est-ce que la diversité peut apporter à une société? Faut-il encourager l'enseignement des langues maternelles aux minorités?

2. Vous organisez une petite fête avec quelques camarades. Chacun de vous exprime ce qu'il veut faire. Employez "Je (ne) veux (pas) que nous" + *subjonctif.*

   Exemple: Je veux que nous mangions de la pizza.
   Moi, je veux que nous dansions.
   Moi, je veux que nous jouions de la musique.
   Je veux que nous invitions le professeur. etc.

3. A tour de rôle, vous êtes un grand-père ou une grand-mère qui donne des conseils à ses petits-enfants. Employez "Il (ne) faut (pas) que vous" + *subjonctif.*

   Exemple: Il faut que vous travailliez à l'école.
   Il faut que vous obéissiez à vos parents.
   Il ne faut pas que vous preniez de drogue. etc.

4. Posez des questions et répondez-y d'après le modèle.

   Exemple: Comment s'appelle le garçon <u>à côté de qui</u> tu es assis(e)?
   Le garçon à côté de qui je suis assis(e) s'appelle Jean.
   Comment s'appelle l'étudiant(e) <u>derrière qui</u> tu es assis(e)? etc.

5. A part la France, le Canada et certaines régions de Etats-Unis, connaissez-vous d'autres pays où on parle couramment français? Chacun de vous devra recueillir des renseignements sur un pays particulier et parler du statut et de l'usage du français dans ce pays.

COMPOSITIONS

>>>>>>>>

1. Racontez un voyage dans le Sud des Etats-Unis.

2. Ecrivez une lettre à un(e) ami(e) qui va commencer ses études à l'université. Donnez-lui des conseils. Employez des expressions suivies du subjonctif.

3. Pensez-vous que la cuisine soit un aspect important d'une culture? de la vie en général? Quelles sont vos préférences culinaires?

PRONONCIATION
(This exercise is at the end of Leçon 18 on the tape.)

➤➤➤➤➤➤➤➤

I. Ch: le son / ʃ / et le son / k /

Most of the time, the letters **ch** are pronounced / ʃ /.

Répétez:

chat	cher	chose	marche
charmant	achète	chocolat	mèche
chameau	chemise	chou	poche
champ	chimique	chute	bouche
chanter	chipie	fourchu	huche

In a few words borrowed from other languages, **ch** is pronounced /k /.

Répétez:

chaos, chianti, choeur, choléra
archaïsme, archange, archéologie, lichen, orchestre, orchidée, psychanalyse, psychologie, psychiatrie, écho

II. Gn: le son / ɲ /

Répétez:

agneau	compagne	digne	cognac
montagnard	Espagne	signal	Pologne
compagnie	Allemagne	consigne	Gascogne

III. Th: le son / t /

Répétez:

thé	sympathique	gothique
théâtre	mathématiques	pathétique
théorie	bibliothèque	luth
théologie	athéisme	vermouth

Chapitre dix-neuf

Les autochtones

VOCABULAIRE UTILE

ancestral(e)	ancestral	**conditions de vie** (f.pl.)	living conditions
amérindien, ienne	North American Indian	**culture** (f.)	culture
assimilation (f.)	assimilation	**droit** (m.)	right
autochtone	native, aboriginal	**fier, fière**	proud
autonomie (f.)	autonomy	**fierté** (f.)	pride
chasse (f.)	hunting	**gibier** (m.)	game
chasseur (m.)	hunter	**humiliation** (f.)	humiliation
chef (m.)	chief	**indien, ienne**	Indian
		intégration (f.)	integration

loi (f.)	law	**territoire** (m.)	territory
nation (f.)	nation	**tradition** (f.)	tradition
peuple (m.)	people	**traditionnel, le**	traditional
race (f.)	race	**traité** (m.)	treaty
réserve (f.)	reserve	**tribu** (f.)	tribe
terre (f.)	earth; land(s); ground		

GRAMMAIRE ET EXERCICES ORAUX

>>>>>>>>

Le subjonctif des verbes irréguliers

1) Many irregular verbs have regular forms in the present subjunctive: **connaître, dire, dormir, écrire, lire, mentir, mettre, partir, sentir, servir,** etc. For example:

connaître: connaisse, connaisses, connaisse, connaissions, connaissiez, connaissent

lire: lise, lises, lise, lisions, lisiez, lisent

2) **Etre** and **avoir** have irregular stems and they are also the only verbs which have irregular subjunctive endings:

avoir: aie, aies, ait, ayons, ayez, aient

être: sois, sois, soit, soyons, soyez, soient

3) **Faire, pouvoir** and **savoir** have an irregular stem:

faire: fasse, fasses, fasse, fassions, fassiez, fassent

pouvoir: puisse, puisses, puisse, puissions, puissiez, puissent

savoir: sache, saches, sache, sachions, sachiez, sachent

The subjunctive forms of **falloir** and **pleuvoir** are **il faille** and **il pleuve**.

4) **Aller** and **vouloir** have two irregular stems:

aller: j'aille, tu ailles, il/elle/on aille, ils/elles/aillent
nous allions, vous alliez

vouloir: je veuille, tu veuilles, il/elle/on veuille, ils/elles veuillent
nous voulions, vous vouliez

5) Some irregular verbs have regular subjunctive stems in the **je, tu, il/elle/on** and **ils/elles** forms. The subjunctive stem for the **nous** and **vous** forms is the same as in the present indicative:

boire: boive, boives, boive, boivent
buvions, buviez

devoir: doive, doives, doive, doivent
devions, deviez

prendre: prenne, prennes, prenne, prennent
prenions, preniez

recevoir: reçoive, reçoives, reçoive, reçoivent
recevions, receviez

tenir: tienne, tiennes, tienne, tiennent
tenions, teniez

venir: vienne, viennes, vienne, viennent
venions, veniez

voir: voie, voies, voie, voient
voyions, voyiez

EXERCICES (ORALEMENT)

A. Changez le sujet du deuxième verbe:

1. Je suis content(e) qu'il ait de bonnes notes. (tu, nous, elles, vous)
2. Il faut que je sois à l'heure. (tu, nous, Suzanne, vous)
3. Il est possible que nous allions à Montréal. (je, vous, tu, Marcel)
4. Je suis heureux(-euse) que tu veuilles venir. (vous, Pierre, ils)
5. Il est peu probable qu'il fasse des progrès. (nous, tu, vous, elles)
6. Il est bon que tu saches la vérité. (elle, vous, mes amis)

B. Répondez selon le modèle.

Modèle: Est-ce que Daniel a raison?
Je ne crois pas qu'il ait raison.

1. Est-ce qu'Hélène est malade?
2. Est-ce que tes parents ont tort?
3. Est-ce que Sylvain fait des progrès?
4. Est-ce que les gorilles peuvent parler?
5. Est-ce que Huguette veut partir?
6. Est-ce qu'il pleut beaucoup à Miami?
7. Est-ce que ton cousin va à l'université?
8. Est-ce que les hommes veulent faire la guerre?
9. Est-ce qu'il faut dormir douze heures?
10. Est-ce que tes amis savent faire du ski?
11. Est-ce que beaucoup d'étudiants sont absents?

C. Répondez selon le modèle.

> *Modèle:* Est-ce que vous serez en retard?
>> *Il est possible que nous soyons en retard.*

1. Est-ce que vous aurez faim?
2. Est-ce que vous pourrez rencontrer le directeur?
3. Est-ce que vous ferez de la voile?
4. Est-ce que vous voudrez dîner au restaurant?
5. Est-ce que vous irez jusqu'à Vancouver en train?
6. Est-ce que vous saurez répondre aux questions?

D. Changez le sujet du deuxième verbe:

1. Je suis surpris(e) que tu boives de l'alcool. (elle, nous, ces adolescents)
2. Je doute qu'il comprenne le problème. (tu, vous, elles)
3. Il est peu probable que je doive partir. (Pierre, nous, mes parents)
4. Je suis heureux(-euse) que tu reçoives de bonnes notes. (Nathalie, vous, les étudiants)
5. Je voudrais qu'il voie ce film. (tu, vous, mes amis)
6. Il est souhaitable que tu viennes demain.(vous, Gaston, ils)

E. Répondez aux questions selon le modèle.

> *Modèle:* Est-ce qu'il boit du thé?
>> *Je doute qu'il boive du thé.*

1. Est-ce qu'Hélène doit suivre un régime?
2. Est-ce que nous te devons de l'argent?
3. Est-ce que Paul vient au cours aujourd'hui?
4. Est-ce que ton frère comprend le chinois?
5. Est-ce que vous venez ce soir?
6. Est-ce que tes parents reçoivent des invités ce soir?

F. Répondez selon le modèle.

> *Modèle:* Est-ce que tes parents viendront?
>> *Il est peu probable qu'ils viennent.*

1. Est-ce que nous boirons du champagne?
2. Est-ce que tu apprendras le japonais?
3. Est-ce que vous viendrez à la réception?
4. Est-ce que vous recevrez des amis demain?
5. Est-ce que tu recevras une bonne note?
6. Est-ce que tu décevras tes parents?
7. Est-ce que tu prendras le train?
8. Est-ce que tu verras ce film?
9. Est-ce qu'il viendra au cours demain?
10. Est-ce que vous prendrez une décision tout de suite?
11. Est-ce que tu devras suivre un régime?
12. Est-ce que nous devrons revenir?

G. Répondez selon le modèle.

> *Modèle:* Est-ce que nous devons lire ce livre?
> *Oui, il faut que vous lisiez ce livre.*

1. Est-ce que nous devons écrire une autre composition?
2. Est-ce que je dois écrire au directeur?
3. Est-ce que je dois lire cet article?
4. Est-ce que vous devez partir?
5. Est-ce que tu dois partir?
6. Est-ce que je dois mettre un chandail?
7. Est-ce que nous devons lui dire la vérité?
8. Est-ce que tu dois soumettre une autre demande?
9. Est-ce que les enfants doivent dormir huit heures par nuit?
10. Est-ce que je dois servir du café aux invités?
11. Est-ce que je dois mentir dans ces circonstances?

La voix passive

The Passive Voice

A sentence in the passive voice is one in which the subject is acted upon ("Mary is congratulated by her friends.") whereas in a sentence in the active voice, the subject performs the action ("Her friends congratulate Mary.").

The French passive construction is similar to the English one to the extent that **être** followed by the past participle of the verb is substituted for the active form of the verb:

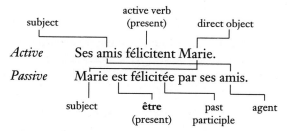

Note the changes which occur in this transformation:

1) the subject in the active construction becomes the agent in the passive, preceded by the preposition **par**;

2) the direct object in the active construction becomes the subject in the passive;

3) the tense of the verb in the active construction is the same as the tense of the auxiliary verb **être** in the passive;

4) the verb in the active construction becomes a past participle which agrees in gender and number with the subject in the passive.

With verbs indicating a feeling or a state more than an action, such as **accompagner**, **aimer**, **couvrir**, **précéder**, **respecter**, **suivre**, the agent is preceded by the preposition **de**:

Il est aimé <u>de</u> ses amis.
Elle était respectée <u>de</u> ses étudiants.
Ce nom est précédé <u>d</u>'une préposition.

Sometimes the agent is not expressed:

La vaisselle n'a pas été faite.
Cet enfant sera puni.

Alternatives to the Passive Voice

1) It must be emphasized that, in French, only the *direct object* of the verb in the active voice may become the subject of the verb in the passive voice. By contrast, in English it is possible to use as the subject of the passive sentence what would be the *indirect object* of the verb in the active voice. For instance, we may find in English a sentence such as:

Paul was given a book by Edith.

The corresponding sentence in the active voice is:

Edith gave <u>Paul</u> a book.

In the latter sentence, "Paul" is the *indirect object* of the verb, a fact which may be made more apparent by using the equivalent prepositional phrase:

Edith gave a book <u>to Paul</u>.

In French, the indirect object of the verb in the active voice *cannot* become the subject of the verb in the passive voice. Hence, it would be impossible to create a sentence such as:

Paul a été donné un livre par Edith.

2) The restriction just mentioned is one of the reasons why the use of the passive voice is more frequent in English than in French. Of course, it would be possible (referring to the above example) to use the following sentence in the passive voice:

Un livre a été donné à Paul par Edith.

Such a sentence, however, would sound as awkward in French as its equivalent in English ("A book was given to Paul by Edith"). The tendency in French is to use instead the corresponding sentence in the active voice:

Edith a donné un livre à Paul.

Now, many sentences are created in English using the same pattern as "Paul was given a book" without mentioning the agent:

He was given a present.
Julian was told a lie.

The corresponding sentences in French use the active voice with the indefinite subject pronoun **on** as a subject:

> On lui a donné un cadeau.
> On a dit un mensonge à Julien.

3) When the verb expresses a general or habitual fact, the pronominal form of the verb may be substituted for **on** + active voice:

> French is spoken in Quebec. { **On parle français au Québec.**
> { **Le français se parle au Québec.**

EXERCICES (ORALEMENT)

A. Mettez les phrases suivantes au passif selon le modèle.

> *Modèle:* Mes parents m'ont puni.
> *J'ai été puni par mes parents.*

1. Un grand philosophe a écrit ce livre.
2. Henry Moore a exécuté cette sculpture.
3. Boris te battra au tennis.
4. L'orage a abattu plusieurs arbres.
5. Les étudiants n'ont pas compris cet exercice.
6. Le comité prendra une décision.
7. Mes grands-parents m'ont offert ce cadeau.

B. Mettez les phrases suivantes à l'actif selon le modèle.

> *Modèle:* Ce disque m'a été donné par Michel.
> *Michel m'a donné ce disque.*

1. Les clés ont été oubliées par Martine.
2. Ces livres lui ont été prêtés par ses amis.
3. Mes vêtements sont choisis par ma mère.
4. Cet article a été écrit par mon amie.
5. La voiture nous sera prêtée par mon voisin.
6. Ma radio est réparée par mes parents.
7. Elle était attendue par son ami.

C. Mettez les phrases au passif en employant la préposition **de**.

> *Modèle:* Les étudiants aiment ce professeur.
> *Ce professeur est aimé des étudiants.*

1. Une réception suivra le concert.
2. Ses collègues la respectent.
3. Son ami accompagnait Anne.
4. Des nuages couvraient le ciel.
5. Une discussion a précédé le vote.

D. Mettez les phrases suivantes à l'actif selon le modèle.

> *Modèle:* Cette vieille maison va être démolie.
> *On va démolir cette vieille maison.*

1. Du pétrole a été découvert dans cette région.
2. Nous avions été invités à la réception.
3. Cette voiture leur a été offerte pour leur mariage.
4. Une réponse vous sera donnée la semaine prochaine.
5. Aucune solution n'a été trouvée.
6. Rien ne lui a été dit.

E. Transformez les phrases suivantes selon le modèle.

Modèle: Le vin blanc est servi avec le poisson.
Le vin blanc se sert avec le poisson.

1. Ces fruits sont vendus dans les magasins de produits exotiques.
2. Cet appareil peut être acheté dans tous les bons magasins.
3. Le français est appris facilement.
4. Le caviar est mangé froid.
5. Cette construction n'est pas employée en français.

F. Transformez les phrases selon le modèle.

Modèle: On n'apprend pas le chinois en un mois.
Le chinois ne s'apprend pas en un mois.

1. On ne dit pas cela.
2. On comprend facilement son erreur.
3. On parle aussi français en Louisiane.
4. On sert les escargots avec du beurre à l'ail.
5. On peut apercevoir l'université d'ici.
6. On met la viande au réfrigérateur.
7. On oublie difficilement une déception.

Le verbe irrégulier *s'asseoir*

Présent de l'indicatif		*Participe passé:*	*Futur:*
je	m'assieds	assis	je m'assiérai
tu	t'assieds		
il/elle/on	s'assied	The present subjunctive is regular.	
nous	nous asseyons		
vous	vous asseyez		
ils/elles	s'asseyent		

S'asseoir means "to sit down" and must not be confused with **être assis** (to sit/to be sitting):

Je m'assieds sur une chaise. / Je suis assis(e) sur une chaise.
I sit down on a chair. / I am sitting on a chair.

EXERCICES (ORALEMENT)

A. Remplacez le sujet par les mots entre parenthèses:

1. Je m'assieds sur le lit. (tu, elle, nous, les enfants)
2. Il s'est assis dans un fauteuil. (je, tu, Marie)
3. Nous nous assiérons par terre. (tu, Paul, vous, elles)
4. Il faut que tu t'asseyes. (je, nous, ils, vous)

B. Répondez aux questions:

1. Préfères-tu t'asseoir sur une chaise ou dans un fauteuil?
2. Où t'assieds-tu généralement quand tu lis?
3. Est-ce que tu t'assieds souvent par terre? Quand?
4. Si tu voyageais en avion, t'assiérais-tu dans la section fumeurs ou non-fumeurs?
5. Est-ce que tu t'es déjà assis(e) dans le siège d'un pilote d'avion?
6. Est-ce que tu t'asseyais sur les genoux de ton père quand tu étais enfant?
7. Est-ce qu'il faut que tu t'asseyes pour étudier?

EXERCICES ECRITS

➤➤➤➤➤➤➤

A. Transformez les phrases selon le modèle.

> *Modèle:* Il fait beau. (je suis content(e))
> *Je suis content(e) qu'il fasse beau.*

1. Il pleut. (je regrette)
2. Le directeur peut vous recevoir. (je ne pense pas)
3. Elle a tort. (il est possible)
4. Tu viens à la réception. (je veux)
5. Elles sont à la bibliothèque. (il est peu probable)
6. Vous allez consulter un médecin. (il serait utile)
7. Vous savez ce qu'il faut faire. (il est bon)
8. Il faut faire tous les exercices. (je ne crois pas)
9. Nous sommes déjà en retard. (j'ai peur)
10. Vous voulez déjà partir. (je suis triste)
11. Tu ne vas pas à la bibliothèque. (je suis surpris(e))

B. Remplacez le verbe *devoir* par l'expression "Il faut que" + subjonctif.

> *Modèle:* Tu dois partir.
> > *Il faut que tu partes.*

1. Tu dois dormir.
2. Je dois écrire à mes parents.
3. Les enfants doivent boire du lait.
4. Nous devons revenir demain.
5. Tu dois retenir cette leçon.
6. Vous devez lire ce livre.
7. Je dois mettre la table.
8. Ils doivent dire la vérité.
9. Tu dois me comprendre.
10. Il doit apprendre l'espagnol.

C. Mettez les phrases suivantes au passif:

1. Le chien a ouvert la porte.
2. Notre équipe a gagné la partie.
3. On n'utilise plus ces appareils.
4. Mes parents m'accompagnaient.
5. Une équipe de spécialistes a inventé un nouvel ordinateur.
6. On punira les criminels.
7. La tornade a démoli la maison.
8. On n'oubliera jamais cet événement.
9. On n'a pas encore terminé cette autoroute.
10. Personne ne l'a compris.
11. Tout le monde respecte son génie.

D. Mettez les phrases suivantes à l'actif:

1. La nouvelle a été communiquée à Paul.
2. Cet article a été écrit par une féministe.
3. Elle est aimée de tous ses camarades.
4. Une récompense lui a été offerte.
5. Les criminels ne sont pas assez punis.
6. La conférence sera suivie d'une discussion.
7. Ces disques m'ont été prêtés par des amis.
8. Ces documents ont été perdus.

E. Employez le verbe *s'asseoir* au temps et au mode appropriés:

1. Hier, nous _____ à côté des Duval au cinéma.
2. Pourquoi _____ tu toujours à côté de la fenêtre?
3. Pierre, _____ près de Louise; Jean et Charlotte _____ à côté de moi.
4. Quand il était enfant, il _____ toujours par terre.
5. Où voulez-vous que je _____ ?
6. Je _____ où je voudrai!

LECTURE

►►►►►►►►

Le rêve d'Ashini

Yves Thériault is one of Quebec's best-known writers. His novel Ashini *(1961) tells the story of an old Montagnais Indian who, before he dies, wants to meet with the "great white chief in Ottawa" and attempt to reclaim his people's heritage. The white chief will not come and Ashini will empty his veins. The following is the passage where he tells the contents of his dream.*

Que[1] les Blancs habitent le bas du pays et la droite du pays comme la gauche. Qu'ils occupent les péninsules, les plaines grasses et les bois feuillus! En nos forêts saines et sèches nous serions maîtres. On n'y viendrait dérober ni minerai ni versant d'eau. On nous laisserait le gibier des rivières comme des bosquets, les arbres et même les plus petites et les plus jolies fleurs.

Il ne serait[2] de baies, de tendres herbes et de racines guérisseuses qui ne viennent enrichir notre bien.

L'oiseau du ciel et l'insecte, la bête et le poisson, le pin noir et le muguet timide, le thym et les genévriers, chaque caillou, chaque goutte d'eau, chaque souffle de vent, chaque perle de rosée seraient nôtres.

Et le droit incontestable de le garder jusqu'à la fin des temps.

Pour moi, je ne voulais rien autre que de cheminer à ma guise sur notre sol retrouvé.

Pour les miens, je voulais le sang reconquis, la fierté rendue.

Etait-ce donc un propos de dément?

Je ne savais pas que la loi des justes n'a pas encore été votée en les contrées civilisées de la terre.

Il n'est qu'à nous[3], les primitifs, les sauvages du globe, de dispenser l'équité des jugements.

Voilà peut-être le plus grand de nos anachronismes...

(Un extrait de *Ashini*, d'Yves Thériault, pp. 53-54. FIDES, 1961.)

1. **Que**, introducing an independent clause and followed by a third person subject and a verb in the subjunctive mood, indicates a wish or a command (*Let them dwell...*)

2. **Il ne serait:** il n'y a aurait pas

3. **Il n'est qu'à nous:** *we are the only ones who can...*

baie (f.)	berry	**guérisseur, euse**	healing
bas: le —	the lower country,	**incontestable**	indisputable
du pays	region	**juste**	just, fair
bête (m.)	animal	**maître** (m.)	master
bien (m.)	goods, possessions	**miens: les —**	my family,
bosquet (m.)	copse, grove		my people
caillou (m.)	pebble	**minerai** (m.)	ore
cheminer	to walk (along)	**muguet** (m.)	lily of the valley
contrée (f.)	land, region	**péninsule** (f.)	peninsula
dément (m.)	lunatic	**perle** (f.)	pearl
dérober	to steal	**pin** (m.)	pine
dispenser	to dispense,	**propos** (m.)	talk, words;
	to give out		intention
équité (f.)	equity	**racine** (f.)	root
feuillu(e)	leafy	**reconquis(e)**	recovered, won back
genévrier (m.)	juniper tree	**retrouvé(e)**	regained
globe (m.)	globe, earth	**rosée** (f.)	dew
goutte (f.)	drop	**sain(e)**	healthy
grand(e)	great	**sang** (m.)	blood
gras, grasse	luxuriant	**versant d'eau** (m.)	river

QUESTIONS

1. Où Ashini voulait-il que les Blancs habitent?
2. Où habiteraient les Montagnais?
3. Que signifie le mot "maître" dans ce contexte?
4. Si le rêve d'Ashini se réalisait, qu'est-ce que les Blancs ne feraient plus? Qu'est-ce que les Blancs laisseraient aux Indiens?
5. Qu'est-ce qu'Ashini voudrait que son peuple possède?
6. Quel droit souhaite-t-il avoir?
7. Qu'est-ce qu'Ashini désire pour lui-même? Pour son peuple?
8. Qu'est-ce que les "primitifs" ont et que les "civilisés" n'ont pas?
9. Quel est le plus grand anachronisme des autochtones? Pourquoi ce mot est-il ironique?
10. Pensez-vous que le rêve d'Ashini continue d'être celui des Indiens d'aujourd'hui? Ce rêve pourra-t-il se réaliser un jour?

SITUATIONS / CONVERSATIONS

1. Que faut-il que vous fassiez aujourd'hui? (ce soir? demain? la semaine prochaine? l'année prochaine?)

2. Vous préparez une soirée pour vos amis. Ecrivez ce qu'il faut que vous fassiez avant.

> Il faut que je nettoie l'appartement.
> Il faut que j'achète. . . .
> Etc.

3. Vous partez en voyage. Vous organisez une excursion en ski. Vous faites un travail de recherche sur les minorités. Que faut-il que vous fassiez pour que votre voyage, votre excursion ou votre travail de recherche soient réussis?

4. Que faut-il que vous fassiez pour réussir votre vie? Quels objectifs faut-il que vous atteigniez?

5. Y a-t-il des autochtones dans votre province? Parlez-nous de leur origine, de leur culture, de leur vie. Croyez-vous qu'ils aient raison de préserver leur culture?

6. Notre société se veut plus consciente de son écologie. Quel enseignement pourrait nous fournir les autochtones?

7. Comment réagissez-vous à des injustices contre les autochtones?

8. Pourquoi, d'après-vous, les gouvernements s'intéressent-ils aux droits des autochtones?

9. Comment voulez-vous que l'homme ou la femme de votre vie soit?
   Exemple: Il faut qu'il/elle soit intelligent(e), qu'il/elle ait une profession, etc.

COMPOSITIONS

1. On déplore les manifestations racistes à l'endroit des minorités. Croyez-vous que le racisme existe vraiment dans ce pays? A quoi l'attribuez-vous?

2. Préparez un plaidoyer en faveur des droits des autochtones.

3. S'il fallait que vous convainquiez un groupe minoritaire des bienfaits de votre civilisation, quels arguments apporteriez-vous?

PRONONCIATION
(This exercise is at the end of Leçon 19 on the tape.)

I. Le son p (/ p /)

Répétez d'après le modèle:

pas	partir	pis	pire	pot
patron	repasser	piston	empire	pore

reporter	pot	poudre	père	répète
rapport	poule	repousser	appeler	pelle

pan	pont	pain	tape	loupe
penser	pondre	pincer	carpe	lampe
pendre	répondre	repeindre	type	trompe
soupente	lapon	lapin	taupe	pulpe

II. Le son t(/ t /)

Répétez d'après le modèle:

ta	tôt	tout	thé	tic
étape	râteau	atout	amputé	timon
tableau	couteau	bistouri	haute	Attila
attaque	torride	retour	téléphone	otite

tant	ton	tain	patte	rote
tendre	tondre	teindre	rate	arête
attendre	laiton	atteindre	route	pente
honteux	chaton	lutin	rut	pinte

III. Le son k (/ k /)

Répétez d'après le modèle:

carotte	cour	cultiver	qui	coma
cabane	couler	culot	quitte	cobra
écart	écouler	acculer	équilibre	école
escale	découper	recul	requis	accoler

conte	quand	sac	suc	brique
compter	cancan	bec	donc	moque
décompte	décanter	choc	banque	musc
acompte	encan	bouc	cinq	tchèque

Chapitre vingt

L'emploi

VOCABULAIRE UTILE

aptitude (f.)	skill	**congé** (m.)	leave
assurance-	unemployment	**congédier**	to dismiss
chômage (f.)	insurance	**débouché** (m.)	job prospect
candidature:	to apply for	**demande**	job application
poser sa —		**d'emploi** (f.)	
carrière (f.)	career	**embaucher**	to hire
chômage (m.)	unemployment	**employé(e)**	employee
chomeur, euse	unemployed	**employeur, euse**	employer
	person	**épuisant, ante**	exhausting

entrevue (f.)	interview	**marché de**	job market
exigeant, ante	demanding	**travail** (m.)	
expérience (f.)	experience	**métier** (m.)	trade
fonctionnaire (m./f.)	civil servant	**poste** (m.)	position
formation (f.)	training	**profession** (f.)	profession
gagner	to earn	**salaire** (m.)	wages
horaire (m.)	schedule	**temps partiel: à —**	part-time
main-d'oeuvre (f.)	manpower	**temps plein: à —**	full-time

GRAMMAIRE ET EXERCICES ORAUX

Le subjonctif après certaines conjonctions

The subjunctive must be used in clauses introduced by the following conjunctions:

pour que	} so that	**à moins que**	unless
afin que		**sans que**	without
bien que	} although	**avant que**	before
quoique		**jusqu'à ce que**	until
pourvu que	} provided that		
à condition que			

Exemples:

Je lui ai prêté mon manteau <u>pour qu</u>'elle n'ait pas froid.
<u>Bien qu</u>'il soit malade, il vient en classe.
Je te prêterai de l'argent <u>à condition que</u> tu me le rendes.
Nous irons faire du ski <u>à moins qu</u>'il fasse trop froid.
Il ne veut pas partir <u>sans que</u> tu lui parles.
Elle est arrivée juste <u>avant que</u> nous partions.
Il persistera <u>jusqu'à ce qu</u>'il réussisse.

EXERCICES (ORALEMENT)

A. Employez *pour que* ou *afin que*.

> *Modèle:* Je ferai la vaisselle. Ainsi, tu pourras te reposer.
> *Je ferai la vaisselle pour que/afin que tu puisses te reposer.*

1. Cet enfant étudie fort. Ainsi, ses parents seront fiers de lui.

2. Je t'écrirai souvent. Ainsi, tu ne m'oublieras pas.

3. J'ai prêté ma guitare à mon frère. Ainsi, il apprendra à en jouer.
4. Laissons-lui une note. Ainsi, il saura où nous sommes partis.
5. Soignez bien votre chien. Ainsi, il vivra longtemps.

B. Employez *bien que* ou *quoique*.

> *Modèle:* Je suis heureux(-euse); pourtant je ne suis pas riche.
> *Je suis heureux(-euse) bien que/quoique je ne sois pas riche.*

1. J'aime ce professeur; pourtant elle est autoritaire.
2. Je ne suis pas fatigué(e); pourtant il est deux heures du matin.
3. J'aime la musique; pourtant je ne sais pas jouer d'un instrument.
4. Elle ne trouve pas d'emploi; pourtant elle est très qualifiée.
5. Je le trouve sympathique; pourtant je ne le connais pas très bien.

C. Employez *à condition que* ou *pourvu que*.

> *Modèle:* Je t'attendrai si tu ne viens pas trop tard.
> *Je t'attendrai pourvu que/à condition que tu ne viennes pas trop tard.*

1. Nous dînerons ensemble si je ne suis pas trop occupé(e).
2. Je laverai la vaisselle si tu fais les lits.
3. Je me calmerai si tu t'en vas.
4. Elle se mariera avec lui s'il finit ses études.
5. Je te ferai confiance si tu ne mens plus.

D. Employez *à moins que*.

> *Modèle:* Nous ferons un pique-nique sauf s'il fait mauvais.
> *Nous ferons un pique-nique à moins qu'il fasse mauvais.*

1. Nous n'arriverons jamais à temps sauf si nous prenons un taxi.
2. Je serai désespéré(e) sauf si tu m'écris souvent.
3. Elle s'inquiétera sauf si nous lui téléphonons.
4. Nous irons au cinéma sauf s'il y a un bon film à la télé.
5. Ils devraient arriver bientôt sauf s'ils ont eu un accident.

E. Employez *sans que*.

> *Modèle:* Tu réussiras à le faire. Nous ne t'aiderons pas.
> *Tu réussiras à le faire sans que nous t'aidions.*

1. Son chien lui obéit. Elle n'a pas besoin de le punir.
2. Il m'oblige à répondre. Je n'ai pas le temps de réfléchir.
3. Je peux prendre une décision. Vous ne me donnez pas de conseils.
4. Essayons de sortir. On ne nous verra pas.
5. Je peux te vendre ces livres. Tu ne dois pas me payer tout de suite.

F. Employez *avant que*.

> *Modèle:* Faisons une promenade. Il fera nuit.
> *Faisons une promenade avant qu'il fasse nuit.*

1. Je voudrais le revoir. Il s'en ira.
2. Nous te reverrons. Tu partiras.
3. Elle embrasse ses enfants. Ils dormiront.
4. Le professeur veut que nous lisions ce livre. Nous ferons notre composition.
5. Nous irons prendre un café. Tu partiras.

G. Employez *jusqu'à ce que*.

> *Modèle:* Attends-moi. Je reviendrai.
> *Attends-moi jusqu'à ce que je revienne.*

1. Nous regarderons ce film. Il se terminera.
2. Je te répéterai la même chose. Tu comprendras.
3. Elle restera au lit. Elle n'aura plus de fièvre.
4. Elle refuse de manger. Elle perdra cinq kilos.
5. Vous devriez rester ici. Il cesse de pleuvoir.

Emploi de l'infinitif à la place du subjonctif

When the subject of the main clause refers to the same person or thing as the subject of the subordinate clause in the subjunctive, the subjunctive is replaced by the infinitive and the following conjunctions are replaced by corresponding prepositions:

Conjunctions	*Prepositions*
pour que	pour
afin que	afin de
à condition que	à condition de
à moins que	à moins de
sans que	sans
avant que	avant de

Do not use these constructions:	*Use instead:*
J'étudie pour que je devienne avocat.	J'étudie pour devenir avocat.
Elle travaille pour qu'elle gagne de l'argent.	Elle travaille pour gagner de l'argent.
Elle viendra à condition qu'elle soit disponible.	Elle viendra à condition d'être disponible.
Nous avons passé deux nuits sans que nous dormions.	Nous avons passé deux nuits sans dormir.
Viens me voir avant que tu t'en ailles.	Viens me voir avant de t'en aller.
Je te le prêterai à moins que j'en aie besoin.	Je te le prêterai à moins d'en avoir besoin.

Some conjunctions do not have a corresponding preposition: **bien que**, **quoique**, **pourvu que**, **jusqu'à ce que**. In such a case, the infinitive construction is not possible and the subjunctive must be used:

> Il fait du théâtre bien qu'il n'ait pas de talent.
> Quoique nous soyons occupés, nous irons voir ce film.
> J'étudierai jusqu'à ce que je reçoive mon diplôme.
> Elle ira faire du patin pourvu qu'elle n'ait pas le rhume.

EXERCICES (ORALEMENT)

A. Transformez les phrases d'après le modèle.

> *Modèle:* Je reviendrai vous voir. J'en aurai le temps. (à condition de)
> *Je reviendrai vous voir à condition d'en avoir le temps.*

1. Je l'ai fait. J'y pensais. (sans)
2. Tu dois lire ce livre. Tu comprendras cette théorie. (afin de)
3. Il veut la revoir. Il va partir. (avant de)
4. Fais la vaisselle. Tu aideras ta mère. (pour)
5. Il réussira. Il travaillera. (à condition de)
6. Il tombera malade. Il se détendra. (à moins de)
7. Elle s'entraîne. Elle participera au marathon. (afin de)
8. On ne peut pas devenir ingénieur. On fait des maths. (à moins de)
9. Lave-toi les mains. Tu vas manger. (avant de)

B. Complétez les phrases suivantes. Employez l'infinitif ou le subjonctif selon le cas:

1. Je te téléphonerai avant de. . . .
2. Elle étudiera jusqu'à ce que. . . .
3. Je bois du café bien que. . . .
4. Va voir un médecin pour que. . . .
5. Je te prêterai ma voiture à condition que. . . .
6. Il portera une cravate afin de. . . .
7. Elle ne veut pas partir sans. . . .
8. Nous irons nous promener à moins que. . . .
9. Il s'habille avec élégance pour. . . .
10. Tu réussiras pourvu que. . . .
11. Les vacances finiront avant que. . . .

Faire + infinitif

The causative construction **faire** plus infinitive indicates that the subject of **faire** causes an action to be performed by someone else. It corresponds to the English constructions "to make someone do (something)" and "to have something done (by someone)".

1) **Il fait travailler ses étudiants.**   He makes his students work.

In this sentence, **ses étudiants** refers to the people performing the action and is the direct object of **faire**. As a noun, it follows the infinitive. If it is replaced by a direct object pronoun, this pronoun must precede **faire**:

Il <u>les</u> fait travailler.	He makes them work.

Similarly:
Elle faisait lire sa fille. ⟶ Elle la faisait lire.
Il fait rire les spectateurs. ⟶ Il les fait rire.

2) **Il a fait réparer sa voiture.**   He had his car repaired.

Here, we do not know who performs the action: **sa voiture** is the direct object of the infinitive **réparer** and refers to what the action is performed upon. However, the construction is identical to the one in (1): as a noun, the direct object of the infinitive follows it; as a direct object, it precedes **faire**:

Il <u>l'</u>a fait réparer.	He had it repaired.

Similarly:
Elle fait décorer sa maison. ⟶ Elle la fait décorer.
Il a fait bâtir sa maison. ⟶ Il l'a fait bâtir.

➤ **Note:** that the past participle of **faire** does not agree with the direct object in a causative construction.

3) **Il fait répéter la phrase aux étudiants.**   He makes the students repeat the sentence.

When, as in this sentence, the infinitive has a direct object (**la phrase**) and the person or group performing the action is also mentioned, the noun referring to the latter is preceded by the preposition **à**. If it is a pronoun, the *indirect* object pronoun is used:

Il <u>leur</u> fait répéter la phrase.	He makes them repeat the sentence.

Similarly:
J'ai fait lire la lettre à Henri. ⟶ Je lui ai fait lire la lettre.
Elle fait laver la vaisselle aux ⟶ Elle leur fait laver la vaisselle.
enfants.

Note that a direct object pronoun and an indirect object pronoun may be used together in this construction:

Il <u>la leur</u> fait répéter.
Je <u>la lui</u> ai fait lire.
Elle <u>la leur</u> fait laver.

EXERCICES (ORALEMENT)

A. Répondez aux questions en remplaçant les noms par des pronoms.

Modèle: Est-ce que Maurice fait lire ses enfants?
    Il les fait lire.

1. Est-ce que Charlie Chaplin faisait rire les gens?
2. Est-ce que les professeurs font travailler les étudiants?
3. Est-ce que je vous fais parler français?
4. Est-ce que les parents font étudier leurs enfants?
5. Est-ce que je vous fais rire?
6. Est-ce que tu fais pleurer les jeunes femmes/les jeunes hommes?
7. Est-ce que le café te fait dormir?
8. Est-ce que le cours de français vous fait dormir?
9. Est-ce que le cours de français vous fait réfléchir?

B. Même exercice:

1. Est-ce que tu fais réparer ton auto?
2. Est-ce que tu fais laver ton auto?
3. Est-ce que je fais écrire des compositions?
4. Est-ce que tu fais bâtir une maison?
5. Est-ce que le gouvernement fait payer des impôts?
6. Est-ce que je fais répéter les phrases?

C. Répondez aux questions d'après le modèle.

> *Modèle:* A qui fais-tu faire la vaisselle? (mon petit frère)
> *Je la fais faire à mon petit frère.*

1. A qui fais-tu réparer ta voiture? (le mécanicien)
2. A qui fais-tu laver ton auto? (le garagiste)
3. A qui est-ce que je fais répéter des phrases? (les étudiants)
4. A qui fait-on apprendre le calcul? (les enfants)
5. A qui faites-vous écouter de la musique rock? (nos parents)
6. A qui fait-on payer des impôts? (les contribuables)

D. Suivez le modèle: employez d'abord un pronom object indirect, ensuite, employez aussi un pronom objet direct.

> *Modèle:* Je fais laver la vaisselle à Béatrice.
> *Je lui fais laver la vaisselle.*
> *Je la lui fais laver.*

1. Je fais réparer mon auto au garagiste.
2. Elle fait répéter des phrases aux étudiants.
3. Il a fait lire ce livre à son frère.
4. Nous avons fait boire du café à Nicolas.
5. Tu feras regarder ce film à tes parents.

E. Transformez les phrases selon le modèle.

> *Modèle:* Ma mère me demande de faire la cuisine.
> *Ma mère me fait faire la cuisine.*

1. Elle demande à son mari d'acheter une nouvelle voiture.
2. Il demande à son fils de laver la voiture.
3. Je lui demande d'apporter des disques.
4. Demandez-leur de faire le ménage.
5. Demandez à Jean de mettre la table.
6. Ils demandent à leur professeur d'expliquer l'exercice.
7. Ne me demandez pas de jouer du piano.
8. Est-ce que vous demandez à votre fille d'apprendre le latin?

Le verbe irrégulier *conduire*

Présent de l'indicatif

je	conduis	nous	conduisons
tu	conduis	vous	conduisez
il/elle/on	conduit	ils/elles	conduisent

Participe passé: conduit

Futur: je conduirai

The present subjunctive of **conduire** is regular.

Conduire means "to drive" or "to lead". Other verbs conjugated like **conduire** include **construire** (to build), **détruire** (to destroy), **produire** (to produce), **reconduire** (to drive/escort/take someone back home; to accompany), **réduire** (to reduce, to decrease) and **traduire** (to translate; to convey).

> Elle conduit une vieille voiture.
> On a construit une nouvelle maison dans cette rue.
> Ce village a été détruit pendant la guerre.
> Ces vaches produisent beaucoup de lait.
> Est-ce qu'on a traduit Margaret Atwood en français?

EXERCICE (ORALEMENT)

Répondez aux questions:

1. Est-ce que tu conduis bien?
2. Est-ce que tu conduis vite?
3. Quel genre de voiture conduis-tu?
4. Quelle voiture conduisent tes parents?
5. Est-ce qu'on conduit mieux quand on a bu de l'alcool?
6. Est-ce que ton père te conduit à l'université le matin?
7. Est-ce que tu conduis ta mère ou ton père au travail?

8. Reconduis-tu ton ami(e) chez lui/elle quand vous êtes sortis ensemble?
9. As-tu déjà conduit une moto? un camion? un tracteur?
10. Est-ce qu'on construit de nouveaux bâtiments sur le campus?
11. Est-ce qu'on a construit un centre nucléaire près d'ici?
12. Est-ce que la pollution détruit l'environnement?
13. Qu'est-ce qui détruit les poissons dans l'océan?
14. Qu'est-ce qu'on produit dans un centre nucléaire?
15. Qu'est-ce que les fermiers produisent surtout dans votre région?
16. Est-ce qu'on a traduit Mao-Tsé-Toung en anglais?

Les pronoms indéfinis

The indefinite pronouns **quelqu'un**, **quelque chose**, **personne** and **rien** have already been presented. The following are also indefinite pronouns.

1) **Tout/tous/toutes** (all/everything)

The singular form **tout** is invariable:

> J'ai <u>tout</u> entendu, mais je n'ai pas <u>tout</u> compris.
> Nous n'avons plus rien à faire: <u>tout</u> est fini.
> Cet enfant veut <u>tout</u> connaître.

Tous and **toutes** replace the adjectives **tous** and **toutes** when the noun they modify is replaced by a personal pronoun (subject, direct or indirect object):

> <u>Tous les étudiants</u> sont absents. ⟶ <u>Ils</u> sont <u>tous</u> absents.
> <u>Toutes ses amies</u> travaillent. ⟶ <u>Elles</u> travaillent <u>toutes</u>.
> Il a mangé <u>tous les biscuits</u>. ⟶ Il <u>les</u> a <u>tous</u> mangés.
> Elle parlera à <u>toutes ses amies</u>. ⟶ Elle <u>leur</u> parlera à <u>toutes</u>.

Note that

— the **s** in **tous** is pronounced;
— **tout**, **tous** and **toutes** are placed between the auxiliary verb and the past participle in compound tenses when used as direct objects;
— **tous** and **toutes** may function as subjects without a personal subject pronoun: Tous sont absents. / Toutes travaillent.

2) **Chacun/chacune** (each one)

Chacun(e) replaces the adjective **chaque** and the masculine or feminine noun it modifies:

Chaque étudiant est différent. ⟶ Chacun est différent.
Il a parlé à chaque étudiante. ⟶ Il a parlé à chacune.

Chacun(e) may be followed by the preposition **de** + stress pronoun or by **de** + determiner + noun:

Chacun de nous est fatigué.   Chacune de mes amies est sportive.
Il a parlé à chacune d'elles.   Il connaît chacune de mes faiblesses.
Je remercie chacun de vous.   Il a obéi à chacun des ordres.

3) **Aucun/aucune** (none/not . . . a single one)

Aucun/aucune replaces the adjective **aucun/aucune** and the noun it modifies when used as a subject. When used as a direct object, the pronoun **en** must replace the noun. Like the corresponding adjective, the pronoun **aucun/aucune** is used with **ne**.

Aucune étudiante n'est venue. ⟶ Aucune n'est venue.
Je n'ai vu aucun film. ⟶ Je n'en ai vu aucun.

Aucun(e) may be followed by the preposition **de** + stress pronoun or by **de** + determiner + noun:

Aucun de nous n'est responsable.
Je n'ai parlé à aucune d'elles.
Aucun de ces livres ne l'intéresse.
Elle ne veut rencontrer aucun de mes amis.

4) **Quelques-uns/quelques-unes** (some)

Quelques-uns/quelques-unes replaces the adjective **quelques** and the masculine or feminine noun it modifies when used as a subject. When used as a direct object, the pronoun **en** must replace the noun.

Quelques tomates sont mûres. ⟶ Quelques-unes sont mûres.
J'ai lu quelques livres. ⟶ J'en ai lu quelques-uns.

These pronouns may be followed by **de** + determiner + noun:

> Quelques-uns de ces sports sont dangereux.
> J'aime quelques-unes des pièces de Michel Tremblay.

They may also be followed by **d'entre** + stress pronoun:

> Je l'ai déjà dit à quelques-uns d'entre vous.
> Quelques-unes d'entre elles font des mathématiques.

EXERCICES (ORALEMENT)

A. Dites le contraire. Employez *tout* ou *aucun/aucune*:

1. Il ne veut rien lire.
2. Tous ses cours l'intéressent.
3. Rien ne l'amuse.
4. Je n'ai rien mangé.
5. Toutes mes soeurs sont mariées.

6. Il n'a rien su faire.
7. J'en ai parlé à tous mes amis.
8. Elle veut jeter toutes ses robes.
9. Je n'ai rien perdu.

B. Employez les pronoms *tous* ou *toutes*.

> *Modèle:* Il fait lire tous ses étudiants.
> *Il les fait tous lire.*

1. J'ai téléphoné à tous mes cousins.
2. Tous mes amis sont venus.
3. Elle vendra toutes ses robes.
4. Toutes mes chemises sont sales.

5. Elle prête de l'argent à toutes ses amies.
6. Je te donnerai tous mes disques.
7. Toutes mes soeurs sont mariées.
8. J'ai lu tous les livres d'Yves Thériault.

C. Transformez les phrases d'après le modèle.

> *Modèle:* Nous sommes tous responsables.
> *Chacun de nous est responsable.*

1. Elles sont toutes différentes.
2. Vous avez tous des responsabilités.
3. Nous avons tous du travail.

4. Je vous écrirai à tous.
5. Il nous a tous encouragés.

D. Dites le contraire.

> *Modèle:* Chacun de nous est responsable.
> *Aucun de nous n'est responsable.*

1. Chacune d'elles sait conduire.
2. Chacun de nous a le temps de le faire.

3. J'en ai donné à chacun de vous.
4. Il aime chacune d'elles.
5. Ecoute chacun d'eux.

E. Répondez aux questions, soit avec *aucun(e)*, soit avec *quelques-un(e)s*.

> *Modèle:* As-tu vu des pièces de théâtre récemment?
> *J'en ai vu quelques-unes./Je n'en ai vu aucune.*

1. As-tu acheté des disques récemment?
2. As-tu regardé des films à la télé?
3. Lis-tu des livres de philosophie?
4. Mangeras-tu des pommes de terre ce soir?

5. As-tu fumé des cigarettes aujourd'hui?
6. Est-ce qu'il y a des nuages dans le ciel?

EXERCICES ECRITS

➤ ➤ ➤ ➤ ➤ ➤ ➤

A. Transformez les phrases d'après le modèle.

> *Modèle:* Dépêchons-nous. Elle ne doit pas nous attendre. (afin que)
> *Dépêchons-nous afin qu'elle ne doive pas nous attendre.*

1. Je voudrais te revoir. Tu t'en vas. (avant que)
2. Je dois aller à la banque. Tu veux y aller à ma place. (à moins que)
3. Ses parents ont économisé de l'argent. Il pourra faire des études. (pour que)
4. Nous t'attendrons. Tu ne seras pas trop en retard. (pourvu que)
5. Il n'est pas nerveux. Il boit beaucoup de café. (bien que)

6. Elle ne peut rien faire. Nous l'aidons. (sans que)
7. Tu devras travailler fort. Tu feras des progrès. (jusqu'à ce que)
8. C'est une bonne secrétaire. Elle n'est pas très rapide. (quoique)
9. Je vais te donner des instructions. Tu sauras ce qu'il faut faire. (afin que)
10. La banque vous prêtera de l'argent. Vous avez un emploi. (à condition que)

B. Transformez les phrases selon le modèle.

> *Modèle:* Je t'accompagnerai. J'aurai le temps. (à condition de)
> *Je t'accompagnerai à condition d'en avoir le temps.*

1. Nous avons décidé d'aller le voir. Nous en discuterons avec lui. (afin de)
2. Il ne guérira pas. Il prendra des antibiotiques. (à moins de)
3. Téléphone-moi. Tu viendras me voir. (avant de)

4. Vous devez lui parler. Vous la rassurerez. (pour)
5. Il a nagé deux kilomètres. Il ne s'est pas arrêté. (sans)

C. Transformez les phrases d'après le modèle. Employez le verbe *faire* au présent.

> *Modèle:* Les étudiants refont l'exercice. (le professeur)
> *Le professeur fait refaire l'exercice aux étudiants.*

1. Son petit-fils écoute de la musique classique. (Olivier)
2. Sa fille apprend le russe. (la pharmacienne)
3. Le maçon répare le cheminée. (je)
4. Nous faisons des compositions. (le professeur)
5. Il lit le journal. (son père)
6. Elles lavent la vaisselle. (leur mère)

D. Répondez aux questions par des phrases complètes:

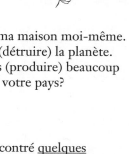

1. A qui fais-tu lire tes compositions?
2. A qui fait-on apprendre à écrire?
3. A qui le professeur fait-il étudier la leçon?
4. A qui fait-on réparer sa voiture?
5. A qui les médecins font-ils prendre des médicaments?

E. Mettez les verbes entre parenthèses au présent de l'indicatif:

1. Il (traduire) ce roman en allemand.
2. Les gens qui ont bu (conduire) dangereusement.
3. Est-ce que tu (reconduire) Sylvie chez elle?
4. Je (construire) ma maison moi-même.
5. Il dit que nous (détruire) la planète.
6. Est-ce que vous (produire) beaucoup de pétrole dans votre pays?

F. Remplacez les mots soulignés par les pronoms appropriés:

1. J'ai vu <u>tous les films de Fassbinder</u>.
2. Il a donné des biscuits à <u>chaque petite fille</u>.
3. J'ai jeté <u>toutes mes cravates</u>.
4. Nous avons rencontré <u>quelques Acadiens</u>.
5. <u>Quelques fenêtres</u> sont ouvertes.
6. <u>Chaque homme</u> a son prix.

LECTURE

➤➤➤➤➤➤➤

Travailler en l'an 2000

Soigner les humains ... et les robots. Telles sont les voies de l'avenir pour les adolescents d'aujourd'hui qui veulent s'assurer un emploi en l'an 2000.

"Les industries manquent déjà de techniciens en robotique", dit Sylvain Bélisle, coauteur de *Tendances professionnelles au Québec vers les années 2000*, un document du gouvernement fédéral. "Et avec le vieillissement de la population, on manquera d'infirmières."

Près de 90% des nouveaux emplois créés au

cours des années 90 le seront dans les services: restauration (surtout "minute" et familiale), électronique, santé, administration, secrétariat, informatique, génie, vente. On parle aussi beaucoup de "productique", ce néologisme à la mode associé à l'entretien des équipements automatisés de production.

Le marché de l'emploi de l'an 2000 sera un peu plus favorable aux jeunes qu'il ne l'était dans les années 80, dit-on au ministère de la Main-d'oeuvre du Québec. Non pas parce qu'il y aura plus d'emplois. Mais parce qu'il y aura moins de jeunes.

Mais ce ne sera pas l'Eldorado. Les jeunes continueront de se heurter au mur de la génération des 35–54 ans.

Malgré les nombreuses mises à la retraite dans le domaine de l'enseignement, par exemple, le nombre élevé de finissants en éducation continuera de limiter l'accès à la profession. Seul le réseau des garderies pourrait, en se développant, offrir de réels débouchés.

Le meilleur atout des jeunes demeurera donc la formation dans une technologie de pointe. "Les jeunes qui pourront faire de l'entretien préventif sur des chaînes de montage automatisées remplaceront les travailleurs déqualifiés par le progrès technologique", dit Sylvain Bélisle.

Déjà, la demande dépasse l'offre. Chez Teccart, un collège montréalais spécialisé en électronique, plus de 98% des diplômés ont trouvé un emploi l'an dernier. Et pas au salaire minimum! Plus de 25 000 dollars en moyenne. "Je manque de finissants pour répondre à la demande", dit Yves Lewis, directeur des services pédagogiques. Et les filles ne sont pas au rendez-vous. A peine 40 cette année sur les 700 étudiants de Teccart alors qu'il y a beaucoup plus de filles que de garçons qui terminent le secondaire!

Les "techniques" n'ont plus tellement la cote. Les inscriptions en techniques infirmières ont baissé de plus de 20% en raison, notamment d'une perception plutôt négative des conditions de travail (horaires de nuit, temps partiel, etc.). Pourtant, avec le vieillissement de la population, les professionnels de la santé seront de plus en plus en demande.

Et il ne faut pas trop rêver de "stabilité". La règle du jeu de l'an 2000 sera le recyclage.

Le travailleur moyen changera quatre ou cinq fois de métier ou de profession durant sa vie active. Plus peut-être. "Même les emplois gouvernementaux seront de plus en plus précaires", dit Sylvain Bélisle.

Les besoins de la société changeront vite. La "capacité d'apprendre" sera un avantage sur le marché du travail, et une bonne formation générale, un atout précieux. Mais pas une garantie absolue ...

(Article de Carole Beaulieu, publié dans *L'actualité*, 15 mai 1991, pages 39–40)

administration (f.)	management	**diplômé(é)**	graduate
s'assurer	to secure	**entretien** (m.)	maintenance
atout (m.)	asset	**équipement** (m.)	machinery
automatisé(e)	computerized	**finissant(e)**	graduate
baisser de	to go down	**garderie** (f.)	day-care
chaîne de montage (f.)	assembly line	**génie** (m.)	engineering
		se heurter à	to come up against
cote: avoir la —	to be popular	**horaire de nuit** (m.)	night shift
cours: au — de	during	**informatique** (f.)	data processing
créer	to create	**manquer**	to lack
débouché (m.)	employment opportunity	**mise à la retraite** (f.)	retirement
		mode: à la —	fashionable

moyen, enne	average	**restauration** (f.)	restaurant
moyenne: en —	on the average		industry
notamment	particularly	**seul(e)**	only
peine: à —	hardly, barely	**soigner**	to look after
pointe: de —	leading,		to nurse
	advanced	**tel, telle**	such
précaire	precarious	**tellement**	so
raison: en — de	on account of	**tendance** (f.)	trend
recyclage (m.)	retraining	**terminer**	to complete
réseau (m.)	network	**vieillissement** (m.)	aging

QUESTIONS

1. Quelles sont les voies de l'avenir? Pourquoi?
2. Dans quel secteur y aura-t-il de nouveaux emplois?
3. Qu'est-ce que les restaurants "minute"?
4. Qu'est-ce que la productique?
5. Pourquoi le marché de l'emploi de l'an 2000 sera-t-il plus favorable aux jeunes?
6. A quel obstacle les jeunes continueront-ils de se heurter?
7. Dans quel secteur de l'education y aura-t-il des débouchés?
8. Quel sera le meilleur atout des jeunes?
9. Est-ce que les diplômés en électronique gagnent le salaire minimum? Est-ce que ce sont surtout des filles ou des garçons?
10. Pourquoi y a-t-il moins d'étudiants en techniques infirmières?
11. De quoi ne faut-il pas trop rêver et pourquoi?
12. Comment se présente l'avenir de l'emploi, en général?

SITUATIONS / CONVERSATIONS

▶ ▶ ▶ ▶ ▶ ▶ ▶

1. Racontez à tour de rôle ce que vos parents, vos professeurs et vos amis vous font faire. Racontez aussi ce que vous faites faire à votre chien ou à votre chat, à vos frères et soeurs, à vos parents, à vos amis. En fonction des réponses de chaque étudiant(e), jugez dans quelle mesure chacun a un tempérament dominateur ou docile.

2. Parlez de la profession que vous avez choisie et de vos projets d'avenir. Qu'est-ce que vous devez faire pour trouver un emploi? Est-ce que ce sera facile ou difficile? Pensez-vous que vos études vous préparent de façon adéquate pour le marché du travail?

3. De nouvelles professions, encore inconnues, apparaîtront avec les changements technologiques. Imaginez quelles seront ces professions.

4. Quel est pour vous l'intérêt des études universitaires? Pensez-vous que l'université doive surtout vous préparer à trouver de l'emploi ou surtout vous préparer à mieux vivre et à mieux penser? Est-ce que le système universitaire que vous connaissez réussit à atteindre ces deux objectifs? l'un ou l'autre? aucun des deux?

5. Est-ce que la perspective du chômage vous fait peur? Qu'est-ce que le chômage représente pour vous? Que pensez-vous du système actuel de l'assurance-chômage?

6. Vous passez une entrevue pour un emploi d'été. Un(e) étudiant(e) joue le rôle de l'employeur(euse), un(e) autre étudiant(e) le rôle du candidat ou de la candidate. Décidez de l'emploi en question. L'employeur(euse) pose des questions sur les aptitudes et la formation du candidat ou de la candidate; celui-ci (celle-ci) répond aux questions de l'employeur et interroge ce dernier sur les conditions de travail.

COMPOSITIONS

1. Comment envisagez-vous votre avenir professionnel? Etes-vous optimiste ou pessimiste à ce sujet? Avez-vous confiance de pouvoir travailler dans le domaine de votre choix? Quelles sont les obstacles et les difficultés que vous pensez rencontrer? Que pensez-vous devoir faire pour réaliser vos objectifs?

2. Est-ce que le travail est la priorité essentielle de votre vie ou est-ce que vous avez d'autre priorités? Selon vous, quelle devrait être la place du travail dans une vie équilibrée? Les conditions sociales actuelles favorisent-elles cet équilibre? Qu'est-ce que vous changeriez si vous le pouviez?

PRONONCIATION
(This exercise is at the end of Leçon 20 on the tape.)

S + i ou u

When followed by **i** or **u**, the letters **s**, **ss** and **z** are always pronounced / s / or / z /.

Répétez:
1) / z /

azur	brisure	vision	lisiez
usure	césure	visière	cerisier
usuel	casuel	rasions	cohésion
visuel	frisure	rasiez	fusion
mesure	masure	lisions	décision

2) / s /

sur	massue	passion	poussions
rassurer	moussu	dossier	laissions
tonsure	bossu	poussière	cassions
tissu	assurance	scission	dépensions
issue	pansu	pension	fassions

L'humeur
et l'humour

VOCABULAIRE UTILE

bonheur (m.)	happiness	**détendu(e)**	relaxed
cafard: avoir le —	to feel blue, low	**douleur** (f.)	pain, sorrow
colère (f.)	anger	**faible**	weak
colère: se mettre en —	to get angry	**gai(e)**	cheerful
		humeur (f.)	mood
content, ente	glad, happy	**humeur: être de bonne —**	to be in a good mood
découragé(e)	discouraged		
dépression (f.)	depression	**humoristique**	humorous
déprimé(e)	depressed	**humour** (m.)	humor

humour: avoir le sens de l'—	to have a sense of humor	plaisanterie: faire une —	to make a joke
humour: manquer d'—	to have no sense of humor	plaisanter	to joke
joie (f.)	joy	prendre les choses du bon côté	to look on the bright side
joyeux, euse	joyful	tendu(e)	tense
malheur (m.)	misfortune	triste	sad
malheureux, euse	unhappy	voir la vie en rose	to see everything through rose-colored glasses
moral: avoir le —	to be in good spirits		

GRAMMAIRE ET EXERCICES ORAUX

L'antériorité dans le passé: le plus-que-parfait

The **plus-que-parfait** was presented in Chapter 16 in conjunction with the past conditional. Apart from its use in **si** (if) clauses, the **plus-que-parfait** may be used to indicate anteriority in relation to some point in the past which is sometimes stated and sometimes understood:

> **Elle était fatiguée parce qu'elle <u>avait</u> beaucoup <u>travaillé</u>.**
> She was tired because she had worked a lot.
> **Il a jeté la cravate que son amie lui <u>avait donnée</u>.**
> He threw away the tie that his girlfriend had given him.
> **J'<u>avais</u> déjà <u>mangé</u> quand tu es arrivé(e).**
> I had already eaten when you arrived.

It may also be used in contrast to the **passé composé** to emphasize the fact that one is referring to the distant past. Compare the following sentences:

> **Il n'<u>a</u> jamais <u>pensé</u> devenir comptable.**
> He has never thought of becoming an accountant (until now).
> **Il n'<u>avait</u> jamais <u>pensé</u> devenir comptable.**
> He had never thought of becoming an accountant (until then).
> **J'ai perdu le stylo que tu m'<u>as donné</u>.**
> I lost the pen that you gave me (more or less recently.)
> **J'ai perdu le stylo que tu m'<u>avais donné</u>.**
> I lost the pen that you gave me (quite a while ago.)

EXERCICES (ORALEMENT)

A. Transformez les phrases d'après le modèle.

> *Modèle:* Tu m'as parlé de ce film la semaine dernière. Je l'ai vu hier.
> *J'ai vu hier le film dont tu m'avais parlé la semaine dernière.*

1. Elle a rencontré ce garçon à Bâton Rouge l'an dernier. Elle l'a épousé.
2. Cette ville a été détruite pendant la guerre. On l'a reconstruite.
3. Il a acheté ce parapluie à Calgary. Il ne l'a pas retrouvé.
4. J'ai prêté dix dollars à ce garçon. Je ne l'ai pas revu.
5. Mon frère a fait ce gâteau. Je l'ai tout mangé.
6. Cet étudiant n'a pas fait ses exercices. Le professeur l'a interrogé.

B. Répondez aux questions d'après le modèle.

> *Modèle:* Pourquoi sa mère l'a-t-elle puni? (il désobéit)
> *Sa mère l'a puni parce qu'il avait désobéi.*

1. Pourquoi n'a-t-elle pas réussi à l'examen? (elle ne prépare rien)
2. Pourquoi a-t-il eu un accident? (il conduit trop vite)
3. Pourquoi étais-tu fatigué(e)? (je ne dors pas assez)
4. Pourquoi n'étais-tu pas là? (j'oublie notre rendez-vous)
5. Pourquoi êtes-vous rentrés? (nous nous ennuyons)
6. Pourquoi étaient-ils de mauvaise humeur? (ils se battent)

C. Complétez les phrases d'après le modèle.

> *Modèle:* Avant l'âge de seize ans, je . . . (conduire une voiture)
> *Avant l'âge de seize ans, j'avais déjà conduit une voiture.*

1. Avant d'avoir quinze ans, il . . . (commencer à fumer)
2. Avant d'entrer à l'université, elle . . . (étudier l'informatique)
3. Avant d'étudier le français, je . . . (apprendre l'espagnol)
4. Avant sa crise cardiaque, il . . . (avoir des ennuis de santé)
5. Avant de dîner, nous . . . (manger des sandwichs)
6. Avant que nous arrivions, ils . . . (préparer le repas)
7. Avant de partir en voyage, elles . . . (se renseigner)
8. Avant son mariage, elle . . . (avoir un enfant)

L'infinitif passé

The perfect infinitive is formed by using the infinitive of the auxiliary verb (**avoir** or **être**) and the past participle of the verb:

avoir chanté   être revenu   s'être lavé

It is used to indicate anteriority in relation to the conjugated verb. The agreement of the past participle follows the usual rules:

> Il regrette d'avoir acheté cette voiture.
> Cette voiture, je regrette de l'avoir achetée.
> Elle est heureuse d'être venue vous voir.
> Elles se souviennent de s'être promenées dans ce parc pendant leur enfance.

The perfect infinitive must be used after the preposition **après**:

> **Après être rentrés du cinéma, ils ont dîné.**
> After coming back (having come back) from the cinema, they had dinner.
> **Il est allé au lit après avoir mangé.**
> He went to bed after having eaten.

EXERCICES (ORALEMENT)

A. Transformez les phrases d'après le modèle.

> *Modèle:* Je les ai rencontrés. Je ne me rappelle pas cela.
> *Je ne me rappelle pas les avoir rencontrés.*

1. Il a oublié ses clés au motel. Il pense cela.
2. J'ai réussi à l'examen. J'espère cela.
3. Elle s'est mariée trop jeune. Elle regrette cela.
4. Ils ont pris une bonne décision. Ils croient cela.
5. Nous nous sommes dépêchés. Nous sommes contents de cela.
6. Tu as assez mangé. Es-tu sûr(e) de cela?
7. J'ai vu cet homme quelque part. Je me souviens de cela.
8. J'ai attrapé froid. J'ai peur de cela.

B. Complétez les phrases en employant des infinitifs passés.

> *Modèle:* Je suis désolé(e) de . . . .
> *Je suis désolé(e) d'être arrivé(e) en retard.*

1. Je ne crois pas . . . .
2. Je suis certain(e) de . . . .
3. Je regrette de . . . .
4. J'ai peur de . . . .
5. J'espère . . . .
6. Je suis surpris(e) de . . . .
7. Je pense . . . .
8. Je me souviens de . . . .

C. Transformez les phrases d'après le modèle.

> *Modèle:* Il a pris son déjeuner. Ensuite, il est sorti.
> *Il est sorti après avoir pris son déjeuner.*

1. Elle est rentrée de vacances. Ensuite, elle a trouvé un emploi.
2. J'ai dîné dans ce nouveau restaurant. Ensuite, j'ai eu une indigestion.
3. Elle a rencontré Alain. Ensuite, elle s'est séparée de son mari.
4. Parle à tes parents. Ensuite, nous mangerons.

5. Tu finiras tes études. Qu'est-ce que tu feras ensuite?

6. Ils ont acheté un ordinateur. Ensuite, ils ont appris à programmer.

7. Il a perdu son emploi. Ensuite, il s'est mis à boire.

D. Complétez les phrases en employant des infinitifs passés.

> *Modèle:* Le professeur a eu mal à la tête après . . . .
> *Le professeur a eu mal à la tête après avoir lu ma composition.*

1. Il se brosse les dents après . . . .
2. J'ai sommeil après . . . .
3. Elle a décidé de devenir médecin après . . . .
4. Nous avons attrapé un rhume après. . . . .
5. Marc a cessé de fumer après . . . .
6. Ils sont allés au restaurant après . . . .
7. J'ai eu mal à l'estomac après . . . .
8. Nous irons au restaurant après. . . .

Rendre + adjectif

Rendre, not **faire**, is used with an adjective in a causative construction:

Il rend sa femme malheureuse.
He makes his wife unhappy.

Son succès l'a rendu vaniteux.
His success made him vain.

EXERCICE (ORALEMENT)

A. Répondez aux questions:

1. Est-ce que tu rends tes parents malheureux?
2. Est-ce que je vous rends malheureux?
3. Est-ce que les épinards rendent les hommes plus forts?
4. Est-ce que la musique de Vivaldi vous rend tristes ou joyeux?
5. Qu'est-ce qui rend la vaisselle propre?
6. Qu'est-ce qui te rend impatient?

7. Est-ce que l'argent rend les gens arrogants?
8. Qu'est-ce qui rend une femme séduisante?
9. Qu'est-ce qui rend un homme séduisant?
10. Est-ce que l'alcool rend les gens agressifs?
11. Est-ce que le café te rend nerveux(-euse)?
12. Est-ce que les guerres ont rendu les hommes plus sages?
13. Est-ce que l'ordinateur rend certaines tâches plus faciles?

Le verbe irrégulier *valoir*

Although **valoir** may be used in all persons with the meaning of "to be worth", it is most commonly used in the third person singular.

Présent de l'indicatif:	il vaut
Futur:	il vaudra
Participe passé:	valu
Présent du subjonctif:	il vaille

Valoir is used in the expression **il vaut mieux** (it is better), followed either by an infinitive or by **que** + subjunctive:

> Il vaut mieux ne pas s'impatienter: il est toujours en retard.
> Il vaut mieux que nous partions tôt parce qu'il va neiger.
> Il vaudrait mieux que tu t'en ailles, car tu deviens agressif.
> Il vaudrait mieux que tu dormes plutôt que d'aller à la discothèque.
> Il aurait mieux valu que tu ne viennes pas: elle ne veut pas te voir.

It is also used in the expression **ça vaut la peine/ça ne vaut pas la peine** (it is well worth/it is not worth the trouble):

> Ça vaut la peine de suivre ce cours: il est intéressant.
> Ça ne vaut pas la peine que tu ailles voir ce film: il est très mauvais.

Note that these expressions are followed either by **de** + infinitive or by **que** + subjunctive.

EXERCICES (ORALEMENT)

A. Répondez selon le modèle.

> *Modèle:* Je rentrerai à onze heures. (plus tôt)
> *Il vaudrait mieux que tu rentres plus tôt.*

1. Nous irons à Boston en train. (en avion)
2. Elle suivra un cours de chimie. (de mathématiques)
3. Je m'en vais. (attendre)
4. Ils jouent au poker. (faire du sport)
5. Paul partira demain. (tout de suite)

B. Répondez aux questions:

1. Qu'est-ce qu'il vaut mieux faire quand on est trop fatigué pour sortir?
2. Qu'est-ce qu'il vaut mieux faire quand on a la grippe?
3. Quand on doit étudier, est-ce qu'il vaut mieux boire du vin ou du café?
4. Est-ce qu'il vaut mieux prendre des vitamines ou manger des fruits frais?
5. Si tu étais malade, est-ce qu'il vaudrait mieux que tu prennes une aspirine ou que tu ailles à la discothèque?

6. Est-ce qu'il vaudrait mieux éliminer la pollution que de fabriquer des armes nucléaires?

7. Est-ce qu'il vaudrait mieux utiliser l'énergie solaire que le pétrole?

8. Est-ce qu'il aurait mieux valu que tu ne fasses pas d'études universitaires?

9. Est-ce qu'il aurait mieux valu que l'homme ne découvre pas l'énergie nucléaire?

10. Est-ce que ça vaut la peine d'apprendre les mathématiques? le français? l'histoire?

11. Pourquoi est-ce que ça vaut la peine de faire du sport?

12. Pourquoi est-ce que ça ne vaut pas la peine de boire quand on est déprimé?

13. Quand est-ce que ça vaut la peine de regarder la télévision?

14. Combien de fois par an est-ce que ça vaut la peine d'aller chez le dentiste?

Le discours indirect

The difference between direct speech (**discours direct**) and indirect speech (**discours indirect**) is shown in the following two sentences:

> Il m'a dit: "Je suis très occupé aujourd'hui."
> Il m'a dit qu'il était très occupé ce jour-là.

The change from direct to indirect speech entails several modifications. In this particular instance:

> a) the quote becomes a subordinate clause;
> b) the subject of the quote must be changed;
> c) the tense must be changed;
> d) words and expressions of time must change.

From Quote to Subordinate Clause

1) Imperative Sentence

> The imperative is changed to the infinitive form preceded by **de**:
> Il nous dit: "Venez." ⟶ Il nous dit de venir.

2) Declarative Sentence

A declarative sentence is replaced by a subordinate clause introduced by the conjunctive **que**:

> Il dit: "Je téléphonerai." ⟶ Il dit qu'il téléphonera.

3) Interrogative Sentence

> a) A question requiring a "yes" or "no" answer, using **est-ce que** or an equivalent, becomes a subordinate clause introduced by **si** (whether):
> Elle demande: "Vient-il?" ⟶ Elle demande s'il vient.

b) A question beginning with **qu'est-ce qui** is changed to a subordinate clause beginning with **ce qui**:

> Il se demande: "Qu'est-ce qui ⟶ Il se demande ce qui fait ce bruit.
> fait ce bruit?"

c) A question beginning with **que** or **qu'est-ce que** is changed to a subordinate clause beginning with **ce que**:

> Tu me demandes: "Que fait-il?" ⟶ Tu me demandes ce qu'il fait.
> Elle demande: "Qu'est-ce que c'est?" ➤ Elle demande ce que c'est.

d) The other interrogative words (adjectives, pronouns or adverbs) do not change:

> Je me demande <u>quelle</u> heure il est.
> Il demande <u>laquelle</u> j'ai achetée.
> Elle demande <u>avec qui</u> je suis sorti(e).
> Il lui demande <u>pourquoi</u> elle est partie.

Personal Pronouns and Possessive Adjectives

Personal pronouns (subject, direct and indirect objet) and possessive adjectives change in a logical fashion:

Elle dit: "<u>Je</u> viendrai." ⟶ Elle dit qu'<u>elle</u> viendra.
Il me dit: "<u>Tu</u> ne me comprends pas." ⟶ Il me dit que <u>je</u> ne <u>le</u> comprends pas.
Ils demandent: "Où as-<u>tu</u> mis <u>nos</u> livres?" ⟶ Ils demandent où j'ai <u>mis</u> leurs livres.

Changes in Verb Tenses

1) When the verb of the main clause is in the present or the future tense, no change occurs in the subordinate clause:

> Elle nous dit: "J'arrive." ⟶ Elle nous dit qu'elle arrive.
> Elle me dira: "J'ai oublié." ⟶ Elle me dira qu'elle a oublié.

2) If the verb of the main clause is in a past tense (**passé composé**, **imparfait** or **plus-que-parfait**), the following tenses used in quotes must be changed in subordinate clauses:

Direct Speech	*Indirect Speech*
présent	*imparfait*
Elle m'a dit: Il se repose."	Elle m'a dit qu'il se reposait.
passé composé	*plus-que-parfait*
Tu m'as dit: "Il a fait beau."	Tu m'as dit qu'il avait fait beau.
futur	*conditionnel présent*
Elle se demandait: "Où irai-je?"	Elle se demandait où elle irait.
futur antérieur	*conditionnel passé*
J'ai demandé: "Quand auront-ils fini?"	J'ai demandé quand ils auraient fini.

Expressions of Time

When indirect speech is used to report what was said at some point in the past, the following expression of time must change:

Direct Speech	*Indirect Speech*
aujourd'hui	ce jour-là
hier	la veille
demain	le lendemain
ce matin	ce matin-là
ce soir	ce soir-là
cette semaine	cette semaine-là
ce mois-ci	ce mois-là
cette année	cette année-là
la semaine dernière	la semaine précédente
la semaine prochaine	la semaine suivante
l'année dernière	l'année précédente
l'année prochaine	l'année suivante
en ce moment } maintenant	à ce moment-là, alors

EXERCICES (ORALEMENT)

A. Mettez les phrases au discours indirect:

1. Elle a dit: "Venez tout de suite."
2. Il m'a dit: "Apporte un sandwich."
3. Je lui dis: "Fais la vaisselle."
4. Elle nous dit: "Ouvrez vos livres."
5. Il m'a dit: "Parle à tes parents."
6. Je lui dirai: "Oublie tes problèmes."
7. Il leur a conseillé: "Faites votre travail."
8. Tu nous as dit: "Amenez vos amis."

B. Mettez au style indirect. Attention aux pronoms personnels et aux adjectifs possessifs.

1. Il dit: "Je suis venu hier."
2. Elles disent: "Nous allons au magasin."
3. Je te dis: "Je reviendrai demain."
4. Nous lui disons: "Tu as tort."
5. Elle nous dit: "Vous n'arriverez pas à temps."
6. Il nous dit: "Vous ne m'écoutez pas."
7. Il me dit: "Tu me prêteras ta voiture."
8. Je te dis: "Tu m'oublieras."
9. Je dis à Suzanne: "Tu m'oublieras."
10. Elle dit à Pierre: "Tu ne me parles pas assez."
11. Elle dit à ses enfants: "Vous devez m'obéir."
12. Il dit à son ami: "Tu dois me rendre mon stylo."
13. Je dis à Henri: "Tu as oublié de m'apporter mes disques."

C. Mettez les questions suivantes au style indirect en les faisant précéder de "Elle me demande. . . ."

> *Modèle:* Est-ce qu'il pleut?
> *Elle me demande s'il pleut.*

1. Y a-t-il des fruits dans le réfrigérateur?
2. Est-ce que tu as déjà mangé?
3. Viendras-tu avec nous?
4. As-tu terminé ton travail?
5. Est-ce que tu veux emprunter ma voiture?
6. Qu'est-ce qui fait ce bruit?
7. Qu'est-ce qui t'inquiète?
8. Qu'est-ce qui cause ce problème?
9. Qu'est-ce qui te fait peur?
10. Qu'est-ce qu'il cherche?
11. Qu'est-ce que tu fais?
12. Qu'est-ce que tu veux manger?
13. Qu'as-tu trouvé?
14. Que feras-tu?
15. Qu'est-ce que tu voudrais?
16. Où iras-tu?

17. Pourquoi as-tu acheté cette voiture?
18. Quel cours est-ce que tu suis?
19. Comment a-t-il fait pour réussir?
20. Combien vaut cette voiture?

D. Mettez les phrases suivantes au style indirect en effectuant les changements de temps nécessaires.

> *Modèle:* Alain m'a dit. . . .
> J'ai beaucoup de travail
> *Alain m'a dit qu'il avait beaucoup de travail.*

1. Il va neiger.
2. Je vais à la bibliothèque.
3. Je pars en vacances.
4. Je ne peux pas venir.
5. Tu es trop nerveux(-euse).
6. Nous devons partir.

> *Modèle:* Hélène m'a demandé . . . .

7. Veux-tu du café?
8. Est-ce que tu as quelque chose à faire?
9. Qu'est-ce qui te rend nerveux?
10. Qu'est-ce que tu regardes?
11. Que fais-tu?
12. Pourquoi fais-tu du sport?

> *Modèle:* Je jui ai répondu . . . .

13. Je suis allé(e) à Rome.
14. Je me suis promené(e) dans le parc.
15. J'ai étudié toute la journée.
16. J'ai réussi à mon examen.
17. Nous t'avons attendu(e).

Modèle: Je lui ai demandé . . . .

18. Où es-tu allé(e)?
19. Qu'est-ce que tu as fait?
20. Pourquoi as-tu abandonné tes études?

21. As-tu déjà déjeuné?
22. Qu'est-ce qui t'a rendue triste?

Modèle: Elle lui a demandé . . . .

23. Quand arriveras-tu?
24. Qu'est-ce que tu feras?
25. A quelle heure rentreras-tu?

26. Quand termineras-tu ton travail?
27. Seras-tu à la maison à onze heures?

Modèle: Il lui a répondu . . . .

28. Nous te téléphonerons.
29. L'opération durera dix minutes.
30. Je prendrai le train de huit heures.

31. Nous irons faire du ski.
32. Ils seront en retard.

Modèle: Nous lui avons dit . . . .

33. Nous aurons fini avant cinq heures.
34. Nous te téléphonerons quand nous aurons dîné.
35. Nous viendrons te voir quand tu seras revenu(e).

36. Nous t'écrirons dès que nous serons arrivé(e)s.
37. Nous ferons du ski aussitôt que les cours seront finis.

E. Mettez les phrases au style indirect. Changez les expressions de temps.

Modèle: La semaine dernière, j'ai rencontré Violette. Elle m'a demandé . . .

1. Qu'est-ce que tu fais ce soir?
2. Est-ce que tu seras libre demain?

3. Es-tu allé(e) danser hier?
4. Vas-tu à l'université aujourd'hui?

Modèle: Je lui ai répondu . . . .

5. Je joue au football ce matin.
6. Je vais à la discothèque ce soir.
7. Je suis allé(e) au concert hier.

8. Je suis occupé(e) cet après-midi.
9. En ce moment, je n'ai pas le temps.

EXERCICES ECRITS

➤➤➤➤➤➤➤

A. Mettez les verbes entre parenthèses au plus-que-parfait:

1. Je suis allé(e) voir le film d'épouvante dont tu me (parler).
2. Nous sommes retournés au restaurant où vous nous (amener).
3. Jean nous a raconté ce qu'il (faire) pendant ses vacances.

4. Comme elle (être) malade, elle devait se reposer.
5. Il a échoué à l'examen parce qu'il (ne pas travailler).

B. Transformez les phrases d'après le modèle. Remplacez les mots soulignés par un pronom.

>*Modèle:* Je ne me souviens pas de cela: j'ai rencontré <u>cette jeune femme</u>.
>   *Je ne me souviens pas de l'avoir rencontrée.*

1. Je crois cela: j'ai oublié <u>mes clés</u> chez vous.
2. Elle pensait cela: elle avait bien répondu <u>aux questions</u>.
3. Nous sommes désolés de cela: <u>nous sommes arrivés en retard</u>.
4. Elle est contente de cela: elle a acheté <u>une nouvelle robe</u>.
5. J'espère cela: j'ai trouvé <u>la bonne solution</u>.

C. Transformez les phrases selon le modèle.

>*Modèle:* J'ai travaillé dans le jardin. Ensuite, j'ai pris une douche.
>   *J'ai pris une douche après avoir travaillé dans le jardin.*

1. Ma soeur s'est mariée. Ensuite, elle est devenue pilote.
2. Tu feras la vaisselle. Ensuite, tu pourras regarder la télé.
3. Le médecin m'a examiné. Ensuite, il m'a conseillé de faire de l'exercice.
4. Il est allé à la bibliothèque. Ensuite, il est rentré chez lui.

D. Transformez les phrases d'après le modèle.

>*Modèle:* Les gens deviennent déprimés. (l'inactivité)
>   *L'inactivité rend les gens déprimés.*

1. Je suis devenu(e) prudent(e). (cet accident)
2. Les gens deviennent paresseux. (trop de confort)
3. Pierre devient désagréable. (l'alcool)
4. Elle devenait ridicule. (son snobisme)
5. Vous devenez très élégante. (ces) vêtements

E. Répondez aux questions par des phrases complètes:

1. Est-ce que ça vaut la peine de faire du sport régulièrement?
2. Pourquoi est-ce que ça vaut la peine que tu finisses tes études?
3. Combien d'heures vaut-il mieux que tu dormes pour être en forme?
4. Est-ce qu'il vaut mieux prendre un café ou prendre une aspirine quand on a mal à la tête?

F. Mettez les phrases suivantes au discours indirect:

1. Julien m'a dit: "Ne m'attends pas."
2. Il m'a demandé: "Qu'est-ce que tu as fait hier?
3. Je lui ai dit: "Tu me dois cinquante dollars."
4. Elle m'a répondu: "Je suis allée à mon cours ce matin."
5. Micheline nous a raconté: "J'ai visité le Japon le mois dernier."
6. Nous lui avons demandé: "Quand passeras-tu ton examen?"
7. Ils m'ont dit: "Nous serons déjà partis quand tu reviendras."
8. Il y a un mois, je lui ai dit: "Aujourd'hui, je vais voir ma grand-mère."
9. Tu lui as répondu: "Tu dois me rendre mon livre demain."
10. Je lui ai demandé: "Sais-tu où se trouve mon stylo?"

LECTURE

Le club des déprimés

The author, Clémence Desrochers, is well known in Quebec as a performer of comic monologues.

Un soir que le sommeil se faisait désirer
M'est venue une idée tout simplement géniale
Je vais fonder un club pour les gens déprimés
Soyons de notre temps, exploitons le grand mal
 (J'espère pour mon succès que vous allez très mal,
Que vous êtes des cas — j'en suis un beau moi-même),
Nous mettrons en commun nos troubles et nos problèmes
Ceux de la femme de poids, des maigres enragées
Ceux qui suivent des cours de personnalité
Les jeunes hommes chauves et les dames poilues
Les filles trop jolies, les poètes déçus
Les dames désoeuvrées des cercles littéraires
Enfin tous ceux qui restent au pays en hiver.
Je tiendrai réunion aux heures les plus sombres
Je vous espérerai déprimés en grand nombre.
Prière de s'abstenir lorsque pétant de joie
Ne pas venir jeter le doute sur nos croix.
Nous publierons un livre: Douleurs en statistiques,
Si tout va de travers, nous ferons même un disque
Dont j'ai déjà trouvé le titre des chansons:
— Comment perdre un ami en quatorze leçons.
— Comment bien mesurer le seuil de sa douleur.
— J'ai vécu en un an cent-vingt-et-un malheurs.

— Vingt cauchemars en une nuit. La R des Somnifères.
— Tout le monde m'en vaut. Et j'passerai pas l'hiver.
Nous aurons des octrois au plus grand Déprimé
Nous vendrons nos malheurs aux Nouvelles Illustrées
Peut-être des émissions de T.V. en série
Quoique de ce côté, nous soyons bien servis.
Le club nous attendra aux heures les plus noires
Comme vient un AA et son envie de boire
J'organise le tout, je trouve le local
Et je suis assurée que tout ira très mal!

(Extrait de: Clémence Desrochers, *Sur un radeau d'enfant*, Leméac, 1969)

cas: être un —	to be a complicated "case"	**poids** (m.)	weight
chauve	bald	**poilu(e)**	hairy
commun: mettre en —	to share	**prière de s'abstenir**	please don't come
côté: de ce —	in this regard	**réunion: tenir (une) —**	to hold a meeting
croix (f.)	cross	**travers: aller de —**	to be going wrong
désoeuvré(e)	idle	**série: en**	serial
émission (f.)	broadcast	**servi: être bien**	to get more than enough
enragé(e)	fanatic		
envie (f.)	craving	**seuil** (m.)	threshold
fonder un club	to start a club	**sombre**	dark
génial(e)	inspired	**somnifère** (m.)	sleeping pill
littéraire	literary	**temps: être de son —**	to keep up with the times
local (m.)	premises, place, room	**titre** (m.)	title
maigre	skinny	**tout: le —**	the whole thing
mal (m.)	sickness, sorrow	**vouloir: en — à**	to hold a grudge against
octroi (m.)	grant		
passer	to get through		
pétant(e) de joie	bursting with joy		

QUESTIONS

1. Quelle idée est venue à l'auteure? Dans quelles circonstances?
2. Quel est le "grand mal" de notre temps?
3. Qu'est-ce que l'auteure espère et pourquoi?
4. Que vont faire les gens dans le club?
5. Quelles sont les catégories de gens déprimés? Pourquoi cette énumération est-elle amusante?
6. Quand se tiendront les réunions?
7. Qui doit s'abstenir de venir aux réunions et pourquoi?

8. Quels sont les projets de l'auteure?
9. Qu'est-ce qui est comique dans les titres des chansons?
10. Que recevra le plus grand Déprimé?
11. Expliquez: "Quoique de ce côté, nous soyons bien servis".
12. A quoi l'auteure compare-t-elle les réunions du club?
13. De quoi l'auteure est-elle sûre?
14. De qui et de quoi l'auteure se moque-t-elle dans ce texte?

SITUATIONS / CONVERSATIONS

1. Un(e) ami(e) vous a raconté comment il/elle avait passé sa fin de semaine. Répétez ce qu'il/elle vous a dit en employant le style indirect.

2. Dites ce que vous êtes heureux(-euse) d'avoir fait dans votre vie jusqu'à présent; dites ce que vous regrettez de ne pas avoir fait. Employez des infinitifs passés.

3. En général, qu'est-ce qui vous rend triste, gai(e), enthousiaste, nerveux(-euse), mélancolique, etc.? Posez des questions et répondez-y.

4. Avez-vous le sens de l'humour? Qu'est-ce que cela signifie pour vous?

5. Racontez une plaisanterie à tour de rôle.

6. Vous êtes déprimé(e) (Charlie Brown). Vous allez consulter un(e) psychologue (Lucy). Racontez-lui vos malheurs. L'étudiant(e) qui joue le rôle du (de la) psychologue donne des recettes contre la dépression.

COMPOSITIONS

1. Faites votre auto-portrait en décrivant les humeurs qui vous caractérisent et dites à quelles situations ces humeurs sont associées.

2. Qu'est-ce qui vous fait rire? Donnez des exemples.

PRONONCIATION

(This exercise is at the end of Leçon 21 on the tape.)

Liaisons interdites et liaisons obligatoires

As mentioned in Chapter 2, **liaison** is optional in many instances. It is however important to remember particular instances when it must never be made (**liaisons interdites**) and when it must always occur (**liaisons obligatoires**).

Liaisons interdites
Do not make a **liaison**
— between two rhythmic groups:

> Mes amis / ont faim.   Je pars / en train.
> Les enfants / arrivent.   Peu de gens / étaient là.

— with a word beginning with an aspirate **h**:

> très / haut   des / homards   les / harpons

— with the **t** of **et** and the following word:

> nous et / eux   il part et / elle arrive

— between the pronouns **ils** and **elles** and the past participle in a question with inversion:

> Sont-ils / arrivés?   Ont-elles / écouté?

Liaisons obligatoires
Always link
— a determiner and a noun or adjective:

> les oranges   tes idées   les autres cours
> des arbres   ses achats   mes anciens cours
> deux autos   quelques oeufs   plusieurs autres cours
> trois arbres   plusieurs autos   leurs anciennes maisons

— an adjective and the noun following it:

> de vieux arbres   d'anciens amis
> de beaux enfants   les vieilles églises

— a subject or object pronoun and a verb:

> nous avons   ils écoutaient   ils ont fini
> vous aimez   elles adorent   elles ont mangé
> je les aime   tu les écoutes   il vous admire

— a verb and a subject pronoun (or **y** and **en**) following it (in a question with inversion or in the imperative):

> Part-il?   Chantaient-ils?   Prends-en.
> Attend-elle?   Parleront-elles?   Allez-y.

— the adverbs **très, plus**, **moins** and the adjectives or verbs they modify:

> très élégant   plus âgé   moins actif
> J'ai moins aimé ce cours.

— monosyllabic prepositions and the following article, noun or pronoun:

chez elles   sans eux   en Italie
dans une chambre   sous une table

— the conjunction **quand** and the following pronoun:

quand elle arrive   quand il reviendra

Chapitre vingt-deux

Les droits de la personne

VOCABULAIRE UTILE

aide (f.)	help	**droit: avoir — à**	to have a right to
biens (m.pl.)	possessions, property	**droit: exercer un —**	to exercise a right
citoyen, enne	citizen	**égalité** (f.)	equality
conscience (f.)	conscience	**honneur** (m.)	honor
consentement (m.)	consent	**intégrité** (f.)	inviolability
démocratie (f.)	democracy	**liberté** (f.)	freedom
dignité (f.)	dignity	**libre**	free
discrimination (f.)	discrimination	**minorité ethnique** (f.)	ethnic minority

obligation (f.)	duty, obligation	**secret profes-**	professional
politique (f.)	politics	**sionnel** (m.)	secrecy
politique	political	**societé** (f.)	society
respect (f.)	respect	**sûreté** (f.)	personal security
responsabilité (f.)	responsibility	**tenu(e): être — de**	to be bound to
responsable	responsible	**valeur** (f.)	value
réunion (f.)	assembly, meeting	**vie privée** (f.)	private life
secours (m.)	aid, assistance		

GRAMMAIRE ET EXERCICES ORAUX

➤➤➤➤➤➤➤

Le subjonctif passé

The past subjunctive is formed by using the present subjunctive of **avoir** or **être** and the past participle of the verb.

aimer

j'	aie aimé		nous	ayons aimé
tu	aies aimé		vous	ayez aimé
il/elle/on	ait aimé		ils/elles	aient aimé

venir

je	sois venu(e)		nous	soyons venu(e)s
tu	sois venu(e)		vous	soyez venu(e)(s)
il/on	soit venu		ils	soient venus
elle	soit venue		elles	soient venues

s'habiller

je	me sois habillé(e)		nous	nous soyons habillé(e)s
tu	te sois habillé(e)		vous	vous soyez habillé(e)(s)
il/on	se soit habillé		ils	se soient habillés
elle	se soit habillée		elles	se soient habillées

While the present subjunctive indicates *simultaneity* or *posteriority* in relation to the action described by the verb in the main clause, the past subjunctive indicates *anteriority*. Compare the following examples:

1) the verb in the main clause is in the present tense:

Je suis heureux(-euse) que tu <u>sois</u> ici. (simultaneity)
Je veux que tu <u>viennes</u> demain. (posteriority)
Je regrette que tu ne <u>sois</u> pas <u>venu(e)</u> hier. (anteriority)

2) the verb in the main clause is in a past tense:

> Il était content que nous <u>soyons</u> avec lui. (simultaneity)
> Il est parti avant que nous <u>arrivions.</u> (posteriority)
> Il a réussi à l'examen bien qu'il n'<u>ait</u> pas beaucoup <u>étudié</u>. (anteriority)

3) the verb in the main clause is in the future tense (or the **futur antérieur**):

> Nous ferons ce travail sans que vous nous <u>aidiez</u>. (simultaneity)
> J'aurai fini avant que vous <u>arriviez</u>. (posteriority)
> Il sera triste que tu ne <u>sois</u> pas <u>allé(e)</u> le voir. (anteriority)

Remember that the infinitive construction replaces the subjunctive when the subject of the subordinate clause in the subjunctive would refer to the same person or thing as the subject of the main clause. The past subjunctive is replaced by the past infinitive form:

> Il est content de <u>t'avoir vu(e)</u>.
> Je regrette d'<u>être venu(e)</u>.
> Elle est morte sans <u>avoir connu</u> son petit-fils.
> Vous réussirez à condition d'<u>avoir travaillé</u>.

EXERCICES (ORALEMENT)

A. Répondez selon le modèle.

> *Modèle:* Est-ce qu'il a pris l'avion?
> *Je ne crois pas qu'il ait pris l'avion.*

1. Est-ce qu'ils sont partis?
2. Est-ce qu'il a bu du cognac?
3. Est-ce qu'elles sont rentrées?
4. Est-ce qu'elle s'est maquillée?
5. Est-ce qu'ils ont menti?
6. Est-ce que Richard est devenu avocat?
7. Est-ce qu'Hélène a mangé?
8. Est-ce qu'ils se sont rendu compte de leur erreur?

B. Répondez selon le modèle.

> *Modèle:* Il a déjà conduit une moto. (je doute)
> *Je doute qu'il ait déjà conduit une moto.*

1. Il est parti en Afrique. (il est possible)
2. Ils se sont parlé au téléphone. (je ne pense pas)
3. Nous avons attendu trop longtemps. (j'ai peur)
4. Tu as assez réfléchi. (je doute)
5. Vous êtes allés voir ce film. (je suis content(e))
6. Nous nous sommes parlé. (je suis heureux(-euse))
7. Vous avez trop bu. (il est regrettable)
8. Tu es resté(e) à l'université. (je suis surpris(e))

C. Subjonctif présent ou subjonctif passé? Employez le temps qui convient:

1. Il est parti avant que nous (arriver).
2. Je regrette que tu ne (pouvoir) pas venir dimanche dernier.
3. Bien qu'elle (être) malade la semaine dernière, elle a remis sa composition au professeur ce matin.
4. J'ai attendu jusqu'à ce que vous me (téléphoner).
5. Après leur séparation, il était triste que sa femme (vouloir) le quitter.
6. Je lui avais prêté de l'argent pour qu'il (pouvoir) acheter un ordinateur.

D. Transformez les phrases selon le modèle.

> *Modèle:* Je suis désolé(e). Je vous ai fait attendre.
> *Je suis désolé(e) de vous avoir fait attendre.*

1. Je suis heureux(-euse). J'ai réussi.
2. Nous sommes contents. Nous vous avons vus.
3. Il était triste. Il n'avait pas pu nous voir.
4. Elle regrettait. Elle n'était pas sortie avec nous.
5. Je ne pensais pas. J'avais fait des progrès.
6. Il a eu peur. Il avait fait une erreur.

E. Transformez les phrases selon le modèle.

> *Modèle:* Tu réussiras. Tu auras fait des progrès. (à condition de)
> *Tu réussiras à condition d'avoir fait des progrès.*

1. Robert part. Il a averti ses parents. (sans)
2. J'ai pris une décision. J'avais beaucoup réfléchi. (sans)
3. Les enfants peuvent regarder la télévision. Ils ont terminé leurs devoirs. (à condition de)
4. Il arrivera bientôt. Il aura oublié notre rendez-vous. (à moins de)

Le verbe *manquer*

Manquer is a regular **-er** verb with two* distinct uses:

1) **manquer** + direct object means "to miss":

> **J'ai manqué le train.** I missed the train.
> **Tu as manqué un bon film à la télé.** You have missed a good movie on TV.

> * A third use of **manquer** is with an indirect object, with the meaning of "to miss (someone)", in a construction which is the reverse of the English one. For instance, "I miss you" corresponds to **"Tu me manques"**, where **me** is the indirect object. In Quebec, however, another construction is used to express the same meaning: **s'ennuyer de quelqu'un**. For instance, **"Je m'ennuie de toi"** would correspond to "I miss you".

> **Il vient de manquer
> l'autobus.**

He has just missed
the bus.

2) **manquer de** means "to lack" "not to have enough":

> **Il manque de talent.**
> **Je manque de farine pour
> faire un gâteau.**

He lacks talent.
I do not have enough
flour to make a cake.

EXERCICES (ORALEMENT)

A. Répondez selon le modèle.

> *Modèle:* As-tu entendu ce concert?
> *Non, je l'ai manqué.*

1. A-t-il pris le train de 11h40?
2. As-tu eu le temps de prendre l'autobus?
3. Avez-vous vu ce film?
4. As-tu pu voir tes amis quand ils sont venus?

B. Répondez selon le modèle.

> *Modèle:* A-t-il assez d'argent?
> *Non, il manque d'argent.*

1. As-tu assez de temps pour terminer ton travail?
2. A-t-elle assez d'ambition pour devenir avocate?
3. Est-ce que les gens ont assez de nourriture dans ce pays?
4. A-t-il assez d'initiative pour prendre des décisions?
5. Avons-nous assez de vin pour tous ces invités?

Le verbe irrégulier *fuir*

Présent de l'indicatif

je	fuis	nous	fuyons
tu	fuis	vous	fuyez
il/elle/on	fuit	ils/elles	fuient

Participe passé:
fui

Futur:
je fuirai

Subjonctif présent: fuie, fuies, fuie, fuyions, fuyiez, fuient

Fuir means "to flee" and **s'enfuir de** means "to run away from".

> Pierre fuit les responsabilités.
>
> Ces immigrants ont fui la guerre.

> Le criminel s'est enfui avant que la police arrive.
> Trop d'adolescents s'enfuient de chez eux.

EXERCICE (ORALEMENT)

Répondez aux questions.

1. Est-ce que tu fuis tes responsabilités?
2. As-tu quelquefois envie de fuir la réalité? Quand?
3. Quel genre de personnes est-ce que tu fuis?
4. Où les gens fuiraient-ils s'il y avait une guerre nucléaire?
5. T'es-tu parfois enfui(e) de chez toi quand tu étais enfant?
6. Trouves-tu que le temps fuit trop vite?
7. Avec qui t'enfuirais-tu pour aller sur une île déserte?
8. Est-ce que les écureuils s'enfuient quand on veut les toucher?

Les verbes irréguliers en -*indre*

Atteindre (to reach), **craindre** (to fear), **peindre** (to paint) and **se plaindre** (to complain) are all irregular verbs conjugated on the same pattern.

Présent de l'indicatif

	craindre	**peindre**
je	crains	peins
tu	crains	peins
il/elle/on	craint	peint
nous	craignons	peignons
vous	craignez	peignez
ils/elles	craignent	peignent

Participes passés: craint, peint
Futur: je craindrai, je peindrai
The present subjunctive is regular.

Exemples:

Je crains de m'être trompé. (+ **de** + infinitive)
Il craignait que nous ne l'attendions pas. (+ subjunctive)
Jean-Paul Riopelle a beaucoup peint.
Je repeindrai la maison au printemps.
On a atteint le sommet de l'Everest.
Est-ce que le gouvernement atteindra ses objectifs?

Il s'est plaint au directeur.
Elle se plaignait d'avoir mal à la tête (+ **de** + infinitive)
Il se plaint d'un mal de tête continuel. (+ **de** + noun)

EXERCICES (ORALEMENT)

A. Remplacez le sujet par les mots entre parenthèses:

1. Il atteint toujours ses objectifs. (je, nous, vous, ils)
2. Elle peint surtout des paysages. (ces peintres, vous, je)
3. Tu te plains trop. (Pierre, vous, vos amis)
4. Nous craignons la guerre. (je, vous, elle, les jeunes)
5. Elle se plaignait du bruit. (je, nous, les étudiants)
6. J'atteindrai mon objectif. (vous, tu, nous)

B. Répondez aux questions:

1. Est-ce que tu crains la guerre nucléaire?
2. Est-ce que tu crains de ne pas trouver d'emploi?
3. Est-ce que tu craignais d'être seul(e) quand tu étais enfant?
4. Qu'est-ce que tu crains le plus?
5. Est-ce que les sculpteurs peignent?
6. Qui a peint la Joconde (Mona Lisa)?
7. Y a-t-il des gens qui se peignent le visage?
8. Est-ce que tu as déjà repeint une maison?
9. Qui a atteint le premier le sommet de l'Everest?
10. Est-ce que tu atteins toujours tes objectifs?
11. Est-ce que tes parents se plaignent de toi?
12. Est-ce que tu te plains de tes professeurs?

13. Est-ce que tu te plains d'avoir trop de travail?
14. A qui te plaindras-tu si tu as de mauvaises notes?

EXERCICES ECRITS

A. Mettez les verbes entre parenthèses au subjonctif passé:

1. Bien qu'il (faire) des progrès en mathématiques, il n'a pas réussi à l'examen.
2. Je regrette qu'elle (ne pas s'entendre) avec lui.
3. Il est possible qu'elles (revenir) en train.
4. Je doute qu'ils (téléphoner).
5. Elle regrette que nous (s'inquiéter).
6. Il était surpris qu'elle (rentrer) avant minuit.
7. Je lui téléphonerai à moins qu'elle (partir) déjà.

B. Refaites les phrases selon le modèle. Employez le temps du subjonctif qui convient (présent ou passé) dans la subordonnée.

Modèle: Je suis sûr(e) qu'il est venu. (je doute)
      Je doute qu'il soit venu.

1. J'espère qu'il viendra. (il est possible)
2. Je savais que tu avais acheté une nouvelle voiture. (je ne pensais pas)
3. Nous pensons qu'elle est repartie à Montréal. (nous sommes contents)
4. Je crois qu'il est malade. (je ne crois pas)
5. Je pense qu'elle n'a pas réussi à l'examen. (j'ai peur)
6. Il est certain qu'il a du talent. (il n'est pas impossible)
7. Il a cru qu'elle était déjà partie. (il a eu peur)

C. Refaites les phrases suivantes en employant le verbe *manquer (de)*:

1. Il n'a pas assez d'argent pour poursuivre ses études.
2. Je n'ai pas pu voir ce film parce que j'étais trop occupé(e).
3. Je devais prendre le train, mais quand je suis arrivé(e) à la gare, il était déjà parti.
4. Je n'aime pas le camping parce qu'on n'a pas assez de confort.

D. Mettez les verbes *fuir* et *s'enfuir* au temps et au mode qui conviennent:

1. Il (fuir) toujours les responsabilités.
2. Quand elle était enfant, elle (s'enfuir) souvent de chez elle.
3. S'il y avait une guerre ici, il (s'enfuir) pour aller dans un autre pays.
4. Je suis désolé(e) que ton chien (s'enfuir) hier et ne soit pas revenu.
5. Ne (fuir) pas les efforts que vous devez faire pour réussir.
6. Nous sommes venus vivre à la campagne il y a cinq ans: nous (fuir) la ville et la pollution.

E. Mettez les verbes entre parenthèses au temps et au mode qui conviennent:

1. Tout le monde (craindre) d'aller chez le dentiste.
2. Quand il est devenu architecte, il (atteindre) son objectif.
3. Si le professeur me donne une mauvaise note, je (se plaindre).
4. Si tu (peindre) ta chambre en blanc, elle serait plus jolie.
5. Il est possible que vous (craindre) des choses qui n'existent pas.
6. Chaque fois que vous avez un peu de travail, vous (se plaindre)!
7. Si j'avais du talent, je (peindre).
8. Si elle (se plaindre) d'un mal de tête, tu lui donneras une aspirine.

LECTURE

>>>>>>>>

Charte des droits et libertés de la personne (Québec)

Partie I – Chapitre I

Libertés et droits fondamentaux

1. Tout être humain a droit à la vie, ainsi qu'à la sûreté, à l'intégrité et à la liberté de sa personne.

Il possède également la personnalité juridique.

2. Tout être humain dont la vie est en péril a droit au secours.

Toute personne droit porter secours à celui dont la vie est en péril, personnellement ou en obtenant du secours, en lui apportant l'aide physique nécessaire et immédiate, à moins d'un risque pour elle ou pour les tiers ou d'un autre motif raisonnable.

3. Toute personne est titulaire des libertés fondamentales telles la liberté de conscience, la liberté de religion, la liberté d'opinion, la liberté d'expression, la liberté de réunion pacifique et la liberté d'association.

4. Toute personne a droit à la sauvegarde de sa dignité, de son honneur et de sa réputation.

5. Toute personne a droit au respect de sa vie privée.

6. Toute personne a droit à la jouissance paisible et à la libre disposition de ses biens, sauf dans la mesure prévue par la loi.

7. La demeure est inviolable.

8. Nul ne peut pénétrer chez autrui ni y prendre quoi que ce soit sans son consentement exprès ou tacite.

9. Chacun a droit au respect du secret professionnel.

Toute personne tenue par la loi au secret professionnel et tout prêtre ou autre ministre du culte ne peuvent, même en justice, divulguer les renseignements confidentiels qui leur ont été révélés en raison de leur état ou profession, à moins qu'ils n'y soient autorisés par celui qui leur à fait ces confidences ou par une disposition expresse de la loi.

Le tribunal doit, d'office, assurer le respect du secret professionnel.

9.1. Les libertés et droits fondamentaux s'exercent dans le respect des valeurs démocratiques, de l'ordre public et du bien-être général des citoyens du Québec.

La loi peut, à cet égard, en fixer la portée et en aménager l'exercice[1].

1. *In this respect, the scope of the freedoms and rights, and limits to their exercise, may be fixed by law.*

assurer	to ensure	**pénétrer**	to enter
autrui	another, others	**péril: en —**	in peril, in danger
bien-être (m.)	well-being	**personnalité**	juridical
demeure (f.)	residence, home	**juridique** (f.)	personality
disposition (f.)	clause	**porter secours à**	to come to the
divulguer	to disclose		aid of
état (m.)	position	**prêtre** (m.)	priest
être (m.)	being	**prévu par la loi**	provided by
exprès	express		the law
jouissance (f.)	enjoyment	**quoi que ce soit**	anything
justice: en —	in judicial	**raison: en — de**	by reason of
	proceedings	**renseigne-**	information
mesure: dans	to the extent	**ments** (m.pl.)	
la —		**risque** (m.)	risk, danger
ministre du	minister of	**sauf**	except
culte (m.)	religion	**sauvegarde** (f.)	safeguard
motif raison-	valid reason	**tacite**	implied
nable (m.)		**tel, telle**	such as
ordre public (m.)	public order	**tiers**	third party
pacifique	peaceful		or person
paisible	peaceful	**titulaire**	possessor
		tout, toute	any

QUESTIONS

1. Quels sont les quatre droits fondamentaux?
2. Pourquoi emploie-t-on "être humain" plutôt que le mot "homme"?
3. Pourquoi est-il important de posséder la "personnalité juridique"?
4. Quand a-t-on droit au secours? Quelle obligation ce droit entraîne-t-il pour autrui? Imaginez des situations qui correspondent à ce droit et à cette obligation.
5. Précisez les distinctions entre liberté de conscience et liberté d'opinion, liberté d'opinion et liberté d'expression, liberté de réunion pacifique et liberté d'association.

6. Que signifie concrètement le respect de la vie privée?
7. Contre quelles intrusions le paragraphe 7 est-il une protection?
8. Quelles sont les catégories de personnes qui sont tenues au secret professionnel?
9. Quelles sont les limites à l'intérieur desquelles les libertés et droits fondamentaux peuvent s'exercer?

SITUATIONS / CONVERSATIONS

1. Parmi les libertés fondamentales, y en a-t-il qui vous semblent plus importantes que d'autres?

2. Imaginez des situations dans lesquelles vous sentiriez des menaces peser sur 1) votre vie privée; 2) votre réputation; 3) votre liberté d'expression.

3. A part une charte ou une constitution, qu'est-ce qu'il faut pour garantir le respect des droits et libertés de la personne?

4. Existe-t-il dans notre société des catégories de personnes dont les droits et libertés sont menacés?

5. Quel est le plus beau cadeau que vous ayez reçu de votre vie? Quel âge aviez-vous? Qui vous l'a offert? En quelle occasion?

6. Quand vous étiez enfant, quelles sont les choses que vous craigniez le plus?

7. Racontez l'expérience la plus amusante (ou la plus embarrassante) que vous ayez vécue.

COMPOSITIONS

1. Vous sentez-vous libre en toutes occasions? Que signifie la liberté pour vous?

2. Faut-il priver d'aide économique les pays où les droits de la personne ne sont pas respectés?

PRONONCIATION
(This exercise is at the end of Leçon 22 on the tape.)

Les groupes figés

I. When two unstable **es** (/ ə /) follow each other at the beginning of a rhythmic group, it is sometimes possible to pronounce either the first or the second one:

je l¢ fais	or	j¢ le fais
ne m¢ parle pas	or	n¢ me parle pas
je r¢pars	or	j¢ repars

II. Fixed groups (**groupes figés**) are those which are always pronounced in the same way.

1) <u>je n∅</u>

Je n∅ parle pas.
Je n∅ chante pas.
Je n∅ sais pas.
Je n∅ peux pas.
Je n∅ veux pas.

Je n∅ l'ai pas fait.
Je n∅ l'ai pas pris.
Je n∅ l'ai pas cassé.
Je n∅ l'ai pas fini.
Je n∅ l'ai pas rendu.

2) <u>de n∅</u>

Il m'a dit de n∅ pas boire.
Il m'a dit de n∅ pas parler.
Il m'a dit de n∅ pas partir.
Il me demande de n∅ pas manger.
Elle essaie de n∅ plus fumer.

J'ai décidé de n∅ pas rentrer.
Il a choisi de n∅ pas venir.
Elle m'accuse de n∅ pas travailler.
Je suis sûr(e) de n∅ pas réussir.
Je m'excuse de n∅ pas comprendre.

3) <u>j∅ te</u>

J∅ te vois.
J∅ te comprends.
J∅ te regarde.
J∅ te parle.
J∅ te crois.

J∅ te ramènerai.
J∅ te téléphonerai.
J∅ te conduirai.
J∅ te répondrai.
J∅ te punirai.

4) <u>c∅ que</u>

Dis-moi c∅ que tu fais.
Dis-moi c∅ que tu veux.
Il fait c∅ que nous voulons
Je comprends c∅ que tu dis.
Elle demande c∅ que vous faites.

Fais c∅ que tu veux.
Prends c∅ que tu peux.
Répète c∅ que tu dis.
Dis c∅ que tu penses.
Regarde c∅ que tu fais.

LA CONJUGAISON DES VERBES
➤➤➤➤➤➤➤

A. Les verbes réguliers des trois groupes

	Verbes en -er	Verbes en -ir	Verbes en -re
INFINITIF	**parler**	**finir**	**attendre**
PARTICIPES			
Passé	parlé	fini	attendu
Présent	parlant	finissant	attendant
INDICATIF			
Présent	parle	finis	attends
	parles	finis	attends
	parle	finit	attend
	parlons	finissons	attendons
	parlez	finissez	attendez
	parlent	finissent	attendent
Imparfait	parlais	finissais	attendais
	parlais	finissais	attendais
	parlait	finissait	attendait
	parlions	finissions	attendions
	parliez	finissiez	attendiez
	parlaient	finissaient	attendaient
Futur	parlerai	finirai	attendrai
	parleras	finiras	attendras
	parlera	finira	attendra
	parlerons	finirons	attendrons
	parlerez	finirez	attendrez
	parleront	finiront	attendront
Passé composé	ai parlé	ai fini	ai attendu
Plus-que-parfait	avais parlé	avais fini	avais attendu
Futur antérieur	aurai parlé	aurai fini	aurai attendu
IMPERATIF	parle	finis	attends
	parlons	finissons	attendons
	parlez	finissez	attendez

CONDITIONNEL

Présent	parlerais	finirais	attendrais
	parlerais	finirais	attendrais
	parlerait	finirait	attendrait
	parlerions	finirions	attendrions
	parleriez	finiriez	attendriez
	parleraient	finiraient	attendraient
Passé	aurais parlé	aurais fini	aurais attendu

SUBJONCTIF

Présent	parle	finisse	attende
	parles	finisses	attendes
	parle	finisse	attende
	parlions	finissions	attendions
	parliez	finissiez	attendiez
	parlent	finissent	attendent
Passé	aie parlé	aie fini	aie attendu

B. Verbes dont l'orthographe varie

1) Les verbes comme **acheter** (**amener, emmener, lever, mener, promener**): le **e** qui précède la consonne devient **è** quand la consonne est suivie d'un **e muet**.

PARTICIPES
Présent/Passé   achetant/acheté

INDICATIF
Présent   achète, achètes, achète,
                 achetons, achetez, achètent

Imparfait   achetais, etc.

Futur   achèterai, etc.

CONDITIONNEL
Présent   achèterais, etc.

SUBJONCTIF
Présent   achète, achètes, achète,
                 achetions, achetiez, achètent

2) Les verbes comme **espérer** (**inquiéter, précéder, préférer, répéter**): le **é** qui précède la consonne devient **è** quand la consonne est suivie d'un **e caduc**, sauf au future et au conditionnel présent.

PARTICIPES
Présent/Passé   espérant/espéré

INDICATIF
Présent   espère, espères, espère,
espérons, espérez, espèrent

Imparfait   espérais, etc.

Futur   espérerai, espéreras, espérera,
espérerons, espérerez, espéreront

CONDITIONNEL
Présent   espérerais, espérerais, espérerait,
espérerions, espéreriez, espéreraient

SUBJONCTIF
Présent   espère, espères, espère,
espérions, espériez, espèrent

3) Les verbes comme **appeler (jeter, rappeler, rejeter**): la consonne finale est redoublée devant un **e muet**.

PARTICIPES
Présent/Passé   appelant/appelé

INDICATIF
Présent   appelle, appelles, appelle
appelons, appelez, appellent

Imparfait   appelais, etc.

Futur   appellerai, etc.

CONDITIONNEL
Présent   appellerais, etc.

SUBJONCTIF
Présent   appelle, appelles, appelle,
appelions, appeliez, appellent

4) Les verbes comme **payer (ennuyer, essayer**): le **y** devient **i** devant un **e muet**.

PARTICIPES
Présent/Passé   payant/payé

INDICATIF
Présent   paie, paies, paie,
                           payons, payez, paient

Imparfait   payais, etc.

Futur   paierai, etc.

CONDITIONNEL
Présent   paierais, etc.

SUBJONCTIF
Présent   paie, paies, paie,
                           payions, payiez, paient

5) Les verbes comme **manger (changer, corriger, diriger, nager)**: le **g** est suivi d'un **e** devant une voyelle différente de **e** ou **i**.

PARTICIPES
Présent/Passé   mangeant/mangé

INDICATIF
Présent   mange, manges, mange,
                           mangeons, mangez, mangent

Imparfait   mangeais, mangeais, mangeait,
                           mangions, mangiez, mangeaient

Futur   mangerai, etc.

CONDITIONNEL
Présent   mangerais, etc.

SUBJONCTIF
Présent   mange, manges, mange,
                           mangions, mangiez, mangent

6) Les verbes comme **commencer (agacer)**: le **c** prend une cédille (**ç**) devant une voyelle différente de **e** ou **i**.

PARTICIPES
Présent/Passé   commençant/commencé

INDICATIF
Présent   commence, commences, commence,
                           commencions, commenciez, commencent

Imparfait	commençais, commençais, commençait, commencions, commenciez, commençaient
Futur	commencerai, etc.

CONDITIONNEL
Présent	commencerais, etc.

SUBJONCTIF
Présent	commence, commences, commence, commencions, commenciez, commencent

C. Les verbes auxiliaires *avoir* et *être*

INFINITIF	avoir		être	
PARTICIPES				
Passé	eu		été	
Présent	ayant		étant	
INDICATIF				
Présent	ai	avons	suis	sommes
	as	avez	es	êtes
	a	ont	est	sont
Imparfait	avais	avions	étais	étions
	avais	aviez	étais	étiez
	avait	avaient	était	étaient
Futur	aurai	aurons	serai	serons
	auras	aurez	seras	serez
	aura	auront	sera	seront
Passé composé	ai eu	avons eu	ai été	avons été
	as eu	avez eu	as été	avez été
	a eu	ont eu	a été	ont été
Plus-que-parfait	avais eu		avais été	
Futur antérieur	aurai eu		aurai été	
IMPERATIF	aie		sois	
	ayons		soyons	
	ayez		soyez	

CONDITIONNEL

Présent	aurais	aurions	serais	serions
	aurais	auriez	serais	seriez
	aurait	auraient	serait	seraient

Passé	aurais eu	aurais été

SUBJONCTIF

Présent	aie	ayons	sois	soyons
	aies	ayez	sois	soyez
	ait	aient	soit	soient

Passé	aie eu	aie été

D. Verbes irréguliers

Chacun des verbes suivants se conjugue de la même façon que le verbe entre parenthèses qui le suit.

abattre	(battre)	offrir	(ouvrir)
admettre	(mettre)	peindre	(craindre)
apercevoir	(recevoir)	plaindre	(craindre)
apprendre	(prendre)	produire	(conduire)
atteindre	(craindre)	promettre	(mettre)
combattre	(battre)	recouvrir	(ouvrir)
comprendre	(prendre)	retenir	(tenir)
construire	(conduire)	sentir	(partir)
couvrir	(ouvrir)	servir	(partir)
décevoir	(recevoir)	soumettre	(mettre)
découvrir	(ouvrir)	sourire	(rire)
détruire	(conduire)	sortir	(partir)
dormir	(partir)	souffrir	(ouvrir)
s'enfuir	(fuir)	survivre	(vivre)
mentir	(partir)		

INFINITIF PARTICIPES	présent		INDICATIF imparfait	futur	IMPERATIF	SUBJONCTIF présent	
aller allant allé	vais vas va	allons allez vont	allais	irai	va allons allez	aille ailles aille	allions alliez aillent
asseoir asseyant assis	assieds assieds assied	asseyons asseyez asseyent	asseyais	assiérai	assieds asseyons asseyez	asseye asseyes asseye	asseyions asseyiez asseyent
battre battant battu	bats bats bat	battons battez battent	battais	battrai	bats battons battez	batte battes batte	battions battiez battent
boire buvant bu	bois bois boit	buvons buvez boivent	buvais	boirai	bois buvons buvez	boive boives boive	buvions buviez boivent
conduire conduisant conduit	conduis conduis conduit	conduisons conduisez conduisent	conduisais	conduirai	conduis conduisons conduisez	conduise conduises conduise	conduisions conduisiez conduisent
connaître connaissant connu	connais connais connaît	connaissons connaissez connaissent	connaissais	connaîtrai	connais connaissons connaissez	connaisse connaisses connaisse	connaissions connaissiez connaissent
craindre craignant craint	crains crains craint	craignons craignez craignent	craignais	craindrai	crains craignons craignez	craigne craignes craigne	craignions craigniez craignent
croire croyant cru	crois crois croit	croyons croyez croient	croyais	croirai	crois croyons croyez	croie croies croie	croyions croyiez croient

	Présent	Présent	Imparfait	Futur	Impératif	Subjonctif	Subjonctif
devoir devant dû	dois dois doit	devons devez doivent	devais	devrai	—	doive doives doive	devions deviez doivent
dire disant dit	dis dis dit	disons dites disent	disais	dirai	dis disons dites	dise dises dise	disions disiez disent
écrire écrivant écrit	écris écris écrit	écrivons écrivez écrivent	écrivais	écrirai	écris écrivons écrivez	écrive écrives écrive	écrivions écriviez écrivent
faire faisant fait	fais fais fait	faisons faites font	faisais	ferai	fais faisons faites	fasse fasses fasse	fassions fassiez fassent
falloir fallu	il faut		il fallait	il faudra	—	il faille	
lire lisant lu	lis lis lit	lisons lisez lisent	lisais	lirai	lis lisons lisez	lise lises lise	lisions lisiez lisent
mettre mettant mis	mets mets met	mettons mettez mettent	mettais	mettrai	mets mettons mettez	mette mettes mette	mettions mettiez mettent
ouvrir ouvrant ouvert	ouvre ouvres ouvre	ouvrons ouvrez ouvrent	ouvrais	ouvrirai	ouvre ouvrons ouvrez	ouvre ouvres ouvre	ouvrions ouvriez ouvrent
partir partant parti	pars pars part	partons partez partent	partais	partirai	pars partons partez	parte partes parte	partions partiez partent

Infinitif / Participes	Présent (il pleut)		Imparfait (il pleuvait)	Futur (il pleuvra)	Impératif (—)	Subjonctif (il pleuve)	
pleuvoir pleuvant plu	il pleut		il pleuvait	il pleuvra	—	il pleuve	
pouvoir pouvant pu	peux, puis peux peut	pouvons pouvez peuvent	pouvais	pourrai	— — —	puisse puisses puisse	puissions puissiez puissent
prendre prenant pris	prends prends prend	prenons prenez prennent	prenais	prendrai	prends prenons prenez	prenne prennes prenne	prenions preniez prennent
recevoir recevant reçu	reçois reçois reçoit	recevons recevez reçoivent	recevais	recevrai	reçois recevons recevez	reçoive reçoives reçoive	recevions receviez reçoivent
rire riant ri	ris ris rit	rions riez rient	riais	rirai	ris rions riez	rie ries rie	riions riiez rient
savoir sachant su	sais sais sait	savons savez savent	savais	saurai	sache sachons sachez	sache saches sache	sachions sachiez sachent
suivre suivant suivi	suis suis suit	suivons suivez suivent	suivais	suivrai	suis suivons suivez	suive suives suive	suivions suiviez suivent
tenir tenant tenu	tiens tiens tient	tenons tenez tiennent	tenais	tiendrai	tiens tenons tenez	tienne tiennes tienne	tenions teniez tiennent
valoir valant valu	vaux vaux vaut	valons valez valent	valais	vaudrai	vaux valons valez	vaille vailles vaille	valions valiez vaillent

	Présent		Imparfait	Futur	Impératif	Subjonctif	
venir venant venu	viens viens vient	venons venez viennent	venais	viendrai	viens venons venez	vienne viennes vienne	venions veniez viennent
vivre vivant vécu	vis vis vit	vivons vivez vivent	vivais	vivrai	vis vivons vivez	vive vives vive	vivions viviez vivent
voir voyant vu	vois vois voit	voyons voyez voient	voyais	verrai	vois voyons voyez	voie voies voie	voyions voyiez voient
vouloir voulant voulu	veux veux veut	voulons voulez veulent	voulais	voudrai	veuille veuillons veuillez	veuille veuilles veuille	voulions vouliez veuillent

Vocabulaire

A

à at, in, to

abandonner to abandon; to give up

abattre to knock down; to fell

abîmé(e) damaged

abondant, ante abundant

abonder to be plentiful

abord: d'— firstly

aborder to tackle

aboutir à to lead to

abricot (m.) apricot

absent, ente absent

absolument absolutely

absurde absurd

abus (m.) abuse

abuser to abuse

à cause de because of

accélérer to accelerate

accélérateur (m.) accelerator

accentuer to accentuate

accès (m.) access

accessoires (m.pl.) accessories

accident (m.) accident

accidenté(e) injured (person)

accommoder to accommodate

accompagner to accompany

accomplir to accomplish

accord (m.) agreement; chord;
  d'— agreed/O.K.;
  être d'— to agree

accorder to grant; to attach;
  s'— avec to fit in with

accoucher to give birth

accourir to come running

à côté de besides, as well as

accueillant, ante friendly

accueillir to meet, to welcome

accumuler to accumulate

accuser to accuse

achat (m.) purchase

acheter to buy

achever to end

accroître to increase;
  s'— to grow

acquérir to acquire

acteur, trice (m., f.) actor

activité (f.) activity

actuel(le) present

actuellement at present, now

adepte (m./f.) follower, enthusiast

addition (f.) addition

adieu (m.) farewell

admettre to admit

administration (f.) management

adonner: s'— aux sports to do sports

adoptif, ive adoptive

adorer to adore

adresser: s'— à to address (someone)

à droite de to the right of

adroit, oite skillful

adversaire (m., f.) opponent

aéroport (m.) airport

affaire (f.) deal;
  —s business; belongings

affamé(e) hungry

affectueux, euse affectionate

affiche (f.) poster

afficher to exhibit; to display

affirmer: s'— to assert oneself

affreux, euse awful

afin que so that

agacer to annoy, to irritate

âge (m.) age;
  quel — avez-vous? how old are you?

âgé(e) old, aged

à gauche de to the left of

agence (f.) agency

agent (m.) agent; police officer;
  — immobilier realtor

aggraver: s'— to worsen

agir to act; **s'— de** to be about

agiter to perturb

agneau (m.) lamb

agrandir to enlarge

agréable pleasant
agresser to attack
agressif, ive aggressive
agriculteur (m.) farmer
aide (f.) help
aider to help
aiguille (f.) hand (clock); needle
ail (m.) garlic
aile (f.) wing
ailleurs elsewhere
aimable amiable, friendly
aimer to like; to love; **— mieux** to prefer
aîné(e) eldest (child)
ainsi thus; so; in this way
air (m.) air; appearance;
    en plein — outdoors
ailleurs elsewhere
aise: à l'— comfortable (person)
ajouter to add
alarmer to alarm
alcool (m.) alcohol
aliment (m.) food
alimentation (f.) food; diet
Allemagne (f.) Germany
allemand, ande German
aller to go; **s'en —** to leave
aller (m.) one-way ticket;
    — -retour round-trip ticket
allonger to lengthen, to stretch;
    s'— to lie down
allumer to light
allure (f.) look;
    à vive — at full speed
alors so, then;
    — que whereas
alpinisme (m.) mountaineering
alto (m.) viola
amabilité (f.) kindness
amaigrissant, ante
    reducing, slimming (diet)
ambiance (f.) atmosphere
ambitieux, euse ambitious
ambition (f.) ambition
amélioration (f.) improvement
améliorer to improve
aménagement (m.) development
amende (f.) fine

amener to bring (a person)
amer, ère bitter
amérindien, ienne North American Indian
Amérique (f.) America
ami(e) (m., f.) friend
amical(e) (m., f.) friendly
amitié (f.) friendship
amour (m.) love
amoureux, euse in love;
    être — (de) to be in love (with)
    tomber — de to fall in love with
amusant, ante amusing, funny
amuser to amuse;
    s'— to have a good time
an (m.) year
analogue similar
ananas (m.) pineapple
ancêtre (m.) ancestor
ancien, ienne ancient, old
anémie (f.) anemia
anglais, aise English
Angleterre (f.) England
animateur, trice (m., f.) activity leader
année (f.) year; grade
anniversaire (m.) anniversary, birthday
annonce (f.) announcement,
    advertisement
annoncer to announce, to herald
annuellement annually
anse (f.) cove
antérieur(e) anterior
antipathique disagreeable
août August
apathique apathetic
apercevoir to catch a glimpse of;
    s'— to realize
apparaître to appear
appareil (m.) appliance; plane; device
apparence (f.) appearance
appartement (m.) apartment
appartenir (à) to belong (to)
appeler to call; **s'—** to be called
appétit (m.) appetite
applaudir to applaud
appliquer to apply;
    s'— à to apply oneself to
apporter to bring (something)

apprécier to appreciate
apprendre to learn
apprentissage (m.) apprenticeship, learning process
approcher to come near;
    s'— de to get near, to go up to
approprié(e) appropriate
approuver to approve
approximativement approximately
après after;
    — que after
après-midi (m.) afternoon
aptitude (f.) skill
aquarelle (f.) watercolor
arbitre (m.) referee
arbre (m.) tree
architecte (m.) architect
ardeur (f.) ardor, zeal, eagerness
argent (m.) money
argument (m.) argument
armoire (f.) cupboard, cabinet
arracher to tear out, pull off
arranger to arrange
arrêt (m.) stop;
    sans — without stopping
arrêter to stop; to arrest; **s'—** to stop
arrière (m.) back part;
    en — backward
arrivée (f.) arrival
arriver to arrive
artisan, ane (m.,f.) craftsperson
artisanat (m.) crafts
ascenseur (m.) elevator
aspect (m.) aspect
asphyxier to asphyxiate
assurance (f.) assurance; insurance
assurer to assure; to insure
    s'— to secure
atelier (m.) workshop
athée (m./f.) atheist; atheistic
athlète (m./f.) athlete
atout (m.) asset
attacher to attach
attaquer to attack
atteindre to reach
attendant: en — in the meantime
attendre to wait for; **s'— à** to expect

attente (f.) waiting
Attention! Watch out!
attention (f.) attention
atténuer to attenuate, to lessen
atterrir to attract
atterrissage (m.) landing
attirer to attract
attrait (m.) appeal, attraction
attraper to catch
attribuer to award, to grant
attrister to sadden
aubaine (f.) bargain
aube (f.) dawn
aucun, une none, not any
audace (f.) daring, boldness
au-dessous de below
au-dessus de above
au fait by the way
augmentation (f.) increase
augmenter to increase
aujourd'hui today
au moins at least
auparavant before
auprès de near
Au revoir Goodbye
aussi also
aussitôt right away; **— que** as soon as
autant (de)...que as much/many as;
    d'— plus que all the more, especially as
auteur(e) (m.,f.) author
authentique genuine
autobus (m.) bus
autochtone (m./f.) native person
automatisé(e) computerized
automne (m.) autumn, fall
autorisation (f.) authorization
autoriser to authorize
autoritaire authoritative; bossy
autoroute (f.) freeway
autour de around
autre other; **— chose** something else
autrefois in the past, formerly
autrement otherwise
autrui another, others
auxiliaire auxiliary
avaler to swallow
avance (f.) advance;

être en — to be early
avancer to be fast; to move along
avant (que, de) before
avantage (m.) advantage
avant-midi (m.) morning
avec with
avenir (m.) future
avertir to inform; to warn
aveugle blind
avion (m.) airplane; — **à réaction** jet
avis (m.) opinion, advice;
    à mon — in my opinion
avocat, ate (m.,f.) lawyer
avoir to have;
    — **des nouvelles de** to hear from;
    — **du mal à** to have a hard time;
    — **envie de** to feel like;
    — **honte de** to be ashamed of;
    — **l'intention de** to intend to;
    — **l'air** to seem, look;
    — **lieu** to take place;
    — **mal (à)** to ache, hurt;
    — **peur de** to be afraid of;
    — **raison (de)** to be right;
    — **tort (de)** to be wrong;
    en — **assez** to have had enough
avouer to confess
avril April

B

baccalauréat (m.) Bachelor's degree
bagages (m.pl.) luggage
bague (f.) ring
baie (f.) bay; berry
baigner: se — to take a bath, to go swimming
bâiller to yawn
bain (m.) bath
baiser (m.) kiss
baisse (f.) drop, decline
baisser to lower
balade (f.) stroll, walk
balai (m.) broom
balayer to sweep
balle (f.) ball
ballon (m.) balloon
banal(e) trite
banane (f.) banana

banc (m.) bench
bande (f.) group, band;
    — **magnétique** tape
banlieue (f.) suburb
banque (f.) bank
banquier (m.) banker
barbe (f.) beard
barbu (m.) bearded man
barrage (m.) dam
bas, basse low; **en** — downstairs;
    tout — in a low voice
base (f.) base, basis
bataille (f.) battle
bateau (m.) boat;
    — **à voile** sailboat;
    — **de pêche** fishing boat
bâtiment (m.) building
bâtir to build
bâton (m.) stick
batterie (f.) drums
battre to beat; **se** — to fight
bavarder to chat
beau, belle beautiful
beaucoup much, many, a lot
beau-frère (m.) brother-in-law,
    stepbrother
beau-père (m.) father-in-law; stepfather
beauté (f.) beauty
bébé (m.) baby
belge Belgian
Belgique (f.) Belgium
belle-mère (f.) mother-in-law;
    stepmother
belle-soeur (f.) sister-in-law; stepsister
bénéfice (m.) profit
bénéficier de to benefit from
bénédiction (f.) blessing
bénir to bless
besoin (m.) need; **avoir** — **de** to need
bête stupid; (f.) animal
beurre (m.) butter
beurrer to butter
bibliothécaire (m./f.) librarian
bibliothèque (f.) library
bicyclette (f.) bicycle
bien quite, well; (m.) goods, possessions;
    — **de(s)** many;

— **que** although;
— **sûr** of course;
très — very well
bien-être (m.) well-being
bientôt soon; **A —** See you soon
bière (f.) beer
bijou (pl.-**oux**) (m.) jewel
billet (m.) ticket
biscuit (m.) cookie
bison (m.) buffalo
bizarre strange
blanc, blanche white
— **d'oeuf** (m.) egg white
blanchir to turn white; to make sth. white
blé (m.) wheat
blessé(e) injured
blesser: se — to hurt oneself
bleu(e) blue; (m.) bruise
bleuir to become blue
bleuet (m.) blueberry
blondir to turn blond
bloquer to block (up)
bobo (m.) sore, hurt (childish)
boeuf (m.) beef
boire to drink
bois (m.) wood
boîte (f.) box; — **de conserves** can
bon, bonne good
bon marché inexpensive
bonbon (m.) candy
bonheur (m.) happiness
bonhomme de neige (m.) snowman
Bonjour Hello; Good morning; Good day
Bonsoir Good evening
bord (m.) edge; **à —** aboard;
au — de on the edge of
bosquet (m.) grove
botte (f.) boot
bouche (f.) mouth
bouchée (f.) mouthful
boucher (m.) butcher
boucle d'oreille (f.) earring
boue (f.) mud
bouger to move
bougie (f.) candle
bouillir to boil
boule (f.) ball

bouleversement (m.) disruption, upheaval
bouleverser to disrupt, to upset
bourse scholarship
bout (m.) tip; end; **au — de** at the end of
bouteille (f.) bottle
boutique (f.) boutique
bouton (m.) button
branche (f.) branch
bras (m.) arm
brillamment brilliantly
brillant, ante brilliant, bright
briser to break, to smash
brochure (f.) booklet, pamphlet
bronchite (f.) bronchitis
brosse (f.) brush
brosser: se — to brush
brouillard (m.) fog
bru (f.) daughter-in-law
bruit (m.) noise
brûler un feu rouge to go through a red light
brûnante (f.) dusk
brun, brune brown; dark(-haired)
brunir to turn brown
brusquement abruptly
brutal(e) rough
bûche (f.) log
bureau (m.) desk; office
but (m.) goal, objective, purpose

C

ça that;
c'est comme — that's how it is;
c'est pour — that's why
cabine (f.) cabin
cacher to hide
cachet (m.) fee
cadeau (m.) gift
cafard: avoir le — to feel blue, low
café (m.) coffee
cahier (m.) notebook
caillou (m.) pebble
calculatrice (f.) calculator
calendrier (m.) calendar
calme calm; (m.) calm, quiet
calmer to quiet down
camarade (m./f.) companion, friend
camion (m.) truck

campagne (f.) country
canard (m.) duck
candidature (f.) candidacy;
   application
canne à sucre (f.) sugar cane
canot (m.) canoe
canotage (m.) boating;
   faire du — to go canoeing
cantique (m.) hymn
canton (m.) township
caprice (m.) whim
capter to pick up, to intercept, to captivate
captivant, ante captivating
car for, because
caractère (m.) characteristic; nature;
   avoir bon/mauvais —
      to have a good/bad disposition
cardiaque cardiac
carotte (f.) carrot
carré(e) square
carrefour (m.) intersection
carrière (f.) career
carte (f.) card; map
cas (m.) case; **en — de** in case of;
   dans ce —-là in that case
casque (m.) helmet
casquette (f.) cap
casser to break
cavalier, ière (m.,f.) rider
caviar (m.) caviar
ce, cet, cette, ces this, that, these, those
ceinture (f.) belt
célèbre famous
célébrer to celebrate
célébrité (f.) fame, celebrity
célibataire single
cent one hundred
centaine (f.) about a hundred
centre (m.) center;
   — commercial shopping center;
   — hospitalier hospital complex;
   — -ville downtown
cependant however, nevertheless
cerner to surround
cerise (f.) cherry
certain, aine certain; (pl.) some
certainement certainly

certitude (f.) certainty
cesser to cease
chacun, une each one
chaîne de montage (f.) assembly line
chaise (f.) chair
chaleureux, euse warm, cordial
chambre (f.) bedroom
charmant, ante charming
champ (m.) field
champignon (m.) mushroom
championnat (m.) championship
chance (f.) luck, opportunity
chandail (m.) sweater
changement (m.) change
chanson (f.) song
chant (m.) song
chanter to sing
chanteur, euse (m.,f.) singer
chapeau (m.) hat
chapitre (m.) chapter
chaque each
chasseur (m.) hunter
chasser to hunt; to chase
chat, chatte (m.,f.) cat
château (m.) castle
chaud, chaude warm, hot
chaudement warmly
chauffage (m.) heating
chauffeur (m.) driver
chaussette (f.) sock
chaussure (f.) shoe
chauve bald
chef (m.) chief
chef-d'oeuvre (m.) masterpiece
chemin (m.) path; **— de fer** railway
cheminée (f.) chimney
cheminer to walk along
chemise (f.) shirt
chèque (m.) check
cher, chère dear; expensive
chercher to look for
chercheur, euse (m., f.) researcher
cheval (pl. **-aux**) (m.) horse
chevalet (m.) easel
cheveu (pl. **-eux**) (m.) hair
cheville (f.) ankle
chez at, to (home, office of)

chien, chienne (m., f.) dog, bitch
chiffre (m.) figure, number
chimie (f.) chemistry
chimpanzé (m.) chimpanzee
Chine (f.) China
chinois, oise Chinese
chirurgien (m.) surgeon
chocolat (m.) chocolate
choisir to choose
choix (m.) choice
chômage (m.) unemployment
chômeur, euse (m.,f.) unemployed person
chose (f.) thing
chou (m.) cabbage
chute (f.) fall
cible (f.) target
ciel (m.) sky
cigarette (f.) cigarette
cimetière (m.) cemetery
cinéma (m.) movie theater
cinéphile (m./f.) film enthusiast,
    movie buff
circulation (f.) traffic
citer to quote
citoyen, enne (m.,f.) citizen
clairière (f.) clearing
classe (f.) class; classroom
clavecin (m.) harpsichord
clé (f.) key
clément, ente mild
cloche (f.) bell
coeur (m.) heart; avoir mal au — to be
    nauseated; de bon — heartily;
    par — by heart
coffre (m.) chest
cohabitation (f.) living together
coiffeur, euse (m.,f.) hairdresser
coiffure (f.) hairdo
coin (m.) corner
colère (f.) anger
collègue (m./f.) colleague
colline (f.) hill
combat (m.) fight
combattre to fight
combien how much (many)
combler to fill
combustible (m.) fuel

comédien, ienne (m.,f.) actor
comique comical, funny
comité (m.) committee
commande (f.) order (of goods)
commander to order
comme as, like;
    — d'habitude as usual;
    — ci — ça so-so
commencer to begin
comment how, what; — allez-vous? how
    are you? — vous appelez-vous? what is
    your name?
commentaire (m.) comment
commerçant, ante (m., f.) merchant
commerce (m.) trade, business
commettre to commit
commis (m.) clerk
commode convenient
commun, une common
commun: mettre en — to share
communauté (f.) community
communiquer to communicate
compagnon, compagne (m.,f.)
    companion; roommate
compagnie (f.) company
comparaison (f.) comparison
compenser to compensate
complet, ète complete
compliqué(e) complicated
comportement (m.) behavior
composition (f.) composition
compréhension (f.) understanding
comprendre to understand; to include
comprimé (m.) tablet, pill
comptable (m./f.) accountant
comptabilité (f.) accounting
comptant: payer — to pay cash
compte (m.) count; account;
    se rendre — to realize
compter to count; to intend;
    — sur to count on
comptoir (m.) counter
concentrer: se— to concentrate
conception (f.) idea
conclure to conclude
concombre (m.) cucumber
concours (m.) competition

concubinage (m.) cohabitation
concurrence (f.) competition
conducteur, trice (m.,f.) driver
conduire to drive
conférencier, ière (m.,f.) speaker
confiance (f.) confidence
confier: se — à to confide in
confiture (f.) jam
confort (m.) comfort
confortable comfortable
confronter to confront
congé (m.) holiday;   **en —** on leave
congédier to dismiss
conjoint, conjointe (m.,f.) spouse
connaissance (f.) knowledge;
     faire — to meet
connaître to know, to experience
conquête (f.) conquest
consacrer to devote
conscience (f.) awareness;
     prendre — de to become aware of
conscient, ente conscious, aware
conseil (m.) advice
conseiller to advise
conséquence (f.) consequence
conséquent: par — therefore,
     consequently
conservatoire (m.) school of music
conserver to preserve, to keep
consommateur, trice (m.,f.) consumer
consommation (f.) consumption, drink
constamment constantly
constater to note; to verify
construire to build
consulter to consult
contemporain, aine contemporary
contenir to contain
content, ente glad
contenter: se — de to be content with
conteur (m.) storyteller
continuer to continue
continuel(le) constant
contraignant, ante constraining, compelling
contre against
contrée (f.) land, region
contrebasse (f.) double bass
contribuable (m./f.) taxpayer

contribuer to contribute
contribution (f.) contribution
convaincre to convince
conventionnel(le) conventional
copain, copine (m.,f.) buddy, pal
cor (m.) horn
corps (m.) body
correctement correctly
corriger to correct
costume (m.) costume, suit
côte (f.) coast
côté (m.) side;   **à — de** next to;
     de l'autre — de on the other side; across
côtelette (f.) chop
côtier, ière coastal
coton (m.) cotton
côtoyer to mix with
cou (m.) neck
couche (f.) layer
coucher: se — to lie down; to go to bed
coude (m.) elbow
couler to flow
couleur (f.) color;
     de quelle —? what color?
coup (m.): **— de fil** phone call, ring;
     — de foudre love at first sight
coupable guilty
couper to cut
cour (f.) yard
courageux, euse courageous
courant, ante current
courant (m.): **— d'air** draft;
     être au — to be informed
courbé(e) bent
coureur (m.) runner
courrier (m.) mail
cours (m.) class, course;
     au — de in the course of
course (f.) race (sport);
     faire des —s to go shopping
court, courte short
cousin, cousine (m.,f.) cousin
coût (m.) cost
coûter to cost
coûteux, euse costly
coutume (f.) custom
couvert, erte covered

couverture (f.) blanket
couvrir to cover
crabe (m.) crab
craie (f.) chalk
craindre to fear
cravate (f.) tie
crayon (m.) pencil
créer to create
crème (f.) cream
crépuscule (m.) twilight
cri (m.) shout, scream
criminel(le) criminal
crise (f.) crisis
critique critical
critique littéraire (f.) literary criticism
crochet (m.) hook
croire to believe
croisière (f.) cruise
croissance (f.) growth
croissant, ante growing
croître to grow, to increase
croix (f.) cross
croquis (m.) sketch
croûte (f.) crust
croyance (f.) belief
cru(e) raw
crustacé (m.) shellfish
cuir (m.) leather
cuisine (f.) kitchen; cuisine; cooking
culture (f.) culture, cultivation, agriculture
culturel(le) culture
cultivé(e) educated, cultivated
cultiver to cultivate, to farm
curieux, euse curious, strange
cycliste (m./f.) cyclist

D
d'abord (at) first
dactylographier to type
danger (m.) danger
dangereux, euse dangerous
dans in, into
danse (f.) dance
danser to dance
d'après according to
date (f.) date
dauphin (m.) dolphin

davantage more
de of, from
déambuler to stroll
débarquer to disembark
déboisement (m.) deforestation
débrouiller: se — to manage
débouché (m.) opening, job prospect
debout standing
début (m.) beginning
débuter to begin
décembre December
déchet (m.) waste
décennie (f.) decade
décevoir to disappoint
décision (f.) decision;
    prendre une — to make a decision
déclarer to declare
décontracté(e) relaxed
décor setting
décorer to decorate
découragé(e) discouraged
découvrir to discover
décrire to describe
décroissance (f.) decrease
décroître to decrease
dedans inside
défaut (m.) fault, flaw
défilé (m.): **— de mode** fashion show
définir: se — to define oneself
définitif, ive final
degré (m.) level, degree
déguster to sample
dehors outside
déjà already
déjeuner (m.) lunch; breakfast
demain tomorrow; **à —** see you tomorrow;
    après-— day after tomorrow
demande (f.) request;
    — d'emploi job application
demander to ask for;
    se — to wonder
démarrer to start (up)
déménager to move
dément(e) lunatic
demeure (f.) home, residence
demeurer to live, to reside
demi(e) half

démodé(e) out of date, old-fashioned
démolir to demolish
démontrer to demonstrate
dénoncer to denounce
dent (f.) tooth
dentiste (m./f.) dentist
départ (m.) departure
dépêcher: se — to hurry
dépendre (de) to depend (on)
dépense (f.) expense, consumption
dépenser to spend
dépit: en — de in spite of
déplacement (m.) travelling, trip
déplacer: se — to move about
dépliant (m.) leaflet
déplorer to deplore
déprimé(e) depressed
depuis since, for; **— que** since
dernier, ière last
dérober to steal
derrière behind
dès as early as; **— que** as soon as
désagréable unpleasant
descendre to go down;
    — de to be descended from
désespéré(e) desperate
déshabiller: se — to undress
désir (m.) desire
désirer to desire
désobéir to disobey
désoeuvré(e) idle
désolé(e) upset, sorry
désormais henceforth
dessert (m.) dessert
dessin (m.) drawing
dessiner to draw
dessinateur, trice (m., f.) draftsperson;
    cartoonist
dessous below
détendre: se — to relax
détendu(e) relaxed
détente (f.) relaxation
détester to detest
détour (m.) deviation, circuitous way
détruire to destroy
dette (f.) debt
devant in front of

développer to develop
devenir to become
deviner to guess
devoir to have to; to owe
devoir (m.) duty; **—s** homework
dévoué(e) devoted
diagnostic (m.) diagnosis
dictionnaire (m.) dictionary
dieu, déesse (m., f.) god, goddess
différence (f.) difference
difficile difficult
difficilement with difficulty
difficulté (f.) difficulty
digérer to digest
digue (f.) dike
dimanche Sunday
diminuer to diminish, to decrease
diminution (f.) decrease
dinde (f.) turkey
dîner to dine, to have dinner
dîner (m.) dinner; lunch
dingue crazy
diplôme (m.) degree, diploma
diplômé(e) (m.,f.) graduate
dire to say, to tell;
    c'est-à-— that is to say;
    se — to say to oneself
directeur, trice (m.,f.) director, manager
discours (m.) speech
discuter to discuss
disparaître to disappear
dispendieux, ieuse expensive
disponible available
disposition (f.) clause
dispute (f.) quarrel
disputer: se — to quarrel
disque (m.) record
dissertation (f.) essay
dissimuler to dissimulate
distinguer to distinguish
distrait(e) absent-minded
divertir: se — to amuse oneself, to have fun
divers, erse(s) varied, various
divorce (m.) divorce
divorcer to divorce
divulguer to disclose
dizaine (f.) about ten

doctorat (m.) doctoral degree
doigt (m.) finger
domaine (m.) field, area; domain
dommage: c'est — it is a pity
don (m.) gift
donc therefore
donner to give
données (f.pl.) data
dont of which, whose
dormir to sleep
dos (m.) back
dossier (m.) file
d'où hence; whence
douane (f.) customs (inspection)
doublé(e) dubbed
doucement gently, slowly, softly
douceur (f.) gentleness
douche (f.) shower
douleur (f.) pain
douloureux, euse painful
doute (m.) doubt; **sans —** probably;
   sans aucun — without a doubt
douter to doubt; **se — de** to suspect
doux, douce gentle, sweet
douzaine (f.) dozen
doyen (m.) dean
dramaturge (m./f.) playwright
dresser to train (animal)
drogue (f.) drug
droit (m.) right; (study of) law;
   avoir — to have a right to;
   exercer un — to exercice a right;
   faire du — to study law
droit, droite right, straight;
   à droite de to the right of
drôle funny
durant during
durée (f.) duration
durer to last
dynamique dynamic
dynamisme (m.) drive

E

eau (pl. **eaux**) (f.) water;
   — douce fresh water
échange (f.) exchange
échapper: s'— to escape

échec (m.) failure; **—s** chess
échelle (f.) ladder
échouer to fail
éclairage (f.) lighting
éclater de rire to burst into laughter
éclatement explosion
école (f.) school
écolier, ière (m., f.) schoolboy, schoolgirl
économe thrifty
économie (f.) economics (class); economy;
   —s savings
économiser to save
écouter to listen to
écouteurs (m.) headphones, earphones
écrire to write
écriture (f.) writing
écrivain (m.) writer
écureuil (m.) squirrel
édifice (m.) building
éducation (f.) education, upbringing
effet (m.) effect; **en —** indeed
efficace effective
effectuer to carry out
effort (m.) effort
effronté(e) insolent
égal(e) equal
également equally, also
égalité equality
égard (m.): **à cet —** in this respect
église (f.) church
égout (m.) sewer
élargir to widen, to broaden
électricien, ienne (m.,f.) electrician
électrique electric
élevage (m.) breeding (livestock)
élève (m./f.) pupil
élevé(e) high
élever to bring up; to raise
éliminer to eliminate
élire to elect
éloge (m.) praise
élu(e) elected, chosen
emballer to thrill; to wrap
embarrassant, ante embarrassing
embarquer to embark
embaucher to hire
emboutir to hit, to run into

embrasser to kiss
émergence (f.) surfacing
émerger to emerge
émission (f.) programme, broadcast
emmener to take (someone) along
émouvant, ante touching, moving
empêcher to prevent
emplette (f.) purchase, shopping
emploi (m.) job; employment; use
— du temps (m.) schedule
employé(e) (m., f.) employee, clerk
employer to use
employeur, euse (m.,f.) employer
emporter to take (something) along
emprunter to borrow
ému(e) moved, disturbed
en in, by
encaisser to cash
enceinte pregnant
enchanter to delight
encombrant, ante inhibiting
encore again, still
— une fois once more
endommager to damage
endormir: s'— to fall asleep
endroit (m.) place, spot
énergie (f.) energy
énergique energetic
énervé(e) on edge
enfance (f.) childhood
enfant (m./f.) child
enfin finally, at last
enfuir: s'— (de) to flee, to escape
engagement (m.) agreement; involvement
engin (m.) machine
enneigé(e) snow-covered
ennemi(e) enemy
ennui (m.) boredom; trouble
ennuyer to annoy; to bore;
s'— to be bored
ennuyeux, euse boring
énorme enormous, huge
enquête (f.) investigation
enragé(e) fanatic
enrichir to enrich
enseigne (f.) sign
enseigner to teach

enseignement (m.) teaching; education
ensemble together
ensuite then
entendre to hear;
— dire que to hear that;
— parler de to hear about;
s'— avec to get along with
entêter: s'— to persist
enthousiasme (m.) enthusiasm
entier, ière entire, whole
entièrement entirely
entourer to surround
entraide (f.) mutual aid
entraîner: s'— to train
entraînement (m.) training
entraîneur (m.) coach
entre between; among
entrée (f.) entrance; main course
entremêlé(e) de intermingled with
entreprendre to undertake
entrepreneur (m.) contractor
entreprise (f.) firm, business
entrer to enter
entretenir to maintain;
s'— to converse with
entretien (m.) maintenance
entrevue (f.) interview
énumérer to enumerate
envahir to invade
envergure (f.) range, scope
envers towards
envers: à l'— inside out
envie (f.) envy; craving
avoir — de to wish for; to feel like
environ about
environs (m.pl.) surroundings
envisager to consider
envoyer to send
épais, aisse thick
épanouissement (m.) blossoming
épatant, ante splendid
épater to amaze
épaule (f.) shoulder
épeler to spell
épice (f.) spice
épicé(e) spicy, hot
épicerie (f.) grocery store

épinards (m.pl.) spinach
éponge (f.) sponge
époque (f.) period
épouser to marry
époux, ouse (m.,f.) spouse
épouvante (f.) terror;
    film d'— horror movie
éprouver to feel
épuisant(e) exhausting
épuisement (m.) exhaustion; scarcity
équilibre (m.) balance
équilibré(e) (m.) balanced
équipe (f.) team
équipement (m.) machinery
equipier, ière (m.,f.): **co- —** team member
équitation (f.) horseback riding
érable (m.) maple tree
erreur (f.) error, mistake
escalier (m.) staircase, stairs
escargot (m.) snail
escrime (f.) fencing
espace (m.) space
espadrille (f.) sneaker
Espagne (f.) Spain
espagnol(e) Spanish
espèce (f.) species, type, sort
espérer to hope
espionnage (m.) spying
espoir (m.) hope
esprit (m.) mind
essayer to try
essence (f.) gasoline
essor (m.) progress
est (m.) east
estomac (m.) stomach
estomper: s'— to shade off; to fade
établir to establish; **s'—** to settle
établissement (m.) institution
étage (m.) floor
étagère (f.) shelf
étape (m.) lap; stage
état (m.) state; position
Etats-Unis (m.pl.) United States
été (m.) summer
éteindre to turn off (lights); to put out (fire)
étendre: s'— to lie down; to stretch,
    to spread

étendue (f.) stretch
éterniser: s'— to outlast the years
étoile (f.) star;
    à la belle — in the open air
étonner to amaze
étouffer to suffocate; to smother
étourdissement (m.) dizzy spell
étranger, ère foreign
être to be; **— à** to belong to; (m.) being
étroit, oite narrow
études (f.pl.) studies;
    faire des — to study
étudiant, ante (m., f.) student
étudier to study
eux, elles them
évaluer to evaluate
événement (m.) event
évident, ente obvious
évidemment of course, obviously
éviter to avoid
évoluer to evolve
exactement exactly
examen (m.) exam
examiner to check, to examine
excentrique eccentric
excepté except
exceptionnel(le) exceptional
exciter to stimulate
excursion (f.) excursion, outing
excuse (f.) excuse
excuser to excuse
exécuter to execute, to perform
exercer to exercise
exercice (m.) exercise
exigeant, ante demanding, requiring
exiger to demand, to require
exode (m.) exodus
expérience (f.) experience; experiment
explication (f.) explanation
expliquer to explain
explorateur, trice (m.,f.) explorer
exportation (f.) export
exposer to exhibit
exposition (f.) exhibition
exprès: faire — to do on purpose
exprimer to express
extérieur(e) exterior, outside

extérieur (m.) exterior;
    à l'— de outside of
extrêmement extremely

F

fabriquer to make, manufacture
façade (f.) façade, frontage
face (f.) face; **en — de** facing
fâché(e) mad, angry
fâcher: se — to get mad
facile easy
facilement easily
facteur (m.) factor; mailman
façon (f.) manner, way;
    de toute — in any case
facultatif, ive optional
faible weak; slight
faiblesse (f.) weakness
faim (f.) hunger;
    avoir — to be hungry
faire to do, make;
    — le tour to go around;
    — la queue to wait in line;
    se — mal to hurt oneself;
fait (m.) fact
fait: ça ne — rien it doesn't matter
falloir to be necessary
famille (f.) family
familial(e) family, domestic
fané(e) wilted
fantôme (m.) ghost
farine (f.) flour
farcir to stuff
fascinant, ante fascinating
fasciner to fascinate
fatigant, ante tiring
fatigué(e) tired
fatiguer: se — to get tired
faut: il — it is necessary
faute (f.) fault, mistake
fauteuil (m.) armchair
faux, fausse false
favori, ite favorite
favoriser to favor
fée (f.) fairy
félicitations (f.pl.) congratulations
féliciter to congratulate

femme (f.) woman, wife
fenêtre (f.) window
fer (m.) iron
ferme (f.) farm
fermer to close
fermier, ière (m.,f.) farmer
fermeture (f.) closing
fête (f.) holiday, feast day, celebration;
    birthday
fêter to celebrate
feu (m.) fire; traffic light;
    faire un — to build a fire
feuille (f.) leaf; sheet (of paper)
feuillu(e) leafy
fève (f.) bean
février February
fiançailles (f.pl.) engagement
fiancer: se — to get engaged
fiche (f.) slip, form
fidèle faithful
fier, fière proud
fierté (f.) pride
fièvre (f.) fever
fil (m.) thread, wire
filet (m.) net; fillet
fille (f.) girl, daughter;
    jeune — young lady
fils (m.) son
fin (f.) end;
    à la — de at the end of
finalement finally
fin, fine slender
finir to finish
fixation (f.) binding (ski)
fixer to determine
flâner to stroll
flatteur, euse (m.,f.) flatterer
fleur (f.) flower
fleurir to bloom
fleuve (m.) river
flûte (f.) flute
foie (m.) liver
fois (f.) time;
    une — once; **à la —** at the same time
folie (f.) madness
follement madly
folklore (m.) folklore

fonction publique (f.) civil service
fonctionnaire (m./f.) civil servant
fonctionnement (m.) working (machine)
fond (m.) bottom, background
fonder to found;
    — **un club** to start a club
fondre to melt
force (f.) strength
forêt (f.) forest
formation (f.) training, education
forme (f.) shape, form;
    en pleine — in great shape
former to make up; to train
formidable fantastic; great
fort, forte strong; loud;
    travailler fort to work hard
fou, folle mad, crazy
foule (f.) crowd
foulard (m.) scarf
four (m.) oven; flop
fourchette (f.) fork
fournir to supply, to provide
fourrure (f.) fur
foyer (m.) home; fireplace
fracassant, ante shattering
frais (m.pl.) — **de scolarité** tuition fees
frais, fraîche cool, fresh
fraise (f.) strawberry
framboise (f.) raspberry
français, aise French
franc, franche candid, fresh, free
France (f.) France
francophone French-speaking
frapper to knock, to hit, to strike
frein (m.) brake
frère (m.) brother
fringale (f.) raging hunger
frisson (m.) quiver, shiver
frites (f.pl.) French fries
froid (m.) cold
    avoir — to be cold
froissé(e) hurt, bruised
fromage (m.) cheese
front (m.) forehead
fruit (m.) fruit
fuir to flee, to evade
fumée (f.) smoke

fumer to smoke
fumeur, euse (m.,f.) smoker
furieux, euse furious
futile trivial, frivolous

G

gagnant, ante (m.,f.) winner
gagner to win, to earn, to gain
gai(e) gay, cheerful
galerie (f.) (art) gallery
gant (m.) glove
garagiste (m.) garage owner
garantir to safeguard, to guarantee
garçon (m.) boy; waiter
garde (f.) **des enfants** custody
gardien, ienne (m.,f.) babysitter
gare (f.) train station
gâté(e) spoiled
gâteau (m.) cake
gauche (f.) left;
    à — **de** to the left of
gaz (m.) gas
gazon (m.) grass, lawn
geler to freeze
gêné(e) embarrassed, shy
gênant, ante embarrassing
généreux, euse generous
générosité (f.) generosity
genévrier (m.) juniper tree
génie (m.) genius; engineering
génial(e) brilliant, inspired
genou (pl. **-oux**) (m.) knee
genre (m.) gender; sort, kind
gens (m.pl.) people
gentil, ille nice, kind
gentillesse (f.) kindness
gérer to manage
gibier (m.) game
gigue (f.) jig
gigantesque gigantic, immense
gifle (f.) slap
girafe (f.) giraffe
glace (f.) mirror; ice
glacé(e) chilled, frozen
glisser to slide
gorge (f.) throat, gorge
goût (m.) taste

goûter to taste
goutte (f.) drop
gouvernement (m.) government
grâce à thanks to
grammaire (f.) grammar
grand, grande tall, big, great
grand magasin (m.) department store
grand-mère (f.) grandmother
grand-père (m.) grandfather
grandir to grow up
grands-parents (m.pl.) grandparents
gras, grasse fat, luxuriant, rich
gratter to scratch
gratuit, uite free of charge
grave serious
gravure (f.) engraving
grec, grecque Greek
Grèce (f.) Greece
grêler to hail (weather)
grenouille (f.) frog
grief (m.) grievance
griffe (f.) claw
grimper to go up, to climb
grippe (f.) flu
gris, grise gray
gronder to scold
gros, grosse big, fat
grossesse (f.) pregnancy
grossir to gain weight
guérir to cure, to heal
guerre (f.) war
gueule (f.) mouth (animal)
guichet (m.) ticket window
guidon (m.) handlebars
guitare (f.) guitar

H
habillé(e) dressed
habiller: s'— to get dressed
habit (m.) garment
habitant, ante (m.,f.) inhabitant
habitation (f.) dwelling
habiter to live, to dwell
habitude (f.) custom, habit;
    d'— usually
habituel(le) habitual, customary
habituer: s'— to get used to

haricot (m.) bean
hasard (m.) coincidence, chance
hâte (f.) haste;
    avoir — de to be eager to
hausse (f.) rising, increase
haut, haute high;
    du — de from the top of;
    en — upstairs
haut-parleur (m.) loudspeaker
hebdomadaire weekly
hebdomadaire (m.) weekly magazine
hein? what? eh?
hélas! alas!
herbe (f.) grass
hésiter to hesitate
heure (f.) hour; **à l'—** on time;
    à quelle —? at what time?
    quelle — est-il? what time is it?
    tout à l'— in a while, a moment ago
heureux, euse happy
heureusement fortunately
heurter to run, bump into;
    se — à to come up against
hier yesterday
histoire (f.) history, story
hiver (m.) winter
hollandais, aise Dutch
Hollande (f.) Holland
homard (m.) lobster
homme (m.) man;
    — d'affaires businessman
honnête honest
honnêteté (f.) honesty
honneur (m.) honor
honte (f.) shame
hôpital (m.) hospital
horaire (m.) schedule
horloge (f.) clock
hors-d'oeuvre (m.) hors d'oeuvres
hors outside
hôte, hôtesse host, hostess
huile (f.) oil
humeur (f.) mood;
    être de bonne/mauvaise — to be in a
      good/bad mood
humide humid, damp
humoristique humorous
humour (m.) humor

I

ici here
idée (f.) idea
idéal(e) ideal
il y a there is, there are; ago
île (f.) island
image (f.) picture, image
imaginer to imagine
imiter to imitate
immédiat, ate immediate
impatienter: s'— to lose patience
impatient, ente impatient
imperméable (m.) raincoat
impliquer to imply
imposer to impose
impôts (m.pl.) income tax
impressionner to impress
incendie (m.) fire
incommoder to disturb, to bother
inconnu(e) stranger
incontestable indisputable
inconvénient (m.) disadvantage, drawback
incroyable incredible
indécis, ise undecided
indiquer to indicate
individu (m.) individual
industrie (f.) industry
inévitable unavoidable
infirmier, ière (m.,f.) nurse
influer sur to affect
informaticien, ienne (m.,f.)
    computer scientist
informatique (f.) computer science
informatisation (f.) automation
informatiser: s'— to become automated
informer to inform
infortune (f.) misfortune
ingénieur (m.) engineer
ingéniosité (f.) ingenuity
ingrat, ate ungrateful
inhabituel(le) unusual
inhibé(e) inhibited
injustice (f.) injustice, unfairness
inquiet, ète worried
inquiéter: s'— to worry
inscription (f.) registration
inscrire: s'— to register
insister to insist

insolite unusual
inspecteur, trice (m.,f.) inspector
inspirer: s'— de to draw inspiration from
installer: s'— to settle
instituteur, trice (m.,f.) schoolteacher
instructeur (m.) instructor
instrument (m.) instrument, tool
insuffisant, ante insufficient
insulter to insult
intelligent, ente smart, intelligent
intention (f.) intention;
    avoir l'— de to intend to
intéresser to interest;
    s'— à to be interested in
intéressant, ante interesting
interdire to forbid
intérieur (m.) inside; **à l'— (de)** inside
interroger to interrogate, to question
intervenir to intervene
intrigue (f.) plot
inutile useless
investir to invest
investissement (m.) investment
invité(e) guest
inviter to invite
irrégulier, ière irregular
irriter to irritate
isolé(e) isolated
Italie (f.) Italy
italien, ienne Italien
ivre drunk

J

jamais never
jambe (f.) leg
jambon (m.) ham
janvier January
Japon (m.) Japan
japonais, aise Japanese
jardin (m.) garden
jaser to chat
jaune yellow; **— d'oeuf** egg yolk
jaunir to turn yellow
jeter to throw (away);
    — un coup d'oeil to glance
jeton (m.) token
jeu (m.) game, play

jeudi (m.) Thursday
jeune young;
  — **homme** young man;
  les —**s** young people;
  des —**s gens** young men, young people
jeunesse (f.) youth
joie (f.) joy
joli(e) pretty
joue (f.) cheek
jouer to play
joueur, euse (m.,f.) player
jouissance (f.) enjoyment
jour (m.) day
  — **de l'An** New Year's day;
  de nos —**s** nowadays;
  par — per day;
  tous les —**s** every day
journal (pl. -**aux**) (m.) newspaper
journée (f.) day
joyeux, euse merry, joyful
juillet July
juin June
jumeau, elle (m., f.) twin
jumelles (f. pl.) binoculars
jupe (f.) skirt
jus (m.) juice
jusque until
jusqu'à (ce que) up to; until
justement precisely
juste just, fair

K
kilo(gramme) (m.) kilogram
kilomètre (m.) kilometer

L
là there; —-**bas** over there
laboratoire (m.) laboratory
lac (m.) lake
laid, laide ugly
laine (f.) wool
laisse (f.) leash
laisser to let; to allow; to leave;
  — **tomber** to drop
lait (m.) milk
laitue (f.) lettuce
lampe (f.) lamp

lancer to throw
lanceur (m.) pitcher
langue (f.) language; tongue
  — **maternelle** first language
lapin (m.) rabbit
large wide
larme (f.) tear
lavabo (m.) washbasin
laver to wash;
  se — to wash oneself
lave-vaisselle (m.) dishwasher
le, la, l', les the; him, her, it, them
leçon (f.) lesson
lecteur, trice (m.,f.) reader
lecture (f.) reading
légende (f.) legend
léger, ère light
légume (m.) vegetable
lendemain (m.):
  le — the next day
lent, lente slow
lequel, laquelle which, which one
lever to raise; **se** — to get up
lèvre (f.) lip
libérer to free
liberté (f.) liberty, freedom
librairie (f.) bookstore
libre free
lien (m.) bond, link
lier to bind, to connect
lieu (m.) place; **au** — **de** instead of;
  avoir — to take place;
  donner — **à** to give rise to
ligne (f.) line; — **aérienne** airline
ligue (f.) league
lilas (m.) lilac
limonade (f.) lemonade
liqueur (f.) liqueur
lire to read
liste (f.) list
lit (m.) bed
litre (m.) litre
littéraire literary
littérature (f.) literature
livre (m.) book
local (m.) premises, place, room
locataire (m./f.) tenant

logement (m.) dwelling
logiciel (m.) computer program
logis (m.) dwelling, home
loi (f.) law
loin far;
   — de far from
loisir (m.) leisure
long, longue long
long: le — de: along
longtemps a long time
longueur (f.) length
lorsque when
loterie (f.) lottery
louer to rent
lourd, lourde heavy
loyer (m.) rent
lumière (f.) light
lundi (m.) Monday
lune (f.) moon:
   — de miel honeymoon
lunettes (f.pl.) glasses
lutte (f.) struggle
luxe (m.) luxury
luxueux, euse luxurious

M
machine à coudre (f.) sewing machine
machine à écrire (f.) typewriter
maçon (m.) mason
madame Madam, Mrs.
mademoiselle Miss
magasin (m.) store
magasinage (m.) shopping (Québec)
magasiner to go shopping (Québec)
magie (f.) magic
magique magic, magical
magnifique magnificent
mai May
maigre skinny
maigrir to grow thin, to lose weight
maillot (m.) **(de bain)** swimsuit
main (f.) hand
main-d'oeuvre (f.) labor force
maintenant now
maintenir to maintain, to hold
mais but

maïs (m.) corn
maison (f.) house;
   à la — at home
maîtrise (f.) Master's degree
maîtriser to master, to control
maîtresse de maison (f.) housewife
majeur(e) major
mal (m.) evil, difficulty;
   avoir — (à) to ache, hurt;
   pas — not bad
malade sick; (m.) patient
maladie (f.) sickness, illness, disease
maladroit, oite clumsy
malaise (m.) indisposition
malchanceux, euse unlucky
malgré in spite of
malheur (m.) misfortune
malheureux, euse unhappy
malhonnête dishonest
maltraité(e) ill-used
maman mama, mom, mummy
manche (f.) sleeve
manger to eat
manière (f.) manner, way
manifester to manifest;
   se — to appear
manque (m.) lack
manquer to lack; to miss
manteau (m.) coat
maquillage (m.) make-up
maquiller: se — to make up (one's face)
marais (m.) swamp
marchand, ande (m.,f.) merchant,
   shopkeeper
marché (m.) market;
   bon — cheap, inexpensive
marcher to walk; to work (function)
mardi (m.) Tuesday
marée (f.) tide
mari (m.) husband
mariage (m.) marriage
marié(e) married
marier: se — (avec) to marry (get married to)
marin (m.) sailor
marquer to mark;
   — des points to score points
marre: en avoir — to be fed up with

mars March
matelas (m.) mattress
maternel(le) maternal
maternelle (f.) nursery school
mathématiques (f.pl.) mathematics
matière (f.) material; subject (school)
matin (m.) morning
mauvais, aise bad, wrong
mécanicien, ienne (m.,f.) mechanic
méchant, ante mean
mécontent, ente discontented
médaille (f.) medal
médecin (m.) doctor
médecine (f.) medicine
médicament (m.) medicine
méfier: se — de to distrust
meilleur(e)...que better...than
    le, la — the best
mélanger to mix
mêler: se — à to mingle
même even; same; very
    de — que as well as
mémoire (f.) memory
menace (f.) threat
menacer to threaten
ménage (m.) household; housekeeping
mener to lead
mensonge (m.) lie
mensuel(le) monthly
mentalité (f.) mentality
mentionner to mention
mentir to lie
menton (m.) chin
menuisier (m.) carpenter
mépris (m.) contempt
mer (f.) sea
Merci Thank you
mercredi (m.) Wednesday
mère (f.) mother
mériter to deserve
merveilleux, euse marvelous, wonderful
messe (f.) mass
mesure (f.) measure; measurement;
    dans la — to the extent
métier (m.) profession, trade
mètre (m.) meter
métro (m.) subway
mets (m.) dish (of food)

metteur en scène (m.) film director
mettre to put, to place;
    se — à to begin
meuble (m.) piece of furniture
mexicain, aine Mexican
Mexique (m.) Mexico
midi (m.) noon
miens: les — my family, my people
mieux...que better...than
mijoter to simmer
milieu (m.) middle; environment;
    au — in the middle of
mille thousand
milliard (m.) billion
million (m.) million
mince thin
minerai (m.) ore
mineur (m.) miner
minorité (f.) minority
minuscule tiny
minime very small
ministre (m.) minister
minuit (m.) midnight
miroir (m.) mirror
mixte mixed
mode (f.) fashion
    à la — fashionable
mode (m.) (**de vie**) way (of life)
modèle (m.) model
modérément moderately
moderne modern
modifier to modify
moins less, minus;
    à — que unless;
    au — at least;
    — de fewer than;
    —...que less...than
mois (m.) month
moitié (f.) half
moment (m.) moment, instant;
    à ce —-là at the time;
    au — où at the time when;
    en ce — now
monde (m.) world; people;
    tout le — everybody, everyone
mondial(e) worldwide;
    guerre mondiale world war
monnaie (f.) change

monoparentale: famille — (f.) single-parent family
monsieur (m.) gentleman, sir, Mr.
montagne (f.) mountain
montant (m.) amount
monter to go up, to get on
montre (f.) watch
montrer to show
monument (m.) monument
moquer: se — de to make fun of
moral: avoir le — to be in good spirits
morceau (m.) piece
mordre bite
mort (f.) death
mort, morte dead
mortel(le) mortal
morue (f.) cod
mot (m.) word;
    en un — in short
moto (f.) motorbike
motoneige (f.) snowmobile
mou, molle soft
mourir to die;
    — de faim to be starving
moutarde (f.) mustard
mouton (m.) sheep
mouvement (m.) movement
mouvementé(e) animated
moyen (m.) means, way;
    — de transport means of transportation
moyenne (f.) average
muet, muette mute
multiple numerous
mur (m.) wall
mûr(e) ripe
musclé(e) muscular
museau (m.) muzzle
musée (m.) museum
musicien, ienne (m.,f.) musician
musique (f.) music
myope short-sighted
mystère (m.) mystery
mystérieux, euse mysterious

N
nager to swim
naissance (f.) birth
naître to be born

natal(e) birth
natalité (f.) birth
natation (f.) swimming
naturel(le) natural
navet (m.) turnip; flop
néanmoins nevertheless
né(e) born
ne...guère hardly
ne...jamais never
ne...ni...ni neither...nor
ne...non plus neither, not either
ne...nulle part nowhere
ne...pas not
ne...pas encore not yet
ne...personne nobody
ne...plus no longer, no more
ne...que only
ne...rien nothing
nécessaire necessary
nécessiter to necessitate
négatif, ive negative
neige (f.) snow
neiger to snow
nervosité (f.) nervousness
nerveux, euse nervous
net, nette clear, precise, sharp
nettoyer to clean
neuf, neuve brand-new
neveu (m.) nephew
névrosé(e) neurotic
nez (m.) nose
ni...ni neither...nor
nid (m.) nest
nièce (f.) niece
niveau (m.) level
noce (f.) wedding
nocif, ive noxious, harmful
Noël (m.) Christmas
noir(e) black
noircir to become black
noirceur (f.) darkness
nom (m.) noun, name
nombre (m.) number
nombreux, euse(s) numerous
non no; **— plus** neither
nord (m.) north
normalement normally
notaire (m.) notary

notamment particularly
note (f.) note, grade
noter to note; to grade
nouille (f.) noodle
nourrir to nourish
nourrissant, ante nourishing
nourriture (f.) food
nouveau, nouvelle new
nouvelle (f.) short story
nouvelles (f.pl.) news
novembre November
nucléaire nuclear
nu(e) naked
nuage (m.) cloud
nuit (f.) night
nulle: ne... — part nowhere, not anywhere
numéro (m.) number

O

obéir to obey
objet (m.) object
objectif, ive objective
objectif (m.) goal, objective
obligatoire compulsory
obliger to force, to impel
obscur(e) dark
obtenir to obtain, to get, to receive
occasion (f.) opportunity;
　　d'— second-hand
occupé(e) busy
occuper to occupy;
　　s'— to busy oneself;
　　s'— de to look after
octobre October
octroi (m.) grant
odeur (f.) odor, smell
odorant, ante sweet-smelling
oeil (pl. **yeux**) (m.) eye
oeuf (m.) egg
oeuvre (f.) work
officiel(le) official
offrir to offer
oie (f.) goose
oignon (m.) onion
oiseau (m.) bird
ombre (f.) shade, shadow;
　　à l'— in the shade
on one, people

oncle (m.) uncle
ongle (m.) nail
onguent (m.) ointment
optimiste optimistic
or (m.) gold
orage (m.) thunderstorm
ordinaire ordinary
ordinateur (m.) computer
ordonnance (f.) prescription
ordonner to order
ordre (m.) command;
　　en — in order
oreille (f.) ear
organisme (m.) organization
orgue (m.) organ
origine (f.) origin;
　　à l'— originally
originaire originating from
oser to dare
ôter to take off
ou or
où where;
　　d'— whence
oublier to forget
ouest (m.) west
oui yes
outil (m.) tool
ouvert, erte open
ouverture (f.) opening
ouvrier, ière (m.,f.) worker
ouvrir to open

P

pacifique peaceful
pain (m.) bread
paisible peaceful
paix (f.) peace
palais (m.) palace
pamplemousse (m.) grapefruit
pâlir to turn pale
panier (m.) basket
panne (f.) failure;
　　tomber en — to have a mechanical breakdown
pantalon (m.) pants
papa (m.) dad
papier (m.) paper
Pâques (f.) Easter

paquet (m.) package
par by;
   — hasard by chance
paraître to appear
parapluie (m.) umbrella
parc (m.) park
parce que because
pardon! excuse me!
pareil(le) like, similar
parenté (f.) kinship
paresseux, euse lazy
parfait, aite perfect
parfaitement perfectly
parfois sometimes
parfum (m.) perfume, fragrance
parlement (m.) parliament
parler to speak, talk
pari (m.) bet
parmi among
paroisse (f.) parish
parole (f.) spoken word
part: à — except, aside;
   de la — de on behalf of;
   quelque — somewhere
part (f.) part, share
partager to share, to split
partenaire (m./f.) partner
participer to participate
particulier, ière particular;
   en — in particular
particulièrement particularly
partie (f.) part; game;
   faire — de to be part of
partir to leave
partition (f.) musical score
partout everywhere
parvenir à to manage to
pas (m.) step
pas: ne…— not
passager, ère (m.,f.) passenger
passeport (m.) passport
passé (m.) past
passer to pass, to go through; to spend (time);
   se — to happen;
   — un examen to take an exam;
   — un film to show a film
patate (f.) potato
pâte (f.) dough; (pl.) pasta

paternel(le) paternal
patience (f.) patience
patin skate
patinage ice skating
patiner to skate
patinoire (f.) ice rink
pâtisserie (f.) pastry; pastry shop
patron boss
patte (f.) paw
pauvre poor; (m./f.) poor person
payer to pay for
pays country, land
paysage landscape, scenery
paysan, anne (m.,f.) peasant
peau (f.) skin
pêche (f.) fishing; peach
pêcheur (m.) fisherman
pédale (f.) pedal
pédaler to pedal
peigner: se — to comb one's hair
peindre to paint
peine (f.) sadness, difficulty;
   à — hardly;
   — de mort death penalty
pelage (f.) fur
pendant during;
   — que while
pénétrer to enter
pénible hard, tiresome
pensée (f.) thought
penser to think
pension alimentaire (f.) alimony
pénurie (f.) shortage
pente (f.) slope
percevoir to perceive
perdant, ante (m.,f.) loser
perdre to lose
perdrix (f.) partridge
père (m.) father
période (f.) period (of time)
perle (f.) pearl
permettre to allow, to permit; to enable,
   to make it possible
permis (m.) **de conduire** driver's license
perron (m.) porch
persienne (f.) shutter
personne (f.) person;
   ne…— nobody

personnage character; person of rank
persister to persist
perte (f.) loss
peser to weigh
pessimiste pessimistic
petit, ite small
petit-déjeuner (m.) breakfast
petit-fils (m.) grandson
petite-fille (f.) granddaughter
petits-enfants (m.) grandchildren
pétoncle (m.) scallop
pétrole (m.) crude oil
peu: un — de a little;
    — à — little by little;
    à — près about, almost
peuple (m.) (a, the) people; nation
peur (f.) fear
peut-être perhaps, maybe
pharmacien, ienne (m.,f.) druggist
phénomène (m.) phenomenon
phrase (f.) sentence
physiquement physically
pièce (f.) room; part; coin;
    — de théâtre play
pied (m.) foot
pierre (f.) stone
piéton (m.) pedestrian
pilote (m./f.) pilot
pilule (f.) pill
pinceau (m.) brush
pionnier, ière pioneer
pique-nique (m.) picnic
piqûre (f.) shot, injection
pire worse;
    le — the worst
piscine (f.) swimming pool
piste (f.) trail; **— cyclable** bicycle path
place (f.) place, room, seat, square
placer to place; **se —** to find employment
plafond (m.) ceiling
plage (f.) beach
plaindre to pity;
    se — to complain
plaire à to please;
    s'il vous plaît please
plaisanter to joke
plainsanterie (f.) joke

plaisir (m.) pleasure
plan (m.) plan, project; level
plancher (m.) floor
planche à voile (f.) wind surfing
planète (f.) planet
plat (m.) dish
plat, plate flat
plein, pleine full
pleurer to cry
pleuvoir to rain;
    il pleut it is raining
plier to fold
plombier (m.) plumber
plongée sous-marine (f.) skin-diving
plonger to dive
pluie (f.) rain
plupart: la — de most of
plus more
    ne…— no more, no longer;
    — ou moins more or less;
    — que more than;
    de — furthermore;
    de — en — more and more
plusieurs several, many
plutôt rather
pluviale: forêt — rain forest
pneu (m.) tire
poêle (f.) frying pan
poème (m.) poem
poésie (f.) poetry
poids (m.) weight
poignet (m.) wrist
poilu(e) hairy
point (m.) **de vue** point of view
pointe (f.) point
pointu(e) sharp
pointure (f.) size (shoes, gloves)
poire (f.) pear
poisson (m.) fish
poitrine (f.) chest
poivre (m.) pepper
poli(e) polite
policier (m.) policeman
politicien, ienne (m.,f.) politician
politique (f.) politics; policy
pollué(e) polluted
pollueur (m.) polluter

pollution (f.) pollution
pomme (f.) apple; **— de terre** potato
pompier (m.) fireman
pont (m.) bridge
porc (m.) pig, pork
port (m.) harbor
porte (f.) door
porté(e): être — vers to be inclined toward
portée (f.) significance
portefeuille (m.) wallet
porter to carry; to wear;
    — secours à to come to the aid of
poser to put;
    — une question to ask a question
possibilité (f.) possiblity
posséder to possess, to own
poste (f.) post office
poste (m.) position
potage (m.) soup
poterie (f.) pottery
pouce (m.) thumb
poulet (m.) chicken
poumon (m.) lung
poupée (f.) doll
pour for, in order to;
    — que so that
pourboire (m.) tip
pourquoi why
poursuivre to chase, to pursue;
    to carry on with
pourtant however, yet
pourvu que provided that
pousser to grow; to push;
    — à to urge, to impel
pouvoir to be able to
pouvoir (m.) power, authority
pratique practical; (f.) practice
pratiquer to practice
précédent, ente preceding
précéder to precede
précieux, euse precious
précisément precisely
préféré(e) favorite
préférer to prefer
premier, ière first
premièrement firstly, in the first place
prendre to take

prendre conscience de to become aware of
prénom (m.) first name
préoccupé preoccupied
préparatif (m.) preparation
préparer to prepare
près de near, close to
présentement presently
présenter to present, to introduce
presque almost
pressé(e) in a hurry
pression (f.) pressure
prêt, prête ready
prêter to lend
prêtre (m.) priest
prévaloir to prevail
prévenir to forewarn
prévoir (m.) to foresee, to expect,
    to anticipate
prière (f.) prayer
principal(e) main
principe (m.) principle;
    en — theoretically, as a rule
printemps (m.) spring
priorité (f.) priority
prix (m.) price, prize
probable likely
probablement probably
problème (m.) problem
procès (m.) lawsuit
prochain, aine next
prochain (m.) fellow human being
proche close, near
procurer to supply, to provide
produire to produce;
    se — to perform, to happen
produit (m.) product
professeur (m.) professor, teacher
profiter to profit, to take advantage of
profond, onde deep, profound
programmer to program
progrès (m.) progress, improvement
projet (m.) project
prolonger to prolong
promenade (f.) walk, stroll
promener to take for a walk;
    se — to take a walk
promesse (f.) promise

promettre to promise
propos (m.) talk, words; intent
propos: à — by the way;
     à — de about, concerning
propre proper; clean; own
propriétaire (m.) owner; landlord
provenir to come from
province (f.) province
provision (f.) food supply
provoquer to cause
prudent, ente cautious
psychologie (f.) psychology
publier to publish
puis then
puisque since
puissant, ante powerful
punir to punish
punition (f.) punishment
pupitre (m.) desk
purée (f.) **de pommes de terre**
     mashed potatoes

Q

qualifié(e) qualified
qualité (f.) quality
quand when
quant à as for/to
quart (m.) quarter, fourth
quartier (m.) neighborhood, district
quatuor (m.) quartet
que whom, which, that
quel(le) what, which
quelque chose something
quelquefois sometimes
quelque part somewhere
quelques a few, some
quelqu'un someone
quelques-uns, unes some, a few
question (f.) question
queue (f.) queue, line up; tail
qui who, which;
     — est-ce? who is it?
quincaillerie (f.) hardware: hardware store
quitter to leave
quoi what
quoi que ce soit anything
quoique although

quotidien, enne daily
quotidien (m.) daily newspaper

R

racine (f.) root
raconter to tell
radio (f.) radio
radiographie (f.) X-ray
rafraîchir to refresh, to cool
ragoût (m.) stew
raisin (m.) grape
raison (f.) reason;
     en — de on account of;
     avoir — to be right
raisonnable reasonable
rajeunir to rejuvenate, to get younger
ralentir to slow down
ramasser to pick up
rame (f.) oar
ramener to bring back
ramer to row
randonnée (f.) outing, walk
rang (m.): **être au premier —** to be in the
     forefront
rangée (f.) row
rapide fast, quick
rappeler to remind;
     se — to remember
rapport (m.) report; rapport; relationship;
     par — à in comparison with
rapporter to bring back
raquette (f.) racket
rare rare, unusual
raser: se — to shave
rassembler to gather
rassurer to reassure
rat musqué (m.) muskrat
rattacher: se — à to be connected with
rater to fail; to miss
rationnel(le) rational
rationner to ration
raton laveur (m.) racoon
ravir to delight
rayon (m.) ray
réagir to react
réaliser to realize; to achieve

réaliste realistic
réalité (f.) reality
réapparaître to reappear
récent, ente recent
recette (f.) recipe
recevoir to receive
réchauffer: se — to warm up
recherche (f.) research
rechercher to search for
récit (m.) narration
réclamer to claim, to demand
recommandé(e) registered (mail)
recommander to recommend
recommencer to start over
récompense (f.) reward
reconduire to see home
réconfort (m.) comfort
reconnaissance (f.) recognition
reconnaître to recognize
reconnu(e) recognized, well known
reconstruire to rebuild
recours (m.) resort, recourse
recouvrir to cover
recueillir to collect
rédiger to write, to compose
redonner to give back
redressement (m.) setting right
réduire to reduce
réel(le) real
réfléchir to think, reflect
refléter to reflect
réfrigérateur (m.) refrigerator
réfrigérer to refrigerate
refuser to refuse
regard (m.) look, glance
regarder to look at
régime (m.) diet; suivre un — to diet
règle (f.) rule
règlement (m.) regulation
règne (m.) kingdom
regretter to regret
régulièrement regularly
reine (f.) queen
rejet (m.) rejection
rejeton (m.) offspring
rejoindre to rejoin, to meet
réjouir: se — to rejoice

réjouissance (f.) rejoicing;
    (pl.) festivities
relever to help (someone) up
relier to bind, to connect, to link
religieux, euse religious
relire to reread
remarquable remarkable
remarque (f.) remark
remarquer to notice
remède (m.) remedy, cure
remercier to thank
remettre to put back, to hand back;
    se — to recover
remonter to go back up
rempart (m.) rampart
remplacer to replace
remplir to fill (out); to carry out
remporter to win
rémunérateur, trice paying, profitable
rencontrer to meet
rendez-vous (m.) date, appointment
rendre to give back;
    se — to go;
    se — compte to realize
renfermer to contain, to hold
renommé(e) renowned, famous
renouveau (m.) revival, renewal
renouveler to renew, to replace
renseignement (m.) (piece of) information
renseigner to inform;
    se — to make inquiries
renvoyer to send back
réparer to repair, to fix
répartir to allocate, to distribute
répartition (f.) distribution
repas (m.) meal
répéter to repeat
répondre to answer
repos (m.) rest
reposer to put back;
    se — to rest
reprendre to take back, to resume
représentant, ante (m.,f.) representative
représentation (f.) performance
réputé(e) famous, well-known
réserve (f.) reserve
réservé(e) reserved

résister to resist
résoudre to solve
respectueux, euse respectful
respirer to breathe
responsable responsible
ressembler (à) to look like, to resemble
rester to stay
restes (m.pl.) remains, leftovers
résultat (m.) result
retard: être en — to be late
retour (m.) return
retourner to return, to go back
retraite (f.) retirement
retrouver to find again
    se — to meet, to join, to gather
réunion (f.) meeting
réunir to unite, to gather;
    se — to get together
réussir to succeed
réussite (f.) success
rêve (m.) dream
révéler to reveal
réveille-matin (m.) alarm clock
réveiller: se — to wake up
réveillon (m.) Christmas Eve dinner
revenir to come back, to return
rêver to dream
revoir to see again
rhume (m.) cold
riche rich
ridicule ridiculous
rien nothing
rime (f.) rhyme
rire (m.) laugh
rivière (f.) river, stream
riz (m.) rice
robe (f.) dress
roc (m.) rock
roi (m.) king
rôle (m.) role, part
roman (m.) novel; **— policier** detective novel
romancier, ière (m., f.) novelist
rond, ronde round
rondelle (f.) puck
rosbif (m.) roast beef
rose pink

rosée (f.) dew
rôti (m.) roast
roue (f.) wheel
rouge red
rougir to turn red; to blush
rouleau (m.) roll
rouler to roll along; to drive, to ride
rouspéter to grumble
route (f.) road
rubrique (f.) column
rudiments (m.pl.) basics
rue (f.) street
ruiner: se — to ruin oneself
ruisseau (m.) brook
rupture (f.) breaking off
rural(e) country, rural
russe Russian
Russie (f.) Russia

S

sable (m.) sand
sac (m.) bag, purse
sacrifier to sacrifice
sadique sadistic
sage wise
saignant rare (steak)
sain, saine healthy
saison (f.) season
salade (f.) salad; lettuce
salaire (m.) salary, wages
sale dirty
salle (f.) room;
    — d'attente waiting room;
    — de bains bathroom;
    — de cours classroom;
    — à manger dining room;
salon (m.) living room
saluer to salute, to greet
Salut! Hello!, Hi!; Good-bye!
samedi (m.) Saturday
sang (m.) blood
sans (que) without
santé (f.) health;
    en bonne — in good health
sapin (m.) fir
satisfait, aite satisfied, content
saucisse (f.) sausage

sauf except
saumon (m.) salmon
sauter to jump
sauvage wild
sauvegarder to safeguard
sauver to save
savoir to know
savoir (m.) knowledge
savon (m.) soap
scellé(e) sealed
science (f.) science
scientifique scientific
scolaire academic
scolarisation (f.) schooling
sculpture (f.) sculpture
sec, sèche dry
secondaire secondary
secours (m.) aid, assistance
secrétaire (m./f.) secretary
secteur (m.) area
séduisant, ante seductive
sel (m.) salt
selle (f.) saddle
selon according to
semaine (f.) week
sembler to seem
sens (m.) meaning;
    — de l'humour sense of humor
sensible sensitive
sentier path
sentiment (m.) feeling
sentir to feel; to smell;
    se — to feel
séparer to separate
septembre September
sérieux, euse serious
serpent (m.) snake
serre (f.) greenhouse
serrer la main to shake hands
serviette (f.) napkin; briefcase
servir to serve;
    se — de to use
seuil (m.) threshold
seul(e) alone
seulement only
sévère strict
sexe (m.) sex

sexuel(le) sexual
si if, whether
siècle (m.) century
siège (m.) seat
signifier to mean
simple simple, easy
singe (m.) monkey
sinon if not, or else
sirop (m.) syrup
situé(e) located
ski (m.) ski, skiing;
    — nautique water skiing;
    — de fond cross-country skiing;
    — alpin downhill skiing
skieur, euse (m.,f.) skier
société (f.) society
sociologie (f.) sociology
soeur (f.) sister
soif (f.) thirst;
    avoir — to be thirsty
soigner to care for, to look after, to tend
soin (m.) care;
    avec — carefully
soir (m.) evening;
    ce — tonight
soirée (f.) evening; evening party
soit either, or
sol (m.) soil, ground
solaire solar
soleil (m.) sun;
    au — in the sun
solennel(le) solemn
sombre dark
sommeil (m.) sleep;
    avoir — to be sleepy
sommet (m.) top, summit
somnifère (m.) sleeping pill
son (m.) sound
sondage (m.) poll
sonner to ring
sorcière (f.) witch
sort (m.) fate
sorte (f.) sort, kind
sortie (f.) exit
sortir to go out
sot, sotte silly
souci (m.) worry

soucoupe (f.) saucer;
   — **volante** flying saucer
soudain all of a sudden
souffrir to suffer
souhait (m.) wish
souhaitable desirable
souhaiter to wish
soulever to lift
soulier (m.) shoe
soumettre to submit
soupe (f.) soup
souper to have supper
source (f.) spring, source
sourcil (m.) eyebrow
sourd, sourde deaf
sourire (m.) smile
sourire to smile
souris (f.) mouse
sous under
soustraction (f.) subtraction
sous-vêtement (m.) undergarment
soutien-gorge (m.) bra
souvenir: se — de to remember
souvenir (m.) memory, recollection
souvent often
spatule (f.) spatula
spécialement especially
spécialiser: se — to specialize
spécialiste (m./f.) specialist
spectacle (m.) show, play
spectateur, trice (m.,f.) spectator
sport (m.) sport
sportif, ive athletic; (m.) sportsman
stade (m.) stadium
stationnement (m.) parking
stationner to park
stylo (m.) pen; — **à bille** ballpoint pen
subir to undergo
subitement suddenly
subvenir to provide
succès (m.) success
succulent, ente delicious
sucre (m.) sugar
sud (m.) south
Suède (f.) Sweden
suffisamment sufficiently, enough
suffisant, ante sufficient

suggérer to suggest (f.)
suicider: se — to commit suicide
Suisse (f.) Switzerland
suivant, ante following
suivre to follow; to take (a course)
sujet (m.) subject, topic
supermarché (m.) supermarket
supposer to suppose
supprimer to remove
sur on
sûr(e) sure; safe
sûrement surely
sûreté (f.) safety
surprise (f.) surprise
surtout above all, especially
surveiller to watch over
survivre to survive, to outlive
susciter to give rise to
sympathique likable, nice
symphonie (f.) symphony
syndicat (m.) trade union
système (m.) system

T

tabac (m.) tobacco
table (f.) table
tableau (m.) blackboard, painting
tache (f.) stain
tâche (f.) task, work
taché(e) stained
tacite implied
taille (f.) size; waist; figure
tailleur (m.) tailor
taire: se — to be quiet, to be silent
talent (m.) talent
talon (m.) heel
tambour (m.) drum
tandis que while, whereas
tant (de) so much (many);
   — **mieux** so much the better;
   — **pis** too bad
tant que as long as, as well as
tante (f.) aunt
tantôt at one time
tapis (m.) rug
tard late
tarder: sans — without delay

tarif (m.) rates
tarte (f.) pie
tas: un — de a lot of
tasse (f.) cup
taux (m.) rate
technique technical
technologie (f.) technology
tel(le) such; **— que** such as
télé(vision) (f.) TV set
tellement so, so much
témoigner to testify; **— de** to bear witness to
témoin (m.) witness
tempérament (m.) nature
tempête (f.) storm
temps (m.) time; weather; tense (verb);
    de — en — from time to time;
    en même — at the same time;
    être de son — to keep up with the times;
    — partiel part-time;
    — plein full-time;
    perdre son — to waste one's time;
    Quel — fait-il? What is the weather like?
ténacité (f.) stubbornness
tendance (f.) trend
tendresse (f.) tenderness
tenir to hold;
    — à to insist upon; to value
tennis (m.) tennis
tentative (f.) attempt
tenter to attempt, to try
tenu(e): être — de to be bound to
terminaison (f.) ending
terminer to end
terminus (m.) terminal
terrain (m.) ground, lot
terrasse (f.) terrace
terre (f.) earth, soil; land;
    par — on the floor (ground)
terrifiant, ante terrifying
terrifier to terrify
territoire (m.) territory
tête (f.) head;
    — à — private conversation;
    mal de — headache
thé (m.) tea
théâtre (m.) theater

théorie (f.) theory
thèse (f.) thesis
Tiers-Monde (m.) Third World
tigre, tigresse (m.,f.) tiger, tigress
timide timid, shy
tirer to pull
tiroir (m.) drawer
tisane (f.) herbal tea
tissu (m.) material
titre (m.) title
titulaire (m./f.) possessor
toile (f.) canvas; painting
toilette (f.) washing up, dressing up;
    —s restrooms
toit (m.) roof
tolérer to tolerate
tomate (f.) tomato
tomber to fall
ton (m.) **(de la voix)** tone (of voice)
tonnelle (f.) arbour
tonnerre (m.) thunder
tornade (f.) tornado
tort (m.) fault;
    avoir— to be wrong
tôt early
toucher to touch
toujours always, still
tour (m.) turn;
    à mon — my turn;
    faire le — de to tour, to go around;
    jouer un — to play a bad trick
tour (f.) tower
tourne-disque (m.) record player
tournée: être en — to be on tour
tourner to turn
tousser to cough
tout, toute, tous, toutes all, whole, every, everything;
    — à coup suddenly;
    — à fait quite; entirely;
    — de suite immediately;
    — le temps all the time;
    pas du — not at all
toutefois however, yet
trac (m.) stage fright
traditionel(le) traditional
traducteur, trice (m.,f.) translator

traduire to translate; to convey
train: être en — de to be in the midst of
    (doing something)
trait (m.) feature, characteristic
traité (m.) treaty
traitement (m.) treatment
tranquille quiet;
    laisser — to leave alone
transformer to transform
transmettre to transmit, to convey, to pass on
transports en commun (m.) public transport
transporter to carry
travail (m.) work, job; assignment
travailler to work
travailleur, euse hardworking;
    (m.,f.) worker
travers: à through; across
traverser to cross
traversier (m.) ferryboat
très very
trésor (m.) treasure
tribu (f.) tribe
triste sad
tristesse (f.) sadness
tromper: se — to make a mistake
trompette (f.) trumpet
tronc (m.) trunk
trop (de) too, too much/many
trottoir (m.) sidewalk
trou (m.) hole
troupe (f.) band
trouver to find
truc (m.) device
truite (f.) trout
tuque (f.) cap, tuque
tutu (m.) ballet skirt
typique typical
tyrannique tyrannical

U

un, une a, an; one
uniforme (m.) uniform
unir to unite
urbain, aine urban
urgence (f.) emergency
usage (m.) use, usage; practice
usé(e) worn out

usine (f.) plant, factory
ustensile (m.) utensil
utile useful
utilisation (f.) use
utiliser to use

V

va-et-vient (m.) coming and going
vacances (f.pl.) vacation, holidays
vache (f.) cow
vague (f.) wave
vaguement vaguely
vain: en — in vain
vainqueur (m.) conqueror, victor
vaisselle (f.) dishes;
    faire la — to do the dishes
valeur (f.) value;
    mettre en — to enhance
valise (f.) suitcase
vallée (f.) valley
valoir to be worth
valoriser to self-actualize
vapeur (f.) steam
varié(e) varied
variété (f.) variety
vaut: ça — la peine de it's worth (doing);
    il — mieux it is better
veau (m.) calf, veal
vedette (f.) star
végétarien, ienne vegetarian
veille: la — de the day before
veillée (f.) evening gathering
veiller à to see to, to look after
vélo (m.) bicycle
vendeur, euse (m.,f.) salesclerk
vendre to sell
vendredi (m.) Friday
vénérien, ienne venereal
venir to come
vent (m.) wind
vente (f.) sale
ventre (m.) belly, stomach
verdir to turn green
vérifier to check
véritable real, genuine, true
vérité (f.) truth

verre (m.) glass;
  —s de contact contact lenses
vers toward; around; about
vers (m.) verse
vert, verte green
vertige (m.) vertigo
veste (f.) jacket
vestige (m.) trace, remains
veston (m.) jacket
vêtement (m.) garment, clothing
vétérinaire (m./f.) veterinary
veuf, veuve (m.,f.) widower, widow
viande (f.) meat
victoire (f.) victory
vide empty
vie (f.) life
vieillard (m.) old man
vieillesse (f.) old age
vieillir to grow old
vieillissement (m.) aging
vieux, vieille old
ville (f.) town, city
vin (m.) wine
violemment violently
violet, ette purple, violet
violon (m.) violin
violoncelle (m.) cello
virage (m.) turn, bend
visage (m.) face
visée (f.) design
visite (f.) visit;
  rendre — à to visit someone
visiter to visit (a place)
visiteur (m.) visitor
vitamine (f.) vitamin
vite quickly, fast
vitesse (f.) speed
vitrine (f.) shop window
vivant, ante living
vivre to live

vocabulaire (m.) vocabulary
voici here is, here are
voie (f.) track, way;
  en — de disparition endangered
voilà there is, there are
vouloir: en — à to hold a grudge against
voile (f.) sail
voilier (m.) sailing ship
voir to see
voisin, ine (m.,f.) neighbor
voiture (f.) car
voix (f.) voice;
  à — basse in a low voice
vol (m.) theft; flight
volant (m.) steering wheel
voler to steal
voleur (m.) thief
volume (m.) book
vouloir to want, wish;
  — dire to mean
voyage (m.) trip, journey;
  — de noces honeymoon
voyager to travel
voyageur, euse (m.,f.) traveller
vrai(e) true
vraiment really, indeed
vue (f.) sight, view
vulgaire vulgar

W

wagon-lit (m.) sleeping car
week-end (m.) weekend

Y

y there
yeux (m.pl.) (sing. **oeil**) eyes

Z

zodiaque (m.) zodiac
zoo (m.) zoo

Index

Photo Credits

Prentice Hall Photo Library, p. 1, p. 77, p. 119, p. 185, p. 221, p. 291, p. 402; David Starett, The Cove, p. 17; Shark Images Photography, p. 33; Carol Smalley, p. 51; Communauté urbaine de Québec, p. 57, p. 72; YMCA Scarborough, p. 90; Photo courtesy of Sears, p. 95; Marko Shark, p. 112; Université Laval, p. 137; Ottawa Tourism and Convention Authority, p. 141, p. 156; VIA Rail, p. 161; Yukon Department of Tourism, p. 180; Les grandes ballets canadiens, p. 201; Canapress, p. 205; Photo courtesy of Gillian McCarthy, p. 217; Terry W. Self, Canapress, p. 233; John McNeill, p. 237, p. 250, p. 320, p. 341; Nova Scotia Department of Tourism and Culture, p. 255; Nova Scotia Department of Government Services, p. 271; Photo retouched by Charles Gil, National Archives, p. 275; National Archives, p. 287; Metropolitan Toronto Convention and Visitors' Association, p. 303; CN, p. 307; Lafayette Convention and Visitors Commission, p. 323, p. 337; P. Gower, *The Toronto Star*, p. 352; The Cove, p. 357; Le Cercle Molière, p. 375; *The Montreal Gazette*, p. 388; Metropolitan Toronto Police Force, p. 393.